Cyfres y Cymoedd

Cwm Gwendraeth

Golygydd
Hywel Teifi Edwards

Argraffiad cyntaf—2000

ISBN 1 85902 891 8

ⓗ y cyfranwyr

Dymuna'r cyhoeddwyr gydnabod cymorth
Adrannau Cyngor Llyfrau Cymru.

Argraffwyd gan
Wasg Gomer, Llandysul, Ceredigion

Cynnwys

Cyflwyniad 8

Cwm Gwendraeth 10
John Gwilym Jones

Pobl y Cwm 13
D Huw Owen

Bachgen Bach o Golier 37
Gareth Davies

Cymoedd y Gwendraeth – O Fewn Cof, Fwy neu Lai 49
Walford Gealy

Drama'r Cwm 75
Nan Lewis

Tystiolaeth Cyfrifiad 1891 ym Mhlwyf Llan-non 87
Hywel Befan Owen

'Neuadd y Cross' 109
Lyn T. Jones

Cofio Cerddor: Albert Haydn Jones, M.Mus. (1892-1974) 131
Lyn Davies

Dai Culpitt ac Ifor Kelly 143
Hywel Teifi Edwards ac Irene Williams

'Yr afon sy'n canu yn y cwm': Y Fonesig Amy Parry-Williams 161
Bethan Mair Matthews

Cyfarwydd Carwe: Bernard Evans, Mapiwr Cynefin 171
Robert Rhys

Clicky Ba, Coes Bren, a Cheidwad y Cleddau Mawr 185
Dafydd Rowlands

Cerdd a Cherddorion Tref Llanelli: Rhai Agweddau 197
A.J. Heward Rees

Y Gymraeg yn Eisteddfodau Cenedlaethol Llanelli 225
Rhian Angharad Williams

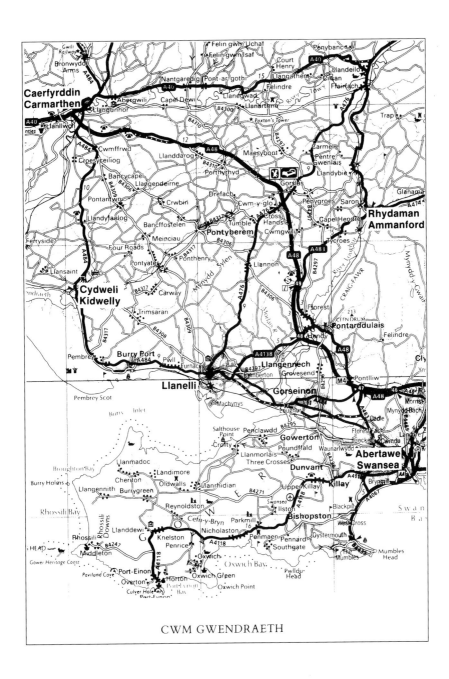

CWM GWENDRAETH

Cyflwyniad

Fe ddaeth yn amser eto i ddiolch i bawb a sicrhaodd ymddangosiad yr wythfed gyfrol yng Nghyfres y Cymoedd – i'r cyfranwyr am eu llafur, i Mrs Bethan Matthews a Gwasg Gomer am roi'r cyfan rhwng cloriau mor grefftus ag erioed, ac i Mrs Gaynor Miles, fel arfer, am baratoi cymaint o'r deunydd ar gyfer ei argraffu. Diolchaf, hefyd, i'r cyfranwyr hynny a roes fenthyg lluniau i'w cynnwys yn y gyfrol hon ac yn arbennig i Mr Brinley Davies a Mr Andrew Cox am ein helpu i gael lluniau ar gyfer 'Neuadd y Cross'.

Rwyf eisoes wedi 'caledu' i'r cyhuddiad blynyddol o fod wedi 'anghofio' hwn a hwn, hon a hon, neu'r peth a'r peth. Fe fydd rhywun eleni yn sicr o ddannod imi nad oes dim yn y gyfrol am Fenter Iaith Cwm Gwendraeth neu Eisteddfod Genedlaethol yr Urdd a ddaeth i'r cwm yn 1989, neu'r gyfres deledu, 'Pobol y Cwm'. Yr ateb i'r cyhuddiad hwnnw yw y bydd sôn amdanynt yn y bennod ar Gwm Gwendraeth yng nghyfrol olaf y gyfres.

Ond yn sicr y mae rhai 'bylchau' amlwg yn y gyfrol y byddwn wedi eu llenwi petai cyfranwyr ar gael i ateb y gofyn. Fe geir sôn gan wahanol gyfranwyr am waith y dramodydd Gwynne D. Evans, er enghraifft, ond fe ddylai fod erthygl yn y gyfrol hon yn trin ei ddramâu. Ni wn am neb sydd wedi rhoi sylw manwl i'w waith. Ni wn am neb, chwaith, sydd wedi manylu ar hanes *Mynydd Mawr Council of the Arts* a oedd yn ei anterth rhwng 1954-9. Y mae'n bennod yn hanes y cwm sy'n haeddu ei hysgrifennu'n llawn. A hyd yn hyn, gwaetha'r modd, nid oes neb ymhlith y cyfeillion glew sydd wedi sicrhau parhad Eisteddfod Flynyddol Y Tymbl er 1946 wedi gweld yn dda i ysgrifennu ei hanes. Y mae'n wir fod rhai ffeithiau ynglŷn â'i hynt wedi'u cyhoeddi adeg dathlu ei phen-blwydd yn ddeugain ac yn hanner cant oed, ond y mae Eisteddfod Y Tymbl yn teilyngu astudiaeth gyflawn. Y mae wedi bod yn addurn ar ddiwylliant Cymraeg Cwm Gwendraeth am hanner canrif; fe fyddai adrodd ei stori'n llawn yn rhoi i ni olwg werthfawr ar gyflwr y diwylliant hwnnw. Fe fyddai'n dda calon gen i feddwl fod rhywun yn y cwm a wêl yn dda cyn hir i ymgymryd â'r gwaith.

Aelodau Pwyllgor Eisteddfod 1996.

Y mae'n fusnes cyfres fel hon i ddwyn i'r amlwg bynciau sy'n haeddu astudiaeth ac wrth nodi 'bylchau', nodi yr wyf unwaith eto gymaint mwy sydd i'w ddweud am bob un o'r cymoedd sydd yn y gyfres. Nid yw Cwm Gwendraeth – Cwm Gwendraeth Fawr a bod yn gymwys – yn eithriad ac rwy'n ffyddiog fod llawn digon wedi'i ddweud gan gyfranwyr y gyfrol hon i amlygu cyfoeth y bywyd Cymraeg sydd wedi cynnal, ac sy'n dal i gynnal, er gwaethaf pob newid, cymdeithas dda yn y cwm.

Cwm Gwendraeth

John Gwilym Jones

Wrth blannu Cymru rhoed cwm
Yn y gwaelod yn gwlwm,
I wahanu Morgannwg
Y llwch brith a'r melltith mwg,
A Dyfed oer, diafiaith
Sy'n fronnydd a meysydd maith:
Yno fe roed inni fro
Yn aelwyd i'w hanwylo.

O loriau ei selerydd
Mynnai caib y meini cudd;
Oes o dân gadd wres di-stŵr
Y perlau yng ngrat y parlwr;
A'i emau ar danau'r dydd,
Dyma'r glo dwymai'r gwledydd.

Ei ddoe blin roddodd i'w blant
Allwedd i dŷ diwylliant.
Ei dŷ yn blaen, ond yn blas,
Ei ardd yn erw urddas;

Ei lenyddiaeth lawn addysg,
Ei ddawn, a'i werinol ddysg,
Fu'n medi miri'i ddramâu
A'i fedel eisteddfodau.

A chan agor yfory
Â dewrder ei hyder hy,
Anturia hwn fenter iaith,
A rhannu gardd yr heniaith.

Mae'r angerdd sy 'mhob cerddor
Yn dân yn ei gân a'i gôr;
Hafau lu a ffrwydrai floedd
Yn fyw o'i gymanfaoedd
Gwn tra bydd i'r Mynydd Mawr
Un teulu mewn cord deulawr
Y clywir dŵr berw'r bas
Yn rhyddhau'r cerddi eirias.

A cheir ar faes ei chwarae
Wŷr ei gamp yn dân ar gae;
Yn tanio rhewynt Ionor
Yn wres o'r sgarmes i'r sgôr,
Yn fellt nas trechir gan fwd
Na phregeth wedi ffrwgwd.

Bydd ddedwydd, hael ddeheudir,
Dy hiwmor fo'n twymo tir;
Y gwres sy'n fflam dy groeso
Fel erioed, bob cyfle, rho;
A boed dy gymuned bur
Yn rhwydwaith rhwng cymrodyr.

Chwilio hen ffordd dychwelyd
A wnaf mwy, a gwyn fy myd
Os caf yn dy ddrws cefen,
Henwlad hoff, weled dy wên.

Pobl y Cwm

D Huw Owen

Un o ardaloedd mwyaf adnabyddus y Gymru gyfoes yw Cwm Gwendraeth, sef yr ardal sy'n ymestyn o Lyn Llech Owen, ger tarddle afonydd y Gwendraeth Fawr a'r Gwendraeth Fach, i Gydweli, lle ymuna'r ddwy afon cyn iddynt lifo i Fae Caerfyrddin. Lleolir yma 'ffatri maswyr Cymru' a gyfrannodd mor sylweddol at lwyddiannau Oes Aur tîm rygbi Cymru, a hefyd y pentref dychmygol, Cwmderi, sy'n denu sylw miloedd o wylwyr teledu bob nos.

Mae castell Cydweli, a adeiladwyd yn gynnar yn y ddeuddegfed ganrif ar fryn serth uwchlaw afon y Gwendraeth Fach, yn parhau heddiw i ddenu ymwelwyr, fel y gwnaeth dros y canrifoedd. Ym mhen uchaf y cwm, mae meysydd parcio Parc Busnes Cross Hands, sy'n orlawn dros y penwythnos, yn adlewyrchu apêl aruthrol y cwmnïau masnachol a sefydlwyd yno. Lleolir y Parc Busnes ger y ffyrdd prysur sy'n cysylltu yr A48 o Gaerfyrddin yn y gorllewin tuag at Bont Abram â thraffordd yr M4; a'r A476 o Lanelli yn y de tuag at Landeilo. Wrth i deithwyr nesáu at y groesffordd ger pentref Cross Hands, fe'u cyfareddir gan olygfa sy'n ddrych o'r dulliau masnachu modern – llu o adeiladau newydd ac arwydd llachar melyn bwyty Macdonald's i'w weld o bell.

Y ffordd yn arwain o'r M4 tuag at y groesffordd yn Cross Hands.

Maes Parcio Siop Leeke's, Parc Busnes Cross Hands.

Un o'r busnesau mwyaf llewyrchus yw siop enfawr Leeke's sy'n denu cwsmeriaid niferus o ganolbarth a de Cymru. Hysbysebir y siop pan ddangosir y gyfres deledu *Pobol y Cwm*. Dywedir ar dudalen y We, *Clecs Pobol y Cwm*, fod 'pentre dychmygol Cwmderi rhywle rhwng Caerfyrddin a Llanelli. Mae'r pentre felly'n cuddio yng nghalon Cwm Gwendraeth.' Cyn darlledu'r rhaglen gyntaf, ym mis Hydref 1974, cyfeiriwyd at leoliad y pentref. Cyhoeddwyd yn *Y Cymro*: 'Y cwm hwn yw pentref dychmygol "Cwmderi", pentre diwydiannol nid annhebyg i rai o'r pentrefi glofaol hynny a geir yng Nghwm Gwendraeth.' Dywedodd Gwynne D Evans, brodor o Gefneithin ac un o gyd-awduron cynnar y gyfres, mewn sgwrs radio: 'Wel, pentre bach dychmygol yw e', wrth gwrs, ond fe alle'n hawdd fod yn bentre yng Nghwm Gwendraeth – chi'n gwbod – heb fod yn wahanol iawn i Tymbl, Cefneithin, Pontyberem, dim un lle pendant'. Cyfeiriodd at nodweddion y cwm: 'Mae na bopeth yng Nghwm Gwendraeth, w...gweithie glo, rygbi, criced a chorau meibion...' Rhoddwyd sylw helaeth gan y cyfryngau i'r diddordeb lleol mewn rygbi, a thynnwyd sylw at gyfraniad Ysgol Ramadeg y Gwendraeth a'i dilyniant rhyfeddol o chwaraewyr disglair, megis Carwyn James a Barry John (Cefneithin), D Ken Jones (Cross Hands), Gareth Davies (Y Tymbl), a Jonathan Davies (Trimsaran).[1]

Mae enwogrwydd Cwm Gwendraeth heddiw yn y meysydd adloniant a chwaraeon yn cyferbynnu â'r diffyg sylw iddo yn hanesyddiaeth Cymru. I raddau helaeth mae'r cwm a'i bentrefi yn absennol o'r prif lyfrau a ysgrifennwyd ar hanes Cymru, ac ni chafodd lawer o sylw chwaith, tan y blynyddoedd diwethaf, yn y cyfrolau a ganolbwyntiai ar hanes sir Gaerfyrddin. Yn y ddwy gyfrol bwysig a swmpus a gyhoeddwyd ar hanes y sir, sef J E Lloyd, *The History of Carmarthenshire*, ni cheir ond un cyfeiriad at Cross Hands, sef yr un yn yr ail gyfrol, ar dudalen 385, at berchnogaeth y lofa yn y cyfnod 1824-30 gan Colonel Wray a Norton. Ar yr un dudalen nodir glofeydd Tyn-y-Wern a Thyn-y-Waun, Pont-henri; yr hen Bentremawr, Pontyberem; yr hen Gae-Pont-Bren, Pont-iets, a phedwar pwll yng Ngors-las, sef pyllau Gilfach, Millers, George a Pwll-y-lledrim.[2] Adlewyrchir yr un diffyg diddordeb gan haneswyr lleol yn y mynegai a luniwyd gan A M W Green i *Drafodion Cymdeithas Hynafiaethau Sir Gaerfyrddin* a gyhoeddwyd yn ystod y cyfnod 1905-77. Mae Pontyberem (wyth cyfeiriad), yn cymharu'n ffafriol â'r Tymbl (dau) a Gors-las (tri), ac nid yw Cross Hands yn ymddangos o gwbl yn y rhestr.[3] Mae Gors-las yn absennol o'r Atodiad (1989) sy'n canolbwyntio ar y rhifynnau hynny o'r *Trafodion* a gyhoeddwyd rhwng 1978 a 1987. Nodir yma bedwar cyfeiriad at Bontyberem, tri at Y Tymbl ac, yn wahanol i'r rhestr gyntaf, un at Cross Hands.[4]

Tueddai'r ymwelwyr hynny a gofnodai eu hargraffiadau o'u teithiau anwybyddu'r cwm, hefyd, yn enwedig yr ardaloedd gogleddol. Parhaodd apêl castell Cydweli dros y canrifoedd. Arhosodd Gerallt Gymro am noson yn y castell yn 1188 yn ystod ei daith drwy Gymru yng nghwmni'r Archesgob Baldwin. Adroddwyd yr hanes yn yr *Itinerarium Kambriae*, y llyfr taith cyntaf a ysgrifennwyd am Gymru, a dywedyd fod yr ardal o amgylch Cydweli yn 'fforest . . . yn heigio gan anifeiliaid gwyllt, a chan geirw yn arbennig' a 'phorfeydd eang, ac yn y porfeydd braidd niferus o ddefaid.'[5] Daeth John Leland, a benodwyd yn Hynafiaethydd y Brenin yn 1533, i'r ardal tra'n marchogaeth drwy Gymru yn ystod y blynyddoedd 1536-9, a chofnodwyd ei sylwadau yn y gyfrol a olygwyd gan Lucy Toulmin Smith. Mae ei farn am y glo a gynhyrchid yn y cwm o ddiddordeb arbennig: 'At Llanethle, a village of Kidwelli lordship, a vi miles from Kidwelli, the habitants digge coles . . . There be ii maner of thes coles... So that Venwith Vawr coles be stone coles; Llanethle coles ring colis.'[6]

Ar wahân i gastell Cydweli nid oedd Cwm Gwendraeth ymhlith yr ardaloedd a ddenodd sylw'r arlunwyr niferus, gan gynnwys Paul Sandby a John 'Warwick' Smith, a heidiodd i Gymru yn y Cyfnod Rhamantaidd ar ddiwedd y ddeunawfed ganrif a dechrau'r bedwaredd ganrif ar bymtheg. Cafodd Cydweli le teilwng yng nghyfrol Aneirin Talfan Davies, *Crwydro Sir Gâr* (1955). Ar y llaw arall, ychydig iawn o sylw a roddwyd i bentrefi Pontyberem a Cross Hands yn y bennod ac iddi'r pennawd arwyddocaol, 'Gwlad y Pyramidiau', sy'n ymdrin â dyffrynnoedd Aman a Gwendraeth, ac enwir Y Tymbl a Gors-las yn bennaf oherwydd i'r awdur deithio ar hyd y ffyrdd drwy neu heibio'r pentrefi hyn. Ei brif ddiddordeb yn ardal Cross Hands oedd capel Pen-twyn a welir yn glir heddiw o'r Parc Busnes ac o ffordd ddeuol yr A48. Rhoddir pwyslais hefyd ar gryfder yr iaith Gymraeg: 'Yn Cross Hands, er enghraifft, Cymraeg yw cyfrwng addysg yr ysgol gynradd fawr yno, ac felly am bentrefi'r cwm.' Rhinweddau lleol eraill a wnaeth argraff ar yr awdur oedd agwedd annibynnol y glowyr, eu gofal am eu gerddi, a balchder y gwragedd yn eu tai.'[7]

Tan yn gymharol ddiweddar, ychydig iawn o'r trigolion lleol, neu o'r rhai a fagwyd yn yr ardal, a ysgrifennodd am Gwm Gwendraeth. Eithriad, felly, oedd y Parchg. Tom Beynon, a aned ger Cydweli, a'r ardal hon eto, sef rhan ddeheuol y cwm, yw'r un a ganolbwyntir arni yn ei gyfrolau, sef *Allt Cunedda, Treftadaeth y Cenfu a Maes Gwenllian,* a *Cwnsel a Chefn Sidan.*[8] Bu'n olygydd gweithgar *Cylchgrawn Cymdeithas Hanes y Methodistiaid Calfinaidd,* ac mae'n ddiddorol sylwi fod ei olynydd, y Parchg. Gomer M Roberts, brodor o Landybïe, wedi ysgrifennu yn *Hanes Plwyf Llandybïe* (1939) am yr ardal sy'n ffinio â phen gogleddol Cwm Gwendraeth.[9]

Er gwaethaf y diffyg gweithgarwch yn y gorffennol, gwelwyd cynnydd sylweddol yn yr ymwybyddiaeth o bwysigrwydd hanes y cwm yn ystod y blynyddoedd diwethaf. Cyhoeddwyd cyfrolau megis *Hanes Plwyf Llan-non, Cwm Gwendraeth a Llanelli, Glofeydd Cwm Gwendraeth a Cymoedd y Gwendraeth,* ynghyd â bywgraffiadau, a chyfrolau sy'n adrodd hanes eglwysi unigol, rheilffordd, a chlwb rygbi,[10] ac erthyglau i gylchgronau megis *Trafodion Hynafiaethau Sir Gaerfyrddin, The Carmarthenshire Historian* a chylchgrawn Cymdeithas Addysg y Gweithwyr, sef *Amrywiaeth Llanelli Miscellany.*

Ffurfiwyd Cymdeithas Hanes Dyffrynnoedd Gwendraeth a grwpiau ymchwil lleol hefyd, megis yr un sy'n astudio hanes Gors-las ac a drefnodd llynedd, yn Neuadd yr Eglwys, arddangosfa a ddenodd ymateb brwd gan y pentrefwyr. Gwnaed cyfraniadau pwysig gan ymchwilwyr brwd a galluog, a rhaid cyfeirio, gyda thristwch erbyn hyn, at y diweddar, W Hill Morris, Michael C S Evans, Dilwyn Roberts a Ken Treharne. Rhaid nodi'n ogystal gyfraniadau gwerthfawr gan gyrff lleol megis yr archifdy, yr amgueddfeydd a'r llyfrgelloedd a weinyddir gan Gyngor Sir Gaerfyrddin, ac Ymddiriedolaeth Archaeolegol Sir Gaerfyrddin; a chyrff cenedlaethol, gan gynnwys Llyfrgell Genedlaethol Cymru, Amgueddfeydd ac Orielau Cenedlaethol Cymru, a Chomisiwn Brenhinol Henebion Cymru.

Un o gyhoeddiadau'r Comisiwn Brenhinol, sef yr *Inventory* a gyhoeddwyd yn 1917, yw un o'r prif ffynonellau ar gyfer y cyfnodau cyn-hanesyddol a hanesyddol cynnar. Yn yr adran ar gyfer plwyf Llandybïe, ceir disgrifiad llawn o'r cerrig a ffurfiai ran o gylch ar fryn ar ymyl pen uchaf y cwm i'r dwyrain o bentref Gors-las. Archwiliwyd safle Banc-y-naw-carreg yn 1914, a'r adeg honno yr oedd pum carreg o hyd yn eu trefn wreiddiol. Roeddent rhwng 18 i 24 modfedd o uchder a thua 18 troedfedd rhyngddynt mewn cylch 60 troedfedd diamedr. Erbyn gwneud archwiliad arall y flwyddyn ganlynol, yr oedd y cerrig hyn wedi eu codi ond darganfuwyd tyllau ar gyfer 14 o gerrig. Nodir yn un o'r cofnodion ar gyfer plwyf Llan-non y maen hir sy'n mesur 15 troedfedd ac sy'n sefyll heddiw ar un o gaeau fferm Bryn Maen, Llan-non. Dyma'r maen hir talaf yn y sir ac mae'n perthyn, mae'n debyg, i'r

Maen Bryn Hir.

Oes Efydd Gynnar (c.2000 C.C).[11] Yn yr un cyfnod yr oedd Allt Cunedda (ger Cydweli), Mynydd Llangyndeyrn, Llan-non a Charmel yn ganolfannau pwysig, fel y dangoswyd gan astudiaeth fanwl o'r olion materol a ddarganfuwyd yn ystod y blynyddoedd diwethaf. Dyddiwyd i gyfnod blaenorol, yr Oes Garreg Newydd, y gwrthrychau a ddarganfuwyd ger Mynydd Cerrig, ac ar Fynydd Llangyndeyrn.[12] Nid yw'r dystiolaeth am y cyfnod Rhufeinig yn hollol bendant, ond mae'n debyg fod milwyr wedi teithio'n gyson rhwng y caerau yng Nghasllwchwr a Chaerfyrddin.[13]

Ar sail tystiolaeth yr adeiladau, ynghyd â ffynonellau ysgrifenedig amrywiol, gan gynnwys croniclau'r tywysogion Cymreig a dogfennau a chyfrifon swyddogion brenin Lloegr ac arglwyddi Cydweli, codwyd y llen ar hanes yr ardal yn yr Oesoedd Canol. Yr olion mwyaf trawiadol o'r cyfnod hwn yw castell Cydweli a adeiladwyd yn gynnar yn y ddeuddegfed ganrif ar orchymyn yr Esgob Roger o Salisbury, un o weinidogion y brenin Harri I. Trechwyd a lladdwyd Gwenllian, merch Gruffudd ap Cynan, gwraig Gruffudd ap Rhys ap Tewdwr, ac arweinydd y fyddin Gymreig, gan Maurice de Londres, olynydd yr Esgob Roger, mewn brwydr ffyrnig a ymladdwyd ychydig i'r gogledd o'r castell, ar Faes Gwenllian, yn 1176. Gwrthwynebodd Patrick de Chaworth, arglwydd Cydweli, ymdrechion Llywelyn ap Gruffudd i ymestyn ei awdurdod yn ne-orllewin Cymru, ac fe'i lladdwyd yn 1258 gan filwyr Llywelyn. Serch hynny, ni lwyddodd Llywelyn i gynnwys y tiroedd hynny a oedd yn eiddo i deulu Chaworth yn Nhywysogaeth Cymru a gydnabuwyd gan y brenin, Harri III, yn 1267. Daeth y tiroedd hyn i feddiant teulu Lancaster yn 1296, ac felly yn rhan o Ddugaeth Lancaster am gyfnodau hir yn yr Oesoedd Canol Diweddar. Ymdrechodd byddin Owain Glyn Dŵr, gyda chymorth milwyr o Ffrainc a Llydaw, yn aflwyddiannus i gipio'r castell yn 1403, er gwaethaf cefnogaeth Henry Don, stiward arglwyddiaeth Cydweli ac un o arweinwyr y gwrthryfel.[14]

Yr oedd cysylltiad agos rhwng castell a phriordy Cydweli – ymestyn hanes y ddau yn ôl i gyfnod cynnar y Goresgyniad Normanaidd. Sefydlwyd y priordy, a oedd yn perthyn i Urdd Sant Benedict, yn 1130 ar ochr arall yr afon fel cell i Abaty Sherborne (Dorset).[15] Ailadeiladwyd yr eglwys yn y canrifoedd dilynol ond mae nifer o nodweddion presennol yr eglwys hardd hon yn adlewyrchu pensaernïaeth a defodau yr Oesoedd Canol. Ailadeiladwyd nifer o'r eglwysi plwyf yn y ganrif ddiwethaf ond mae rhannau ohonynt, megis tyrau eglwysi Llangyndeyrn a Llan-non, yn perthyn i'r Oesoedd Canol.[16] Y mae enwau'r eglwysi hyn yn dangos cysylltiad agos â chyfnod Oes y Seintiau. Perthyn Llan-non i'r grŵp o eglwysi a gysegrwyd i Ddewi Sant ond mae haneswyr yn parhau i drafod arwyddocâd y cysegriad i Gyndeyrn. Yr oedd St Kentigern (Cyndeyrn) yn un o seintiau amlwg yr Alban yn y chweched ganrif ac mae un traddodiad yn ei gysylltu hefyd â sefydlu eglwys yn Llanelwy. Y mae'r dystiolaeth i gadarnhau nifer o'r traddodiadau hyn yn niwlog ac yn ansicr, ond nid oes amheuaeth ynglŷn â'r defnydd o'r safleoedd cysegredig hyn fel canolfannau Cristnogol am gyfnodau helaeth yn ymestyn dros ganrifoedd lawer.

Castell Cydweli oedd canolfan weinyddol yr arglwyddiaethau a oedd yn cynnwys y tiroedd hynny a fu'n ffurfio cymydau Cydweli, Carnwyllion ac wedi 1340, Is-Cennen. Rhannwyd arglwyddiaeth Cydweli yn Saesonaeth, yr *Englishry,* sef y fwrdeistref a'r iseldir o amgylch y castell, a Brodoraeth, y *Welshry,* sef yr ucheldir yn cynnwys plwyfi Llandyfeilog, Llangyndeyrn a Llangynnwr yn ymestyn tuag at fwrdeistref a chanolfan frenhinol Caerfyrddin. I'r dwyrain, prif elfennau arglwyddiaeth Carnwyllion oedd bwrdeistref Llanelli, a Brodoraeth yn cynnwys plwyfi Llanelli, Llanedi, Llangennech a Llan-non. Yr oedd rhannau helaeth o Gwm Gwendraeth ym mhlwyf Llan-non, a rhai tiroedd hefyd ym mhlwyfi cyfagos Llanddarog, Llanarthne a Llandybïe yn Is-Cennen. Bu'r cwmwd hwn, a'i ganolfan yng nghastell Carreg Cennen, yn rhan o Gantref Bychan, ac yn eiddo i arglwyddi Cymreig Dinefwr, ond fe'i hychwanegwyd yn 1340 at ystadau Lancaster.[17]

Yn sgil Deddfau Uno 1536 a 1543 ymgorfforwyd Cydweli, Carnwyllion ac Is-Cennen yn y sir Gaerfyrddin estynedig, a chyflwynwyd trefniadau etholiadol a chyfreithiol unffurf drwy Gymru. Serch hynny, cofnodwyd yn Neddf 1543 y dylai hawliau a breintiau Dugaeth Lancaster barhau yn ddilyffethair. Gwnaed Arolwg manwl o'r arglwyddiaethau Cymreig yn 1609-1613, gan gynnwys arglwyddiaeth Cydweli, a chymydau Carnwyllion ac Is-Cennen. Gweinyddwyd bwrdeistref Cydweli gan y bwrdeisiaid drwy gyfrwng maer a henuriaid, a chynhaliwyd dwy farchnad wythnosol a thair ffair flynyddol. Yr unig enghraifft yn yr arglwyddiaeth o dir-ddaliadaeth gaeth oedd pentref bach St Ishmaels yn y Saesonaeth, ac yn y tiroedd Cymreig, gan gynnwys Cwm Gwendraeth, trigai pobl o statws rhydd yn mwynhau hawliau helaeth ar y tir comin.[18]

Ceir yn *Arolwg* 1609-1613 ddisgrifiad manwl o'r boblogaeth a thirddaliadaeth leol. Ffynhonnell wahanol iawn yw'r gerdd lle cofnodir y traddodiad lleol sy'n cyfeirio at yr ymdrech gynnar i gynhyrchu haearn yn ystod teyrnasiad Elisabeth 1. Adroddir yr hanes am ddiwydiannwr o Sweden yn sefydlu ffwrnais ym Mhont-henri mewn cerdd gan J Jones, Ffoy, a gyhoeddwyd yn yr ugeinfed ganrif, ac sy'n sôn am:

> Haiarnwr o Sweden a ddaeth ar anturiaeth
> Mewn ysbryd brwdfrydig a byw am waith ha'rn...
>
> Daeth llwyddiant masnachol fel awel y boreu,
> A bywyd a nwyf i bob cymal o'r gwaith,
> A gwelid y mulod yn rhesi dan bwnnau
> Mor heini yn myned a dyfod ar daith.
>
> Ar archiad o'r orsedd, gwnaed myrdd o gad-belau,
> Yn nhwrf eu taranau melltenwyd y rhain,
> A buont yn ffyddlon genhadon i angau
> Tra Bess mewn rhyfelgyrch â Phillip o Sbaen.

Lleolwyd y ffwrnais yn nyffryn Gwendraeth Fawr rhwng pentrefi Pont-henri a Phont-iets. Yna, rhyw ugain mlynedd wedi marwolaeth y sylfaenydd o Sweden, ailagorwyd y gwaith:

> Daeth gŵr mawr o Gernyw, i'r lle ar ymweliad,
> Â bywyd i'r gwaith fu yn farw cyhyd,
> Aeth eirchion y fyddin yn fwy na'r cyflenwad,
> A phorthladd Cydweli yn galw o hyd;
> 'Roedd Siarlyn y Cyntaf a'r Senedd mewn rhyfel,
> Tra enw y Ffwrnas yn uwch nag erioed,
> Yn rhoddiad eu cyflawn wasanaeth i Cromwell,
> Ar safle ehangach iawnderau a roed.[19]

Y 'gŵr mawr o Gernyw' oedd Hugh Grundy, a fu'n gyfrifol am gynhyrchu haearn yn y ffwrnais ar ddechrau'r ail ganrif ar bymtheg.

Yn 1696, cafwyd les ar ffwrnais Pont-henri gan Thomas Chetle, aelod o deulu o sir Gaerwrangon. Roedd ei fab, Peter, hefyd yn gysylltiedig â'r fenter hon. Yn 1724 llwyddodd ef i sicrhau meddiant o efail gof Cydweli a adeiladwyd tua chanol yr ail ganrif ar bymtheg ar dir a oedd yn eiddo i Owen Brigstocke, Llechdwnni, ac yn perthyn i fferm Maes Gwenllian ar ochr ddwyreiniol afon Gwendraeth Fach, milltir a hanner i'r gogledd-ddwyrain o Gydweli.[20]

Datblygiad diwydiannol cynnar pwysig arall yn yr ardal, oedd sefydlu melin 'rolio' yn 1737 gan Charles Gwynn yn 'Bank Broadford'. Defnyddiwyd porthladd Cydweli ar gyfer mewnforio tun o Gernyw ac allforio'r cynnyrch gorffenedig. Yn ddiweddarach bu nifer o ddiwydianwyr amlwg, gan gynnwys Robert Morgan o Gaerfyrddin (ond yn enedigol o Gydweli) yn gysylltiedig â'r fenter hon. Yn ystod ail hanner y bedwaredd ganrif ar bymtheg roedd James Chivers a'i fab, Thomas, yn gyfrifol am ddatblygiad diwydiannol ar raddfa helaeth. Llwyddodd i sicrhau cyfrwng i allforio'r cynnyrch drwy gysylltiad rheilffordd â phorthladdoedd Llanelli a Phorth Tywyn, ac wedyn, drwy Lerpwl, i Unol Daleithiau America. Erbyn 1881 y gwaith tun oedd prif gyflogwr Cydweli ac adeiladwyd 'Gwendraeth Town', yn cynnwys 40 o dai deulawr, gan Thomas Chivers ar y ffordd i'r gwaith. Profwyd anawsterau o ganlyniad i Dariff Mackinley yn 1891, ac eto yn ystod y Rhyfel Byd Cyntaf, ac o'r 1920au diweddar nes i'r gwaith gau yn derfynol yn 1946. Yn ystod y blynyddoedd diwethaf sefydlwyd Amgueddfa Ddiwydiannol Cydweli sy'n denu ymwelwyr i'r safle heddiw.[21]

Wrth ystyried y diwydiannau amrywiol a fu'n gyfrifol am ddarparu bywoliaeth i drigolion Cwm Gwendraeth, y mae'n amlwg mai'r diwydiant glo a gafodd y dylanwad mwyaf ar y gymdeithas leol. Cyfeiriwyd eisoes at sylwadau John Leland yn dilyn ei daith drwy'r ardal yn ystod 1536-9, a bu gweithgareddau ysbeidiol yn ystod y ddwy ganrif ganlynol. Yn yr *Arolwg* o arglwyddiaeth Cydweli a wnaed yn 1609-1613, nodwyd:

> we saye that there are coales founde wrought and digged in the sayd common called Mynith Mawre, the use whereof the sayd tenaunts of the sayd Comotte and theare auncestors and those whose estate they severally have in and to theare sayd severall tenements by themselves

and theare under tenaunts have severallye and respectively hadd for all the tyme whereof the memory of man ys not to the contrary for necessary ffyre and burninge of lyme as parte of their freehould and. appurtenaunte to theire sayd severall tenements.[22]

Adeiladodd Thomas Kymer gamlas gyntaf Cymru yn y cyfnod 1766-8 i gario glo o'i lofeydd ger Carwe i'r arfordir yn ymyl Cydweli. Cafodd Alexander Raby, diwydiannwr o Loegr a fu'n amlwg yn natblygiad diwydiannol Llanelli ar ddiwedd y ddeunawfed ganrif a dechrau'r bedwaredd ganrif ar bymtheg, hawl gan y Senedd i adeiladu tramffordd o Lanelli i Gastell-y-garreg ger Llyn Llech Owen. Y bwriad oedd defnyddio'r garreg galch yn y broses o gynhyrchu haearn yn ei ffwrneisi yn Llanelli. Ffurfiwyd y 'Carmarthenshire Railway or Tramroad Company' yn dilyn Deddf 1802 ac erbyn 1805 cwblhawyd dros 14 milltir o'r rheilffordd i gysylltu Llanelli â Gors-las, a byddai un siwrne ddychwelyd bob dydd gan wagenni llawn, yn pwyso tair tunnell, ac yn cael eu tynnu gan ddau geffyl. Rhwystrodd anawsterau ariannol adeiladu gweddill y rheilffordd, sef llai na dwy filltir, i Gastell-y-garreg. Ailadeiladwyd y rheilffordd yn 80au'r

Olion Camlas Thomas Kymer, Pwll-llygod, Carwe.

bedwaredd ganrif ar bymtheg a'i galw 'The Llanelly and Mynydd Mawr Railway'. Ffurfiwyd 'The Kidwelly and Llanelly Canal and Tramroad Company' gan Ddeddf 1812, a ddarparodd hefyd ar gyfer ymestyn y gamlas, a adeiladwyd gan Kymer, i'r dwyrain tua Llanelli, ac i'r gogledd, ar hyd y cwm, heibio i Gwm-mawr. Roedd y glofeydd a gysylltwyd â'r gamlas yn cynnwys Craig Capel, Trimsaran, Carwe, Blaenhirwaun, a Llechyfedach. Erbyn 1838, yr oedd y gyfundrefn hon a ddibynnai ar geffylau ac a ddefnyddiai gamlesi a thramffyrdd, wedi cyrraedd ei huchafbwynt, gyda'r rhan fwyaf o'r glo carreg a gynhyrchid yn cael ei allforio o Borth Tywyn. Cyn bo hir, bu'n rhaid i'r gamlas wynebu cystadleuaeth y 'Carmarthenshire Railway', ac o ganlyniad i ddwy Ddeddf Seneddol yn 1865 a 1866, daeth y cwmni camlesi i ben, a ffurfiwyd y 'Burry Port and Gwendraeth Railway'. Adeiladwyd rheilffordd o Borth Tywyn i Bontyberem erbyn 1869, ac i Gwm-mawr erbyn 1886, gyda changen i borthladd Cydweli yn 1873.[23]

Canlyniad y ddarpariaeth ar gyfer cysylltu Cwm Gwendraeth â'r arfordir er mwyn allforio nwyddau oedd hybu datblygiad diwydiannol y cwm. Gwnaed cyfraniad pwysig hefyd gan ddiwydianwyr uchelgeisiol. Yn ardal Pontyberem cysylltir y twf yn y diwydiant glo â theulu Watney. Priododd Alfred Watney â Helen Elisabeth Lewis, gweddw, a merch i Alexander Raby, ym Mhontyberem yn 1848. Preswyliai yn Coalbrook House ac fe'i disgrifiwyd yng Nghyfrifiad 1851 fel 'Iron and Coal Master', yn cyflogi dau gant o weithwyr.[24] Yr oedd ei dad, Daniel, wedi sicrhau meddiant o lofa'r 'Coalbrook' yn 1838, mae'n debyg, a chanwyd cerdd o foliant iddo gan y bardd lleol, William Thomas, 'Gwilym Mai'. Cyfeiria'r bardd at rinweddau'r teulu a hefyd at ei ymdrechion i gynorthwyo'r rhai a ddioddefodd yn y ddamwain erchyll yn 1852 a laddodd 26 o lowyr:

A phwy sydd deilyngach o blethiad yr anthem,
Mwy haeddawl o foliant, dyrchafiad, a chlod,
Na Watney wladgarol o Waith Pontyberem,
Ni fu ei gymhwysach yn destun erio'd.

Cyflogodd ugeiniau o weithwyr yn fuan,
Ac ymdrech fel gwron egnïol a wnaeth;
A'i goffrau cyforiog o aur ac o arian,
Arllwysai'n ddirwgnach yn dâl am eu gwaith...

Dilynid ei ymdrech â llwyddiant rhyfeddol,
A gwenau rhagluniaeth i'w wel'd ar y gwaith;
A chaed Pontyberem mewn gwedd adnewyddol,
'Rol bod yn ddifywyd am amser tra maith.
Daeth plwyf Llangynderyn fel i gydlawenychu,
A mawr orfoleddai trigolion Llanon;
Gwnaeth Watney eu codi o ddyfnder trueni,
Pob gwyneb yn gwenu – pob llygad yn llon.

Ond blin oedd y ddamwain, a mawr oedd y galar,
Ryw ddydd yn ddisymwth pan dorrodd y dŵr,
Gan gladdu niferi yng nghrombil y ddaear,
Gwnaed plant yn amddifad, a'r wraig heb un gŵr...

Ond pwy yn fwy parod i estyn cynhorthwy,
Â'i galon mor wresog i wrando eu hiaith?
'Doedd neb yn yr ardal i'w gael mor deimladwy,
Â Watney drugarog, perchennog y gwaith.
Anfonodd o'i lety bob math o gysuron,
Agorodd ei galon i weini llesâd;
A chasglodd ugeiniau o bunnau'n anrhegion,
Bu'n gyfaill i'r gweddwon – i'r plant bu yn dad.

Mae'r cof am ei haeledd yn awr wedi'i gerfio
Ar fynwes y plentyn, a chalon y wraig;
A byth nid â'i deimlad caredig yn ango',
Tra byddo'r gair 'Diolch' yn hen air Cymraeg.
Dymunant fendithion fel gwlith y boreudydd,
Yn wastad i'w ganlyn hyd derfyn y daith;
Mawr lwyddiant i'w deulu a phawb o'i garennydd,
Gan erfyn bob amser am gynnydd y gwaith.[25]

Talwyd teyrnged hefyd i'r ffordd yr ymatebodd teulu Watney i'r ddamwain hon gan Stephen Evans, Fferm Cil-carw, yn ei *Hanes Pontyberem* (1856): 'Gellir dweud i'r meistri hyn ymddwyn yn neillduol o dda, tirion a theimladwy tuag at weddwon ac amddifaid y rhai a gawsant eu diwedd; buont yn offerynnol i gasglu gan ddyngarwyr y cymydogaethau symiau mawrion o arian...ac maent yn barod bob amser i roddi llaw o gymorth i'r perthynasau galarus'.[26]

Cloddiwyd am lo yn ardal Pen-y-groes tua 1689 gan yr Arglwydd Carbery, aelod o deulu Gelli Aur. Tua 1790 derbyniodd William Evans o Aber-lash brydles gan yr Arglwydd Cawdor, eto o Gelli Aur, i gloddio am lo yn ardal Cross Hands. Methiant fu ei ymdrechion ef, a hefyd rhai William John Wrey, Thornhill, ger Cwm-gwili, a Charles Henry Norton, a fu'n byw yn y *Meadows*. Hanai teulu Norton o swydd Derby, ac yr oedd brawd arall, sef John Howard, yn byw yn Nant-glas, plasty bychan arall ger pentref Cross Hands. Cyfeiriwyd yn 1868 at *Norton's Colliery* a'r *Cross Hands Colliery Co*. Terfynwyd gweithgareddau'r cwmni yn 1899, a sefydlwyd yn y flwyddyn honno y *New Cross Hands Colliery Co*. gydag Edward Allen Cleeves yn un o'r penaethiaid dylanwadol. Penodwyd yn rheolwr D. Farr-Davies, brodor o Ddowlais a fu'n gweithio dan-ddaear a hefyd fel swyddog yng nglofa'r Gelli, yn y Rhondda.. Fe'i dyrchafwyd wedyn gan gwmni *C E* Cleeves a ddatblygodd yn *Western Valleys Anthracite Collieries Co. Ltd.* Bu'n flaenllaw, mewn cyfnod mwy diweddar, yng nghymdeithas y perchnogion glo, a dewiswyd ef yn 1931 yn is-gadeirydd y *Monmouthshire and South Wales Coalowners Association*. Trigai yng Ngwernllwyn, sydd heddiw yn glwb nos poblogaidd ger Parc Busnes Cross Hands, ac roedd yn amlwg ym mywyd cyhoeddus yr ardal a'r sir.[27]

Prif berchnogion glo Y Tymbl oedd aelodau o deulu Waddell. Enwyd John Waddell, yr hynaf, a'i dri mab, John, Robert Donald a George yn y les, dyddiedig 1887, o hawliau y glofeydd a'r mwynau o dan 292 erw o dir a fu'n eiddo i Fferm Dan-y-Graig. Yn yr un flwyddyn, agorwyd ganddynt lofa'r *Great Mountain* yn Y Tymbl. Adeiladwyd tai ar gyfer y glowyr yn 'High Street' (yr enw gwreiddiol oedd 'Tumble Row') a chodwyd preswylfa ger y lofa i letya glowyr o ogledd Lloegr a'r Alban. Adlewyrchwyd dylanwad teulu Waddell gan yr ymgais aflwyddiannus a wnaed yn 1907 i newid enw'r pentref o 'Tumble' i 'Waddelston'. Trafodwyd y cynnig mewn cyfarfod o Gyngor Dosbarth Gwledig Llanelli ym mis Medi, 1907. Er gwaethaf sylwadau'r Parchedig David Jones, 'It is a pity that they haven't adopted a more euphonious name. Why not give the village a Welsh name?' a 'Could not Mr Waddell change his name?' ac awgrym y Clerc y dylid galw'r pentref yn 'Tre-Waddell', mae'n debyg i'r cynghorwyr a oedd yn bresennol yn y cyfarfod ymateb yn fwy ffafriol

Glofa Great Mountain, Y Tymbl.

i farn Mr John Davies, 'Waddelston is the more appropriate name for
Tumble because, in fact, Mr Waddell has practically made the
place'.[28]

Canlyniad cynnydd y diwydiant glo a thwf y pentrefi glofaol oedd
newid sylweddol yn nhirwedd pen gogleddol Cwm Gwendraeth.
Gwelir hyn yn glir wrth gymharu'r mapiau a luniwyd o'r ardal ar
ddechrau'r bedwaredd ganrif ar bymtheg a'r ugeinfed ganrif.[29] Y
mae'r rhai cynnar yn dangos helaethder y tir comin a oedd yn
cynnwys yr ardal a gynrychiolir gan bentrefi Cross Hands, Cefneithin,
Gors-las a Chwmgwili ar ddechrau'r ganrif ddiwethaf. Felly,
digwyddiad pwysig yn hanes yr ardal oedd Deddfau Cau'r Comin a
fu'n gyfrifol yn gynnar yn y bedwaredd ganrif ar bymtheg am
ddosbarthu a gwerthu tir comin y Mynydd Mawr.

Adlewyrchir hefyd y datblygiadau demograffig ac economaidd gan
yr addoldai niferus a welir yn y cwm heddiw. Ceisiodd yr Eglwys
Anglicanaidd ymateb i'r galwadau newydd a gododd o ganlyniad i'r
twf yn y boblogaeth, drwy sefydlu eglwysi newydd ym mhentrefi
Pontyberem, Y Tymbl a Cross Hands. Dyna, hefyd, a wnaeth yr
Anghydffurfwyr ac adeiladwyd capeli niferus a sylweddol gan y
gwahanol enwadau. Defnyddiodd y Methodistiaid cynnar gapeli
anwes a oedd yn perthyn i Eglwys Loegr ond a adawyd yn adfeilion.
Cynhaliwyd oedfaon pregethu a gweinyddwyd y cymun yn Llanlluan,
sydd ychydig i'r gogledd o'r cwm, ac yng Nghapel Ifan, ger

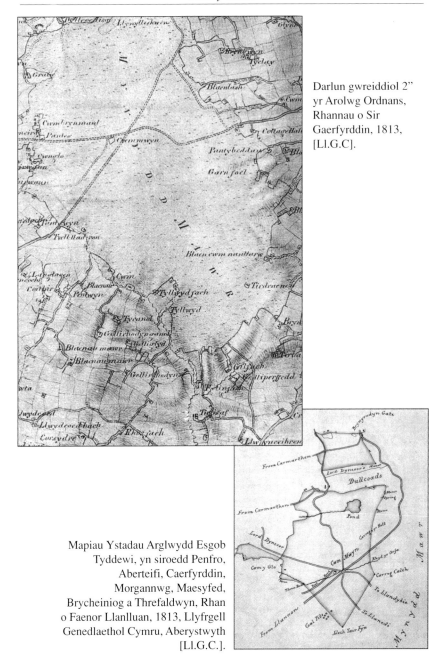

Darlun gwreiddiol 2"
yr Arolwg Ordnans,
Rhannau o Sir
Gaerfyrddin, 1813,
[Ll.G.C].

Mapiau Ystadau Arglwydd Esgob
Tyddewi, yn siroedd Penfro,
Aberteifi, Caerfyrddin,
Morgannwg, Maesyfed,
Brycheiniog a Threfaldwyn, Rhan
o Faenor Llanlluan, 1813, Llyfrgell
Genedlaethol Cymru, Aberystwyth
[Ll.G.C.].

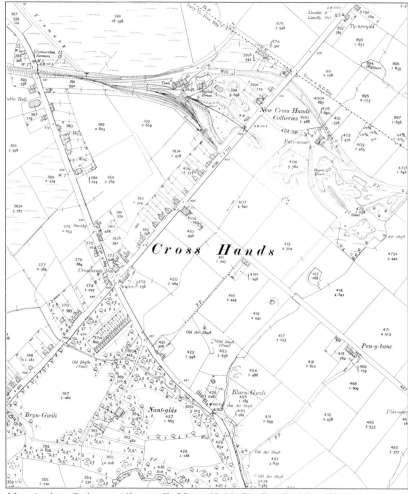

Map Arolwg Ordnans, Ail argraff. 25 modfedd, Sir Gaerfyrddin, XLVIII 5 (1906), [Ll.G.C].

Pontyberem. Adfeddiannwyd y capel hwn gan yr Eglwys yn 1830 a chododd y Methodistiaid gapel Soar yn 1834, ar dir Cil-carw, lle y bu Howel Harris yn pregethu yn 1742. Bu ef yn Llangyndeyrn hefyd yn 1739, a phregethodd ger Capel Ifan yn 1741. Sylweddolwyd fod angen capel newydd mewn safle mwy canolog ac agorwyd y capel presennol yn 1904 (a festri hardd yn 1907). Agorwyd capel Ebeneser, yn Y Tymbl, yn 1902; capel newydd Pen-twyn yn 1903; a chapel Bethel, Cross Hands, yn 1907. Aelodau o Ben-twyn oedd y rhan fwyaf o sylfaenwyr Bethel ac yr oeddent yn ymwybodol o'r posibiliadau cenhadol ynghanol ardal a oedd yn datblygu'n gyflym.[30]

Yr oedd yr enwadau Ymneilltuol eraill yn ogystal yn weithgar iawn yng Nghwm Gwendraeth a'u gwreiddiau yn ymestyn yn ôl i'r ail ganrif ar bymtheg. Teithiai Stephen Hughes, 'Apostol sir Gaerfyrddin', drwy'r ardal ar ei ffordd o'i gartref yn Abertawe i faes ei weinidogaeth yng ngorllewin sir Gaerfyrddin. Un o'r gweinidogion a ordeiniwyd ganddo oedd David Penry, Plas Llanedi, a ofalai am Annibynwyr ardaloedd dwyreiniol Sir Gaerfyrddin am ddeugain mlynedd hyd at ei farwolaeth yn 1729. Dywedwyd fod plwyf Llan-non yn 1705 yn 'Thick with Dissenters'. Yn 1712 codwyd Tŷ Newydd, Llanedi, ac yn yr un flwyddyn sefydlwyd Capel Seion gan nifer o Annibynwyr Llanddarog. Gweinidog Capel Seion o 1720 hyd at 1750 oedd Samuel Jones o Lanedi. Trigai yn fferm Pen-twyn (nid y fferm sydd ger y capel a enwir uchod) a chadwai Academi yno rhwng 1721 a 1751: un o'r disgyblion enwog oedd y Dr Richard Price, cefnogwr brwd y Chwyldro yn America a Ffrainc.

Yn dilyn dadl ddiwinyddol, gadawodd nifer o Galfiniaid Gapel Seion a chodi capel Bethania, Y Tymbl Uchaf, yn 1800. Un o'r arweinwyr cynnar oedd Evan Evans, Cil-carw, ger Pontyberem, ac yn 1816 agorwyd capel Caersalem ym Mhontyberem. Dyma'r capel cyntaf yn y pentref ond adeiladwyd capel newydd ar safle arall yn 1843. Codwyd capeli eraill yn y cylch, megis Llwynteg (1845), Y Tabernacl, Cefneithin (1876) a Bethesda, Y Tymbl (1905) o ganlyniad i ymdrechion cenhadol gweinidogion ac aelodau Bethania a'r awydd i sicrhau lleoliad cyfleus i'w haddoldai. Ysgrifennwyd astudiaethau manwl a threiddgar o ddau weinidog Bethesda, y Parchgn. D J. Lewis (Lewis Tymbl) ac Eurfin Morgan, gan y Parchg. Ieuan Davies, a fagwyd yn yr eglwys hon.[31]

Gwelir yr un penderfyniad yn ymlediad capeli'r Bedyddwyr. Yr oedd trigolion o Gwm Gwendraeth ymhlith aelodau eglwys Ilston, ym Mro Gŵyr, yn yr ail ganrif ar bymtheg, ac yn Adulam, Felin-foel, a godwyd yn 1709. Ffurfiwyd eglwys yn Llangyndeyrn yn 1797 gan aelodau eglwysi Felin-foel a Phenuel, Caerfyrddin. Yr oedd i Fethel ddwy gangen, sef Pisgah, Bancffosfelen a Moreia, Meinciau; ac i

Capeli Caersalem a Soar ym Mhontyberem.

Foreia ddwy gangen, sef Salem, Pedair Heol a Seilo, Carwe. O Beniel, Caerfyrddin, hefyd, y tarddodd yr eglwys a sefydlwyd ym Mhorth-y-rhyd yn 1817 a chysylltir yr eglwys a sefydlwyd ym Mhenrhiw-goch ag eglwys Y Tabernacl, Caerfyrddin. Ym mhlwyf Llan-non agorwyd capeli Hermon, Llan-non, yn 1850; Tabor, Cross Hands, yn 1871, a Bethel, Y Tymbl, yn 1890.[32]

Cyfnod o gynnydd mewn gweithgarwch eglwysig ac adeiladu capeli oedd dechrau'r ugeinfed ganrif, ac yn 1906 cofnodwyd yr aelodaeth uchaf yn hanes y pedwar prif enwad Anghydffurfiol. Cafodd Diwygiad 1904-05 ddylanwad sylweddol ar Gwm Gwendraeth a oedd ond ychydig o filltiroedd i'r gorllewin o gartref Evan Roberts yng Nghasllwchwr. Yn 1905, gorymdeithiodd grwpiau diwygiadol o Ben-y-groes drwy Cross Hands ar eu ffordd i'r Tymbl a chynhaliwyd cyfarfodydd gweddi ar sgwâr Cross Hands ac yn y gwaith glo. Sefydlwyd yr Eglwys Apostolaidd ym Mhen-y-groes (1904-17), a chodwyd neuaddau addoli mewn nifer o bentrefi'r cwm, megis Carmel, Y Tymbl. Y mae nifer o'r addoldai bychain eraill sy'n britho'r cwm yn olrhain eu hanes i ddigwyddiadau cyffrous Diwygiad 1904–05. Yn dilyn rhaniad yn eglwys Bethania, Y Tymbl Uchaf, codwyd Bryn Seion ger y ffordd i Cross Hands, a heddiw mae'n neuadd efengylaidd annibynnol. Datblygiadau pellach oedd codi neuadd ar heol Llandeilo, Cross Hands ac yna ar Heol y *Meadows* gan grŵp a arweiniwyd gan Edward Wilkins, a ddaeth dan ddylanwad y Brodyr. Effeithiwyd ar yr ardal hefyd gan y Mudiad Pentecostaidd, a heddiw mae Elim, yn Y Tymbl Uchaf, yn Eglwys Gynulleidfaol Bentecostaidd. Cymhellion gwahanol eto fu'n gyfrifol am sefydlu Llain-y-delyn, a agorwyd yn 1929 yn Y Tymbl gan ddilynwyr y Parchg Tom Nefyn Williams, cyn-weinidog Ebeneser. Cofrestrwyd yr addoldy yn enw'r Crynwyr a defnyddiwyd y geiriad 'Christians not otherwise designated'. Caewyd yr addoldy, ac Ebeneser, erbyn hyn, ond mae'r addoldai niferus a welir heddiw yn adlewyrchu'r amrywiol ddylanwadau ysbrydol a brofwyd yng Nghwm Gwendraeth dros y canrifoedd.[33]

Wrth ystyried y cynnwrf a achoswyd gan y dadleuon o blaid ac yn erbyn syniadau diwinyddol Tom Nefyn, rhaid cofio'r cefndir o ymrafael diwydiannol yn y pentref. Teimlodd y gweinidog ifanc i'r byw effeithiau streiciau 1925 a 1926 a gresynai at gyflogau pitw'r glowyr a chyflwr anfoddhaol eu cartrefi. Dyfynnwyd yn y gyfrol deyrnged, *Tom Nefyn* (1962), farn un a fagwyd yn Y Tymbl: 'Nid oedd gan y bobl a'i cefnogodd ddim diddordeb mewn diwinyddiaeth; gwleidyddiaeth oedd eu diddordeb hwy'.[34] Er gwaethaf y ganmoliaeth i deulu Watney adeg damwain 1852 yn y gerdd a ddyfynnwyd uchod, sy'n awgrymu perthynas a ymddangosai'n un hapus iawn rhwng y glowyr a'r perchnogion glo lleol, daeth i'r wyneb yn rheolaidd wahanol enghreifftiau o'r tyndra a oedd yn effeithio ar y cymunedau gwledig a diwydiannol.

Y mae'n debyg fod gan ffermwyr lleol hawliau pori ar y tir comin cyn Deddfau Cau'r Comin. Ceid mynedfa i'r comin drwy lidiardau a leolwyd mewn cylch o gwmpas y Mynydd Mawr, yn cynnwys Waun-wen, Twll-y-lladron, Rhyd-y-biswel, Felin-fach a Rhyd-y-maerdy. Lleolwyd ffald, hefyd, yn Rhyd-y-maerdy, a dwy arall yng Ngors-las ac yn Rhyd-y-gwiail, ger Llyn Llech Owen. Wedi casglu gwartheg crwydr ar y tir comin a'u gyrru i'r ffald, gellid eu hawlio hwy am dâl bychan, ond âi'r rhai nas hawlid mewn amser yn eiddo i Arglwydd y Faenor, sef Gelli Aur. Ychwanegwyd at gwynion y gymuned leol gan ddiflaniad arferion traddodiadol o ganlyniad i Ddeddf Cau'r Comin, 1811, caledi ychwanegol yn dilyn Deddf Newydd y Tlodion (1834) a Deddf Cymudo'r Degwm (1836), a gweithrediad y System Dyrpeg.

Yr oedd Cwm Gwendraeth yn agos iawn at y canolfannau cynhyrchu calch pwysig ym mhlwyfi Llangyndeyrn a Llandybïe. Disgrifiodd Nicholas Carlisle, yn ei *A Topographical Dictionary of the Dominion of Wales* (1811), blwyf Llangynderyn fel 'the great natural Depot of Lime for the County, to which they send their carts from the distance of 28 to 30 miles. The Turnpike Gate is, in consequence, more productive to the Trust than any other two gates almost in the County'.[35] Mynegodd Terfysg Beca, a ffrwydrodd yn 1839, ymateb y trigolion lleol nid yn unig i bwysau gormesol y tollbyrth ond hefyd i'r ymddatod yn fframwaith cymdeithasol Cymru wledig. Ar 22 Awst 1843, ymosodwyd ar Gelliwernen, cartref John Edwards, stiward Rees Goring Thomas, Llan-non, y tirfeddiannwr lleol ac un a fu'n amfeddu'r degwm ar raddfa helaeth. Beirniadwyd John Edwards yn llym am ei agwedd sarhaus mewn llythyr a anfonwyd at ei gyflogwr gan William Chambers, yr ieuengaf, a oedd hefyd yn berchen tir yn yr ardal. Yr oedd ef a'i dad, a etifeddodd stad Stepney, yn ddiwydianwyr amlwg ac yn ynadon yn Llanelli. Ar 25 Awst, cadeiriodd y mab gyfarfod ar Fynydd Sylen lle roedd torf o tua 3,000 yn bresennol; ymhlith y siaradwyr yr oedd yr hanesydd lleol, Stephen Evans, Cil-carw. Yn ddiweddarach yn yr un mis, ymosododd grŵp o ddilynwyr Beca, dan arweiniad Shoni Sgubor Fawr, ar fferm Gelli-glyd, ger Cross Hands, a dwyn arian, eiddo a gwn oddi wrth y tenant, John Evans. Ar ddechrau mis Medi, cafodd yr arweinydd lleol, John Hughes (Jac Tŷ-isha) ei ddal wedi i'r ynadon dderbyn gwybodaeth am y bwriad i ymosod ar y tollbyrth ym Mhontarddulais a'r Hendy. Dedfrydwyd John Hughes i'w alltudio am ugain mlynedd, ac wedi iddo gwblhau'r rhan fwyaf o'i ddedfryd, priododd ac ymsefydlodd yn Tasmania. Cafodd dau arweinydd amlwg arall eu dal yr un mis. Yr oedd Dai'r Cantwr a Shoni Sgubor Fawr ymhlith y rhai a ymosododd ar gartref Mr Slocombe, rheolwr Gwaith Haearn y Gwendraeth, Pontyberem. Cawsant eu dal yn fuan wedi'r ymosodiad: alltudiwyd Shoni am oes a Dai am ugain mlynedd.[36]

Ffaglodd y cynnydd mewn gweithgarwch diwydiannol gynyrfiadau achlysurol. Cyfeiria nodyn ym mhapurau'r Cyfrifiad am 1851 at ddiswyddo gweithwyr yn y glofeydd a'r gweithfeydd haearn. Yr oedd gweithwyr alcam Cydweli ynghanol dadl yn 1867 pan wrthwynebodd Thomas Chivers yn ddygn ofynion am godiad cyflog gan weithwyr a oedd wedi ffurfio cangen o'r undeb newydd, 'The Independent Association of Tinplate Makers.'[37] Bwriad i ostwng cyflogau oedd achos uniongyrchol streic Y Tymbl yn 1893, ond ffactor bwysig arall oedd dyfodiad gweithwyr o'r Alban ac o ogledd Lloegr. Cartrefwyd llawer ohonynt yn y 'Lodging House' a adeiladwyd gan deulu Waddell ger glofa'r *Great Mountain*. Cynhaliwyd cyfarfodydd enfawr o lowyr yn 'Cae Pound', Cross Hands, ym misoedd Mai ac Awst: yn dilyn y cyntaf o'r cyfarfodydd hyn gorymdeithiodd 3,000 o bobl drwy Cross Hands a'r Tymbl. Ym mis Medi ymosododd tyrfa ddig ar y 'Lodging House' yn Y Tymbl, ac ar Fryngwili, Cross Hands, sef cartref Mr Beith, rheolwr glofa'r *Great Mountain*. Lleolwyd deg ar hugain o filwyr yn Y Tymbl i roi cefnogaeth i'r heddlu ac i fod ar gael petai'r anhrefn yn gwaethygu.[38]

Arweiniodd newidiadau sylfaenol yng nghyfansoddiad y diwydiant glo hefyd at derfysg. O ganlyniad i'r polisi o ffurffio unedau mawr i berchnogi a rheoli'r diwydiant, crewyd yn 1923 yr *Amalgamated Anthracite Collieries Ltd* a'r *United Anthracite Collieries Ltd*. Llwyddodd y cwmnïau hyn i sicrhau meddiant o nifer o lofeydd yn yr ardal, a chyfrannodd natur amhersonol y cwmnïau at y digofaint a

Parti o lowyr Cwm Gwendraeth ar daith i'r Gogledd adeg Streic Fawr 1926.
Yn 3ydd a 4ydd o'r chwith yn y rhes flaen saif George M.Ll. Davies
a'r Parchedig Tom Nefyn.

ddaeth i'r wyneb yn ystod streiciau 1925 a 1926.[39] Yn 1925,
cynhaliwyd gwrthdystiad mawr yn Cross Hands. Cofnodwyd gan
ysgrifennydd Bethel, Cross Hands, fod casgliadau Cyfarfodydd
Blynyddol 1925 'yn llawer llai nag arfer, a hynny yn ddiau oherwydd
effeithiau y Strike'. Yna, yn 1926, cofnododd mai 'Blwyddyn i'w hir
gofio fu y flwyddyn hon. Bu y glofeydd yn segur am 7 mis, o fis Mai
hyd ddiwedd Tachwedd, a'r oll o'r gweithwyr bron yn derbyn eu
cymorth oddi wrth y Plwy.' Cyfeiriwyd eisoes at y dadleuon ynglŷn â
safbwyntiau'r Parchg. Tom Nefyn Williams yn Y Tymbl. Yr oedd ef
yn gefnogwr brwd i'r streicwyr, ac yn 1926 teithiodd, ynghyd â phum
glowr, i ogledd Cymru, a chasglwyd £275 tuag at y gegin gawl yn Y
Tymbl a oedd yn bwydo bob dydd tua 400 o drigolion lleol.[40]

Yn y blynyddoedd diwethaf, dirywiad a therfyniad y diwydiant glo
oedd y ffactor pwysicaf a gafodd effaith ar ddatblygiad cymdeithasol
ac economaidd Cwm Gwendraeth. Yn dilyn cau nifer o lofeydd, gan
gynnwys y *New Cross Hands*, Blaenhirwaun, y *Great Mountain* a
Phentre-mawr, canolwyd y diwydiant glo lleol yng Nglofa Cynheidre,
gyda datblygiad ychwanegol yng Nghwmgwili a fu'n llwyddiannus
iawn am gyfnod. Canlyniad cau sydyn glofeydd Cynheidre a
Chwmgwili oedd rhoi terfyn ar hanes hir ac eithriadol diwydiant a fu
o bwysigrwydd allweddol yn ffurfiad y cymunedau lleol.
Trawsnewidiwyd yr ardal wedi clirio'r tipiau glo, ac mewn nifer o
achosion sefydlwyd diwydiannau a mentrau busnes newydd ar
safleoedd yr hen lofeydd. Gwelir yr enghraifft fwyaf trawiadol o'r
newid yn y defnydd o'r tir yn yr ardal sydd heddiw yn ffurfio Parc
Busnes Cross Hands. Sefydlwyd archfarchnadoedd, busnesau
amrywiol, canolfan yn cynnwys tŷ-bwyta a motel, a ffordd ddeuol ar
ddarn o dir a ddefnyddiwyd ar gyfer cloddio am lo ond ychydig mwy
nag un genhedlaeth yn ôl. Y mae'n anodd amgyffred heddiw, yn sicr
yn y lleoliad hwn, bwysigrwydd y cefndir hanesyddol a chyfraniad
aruthrol y diwydiant glo. Serch hynny, erys cymeriad arbennig y
trigolion, a ffurfiwyd ac a foldiwyd gan y profiadau amrywiol a
ddylanwadodd arnynt hwy ac ar eu cyndeidiadau yng Nghwm
Gwendraeth.

NODIADAU

[1]Lyn Ebenezer, *Clecs Cwmderi* (1986), tt 6 – 8; Barry John, *The Barry John Story* (Llundain 1973); John Jenkins (gol.), *Carwyn, un o 'fois y pentre'*, (Llandysul 1983); Alun Richards, *Carwyn, A Personal Memoir* (Llundain 1984); Gareth Davies, with Terry Godwin, *Standing Off, My Life in Rugby* (Llundain 1986); Jonathan Davies, with Peter Corrigan, *Jonathan, An Autobiography* (Llundain, 1989).

[2]J E Lloyd, *The History of Carmarthenshire* (Caerdydd, 1935, 1939), 385.

[3]A M W Green, *Index to the Transactions of the Carmarthenshire Antiquarian Society 1905-1977* (Caerfyrddin, 1981), 46, 98, 119.

[4]Idem, 'Index to the Carmarthenshire Antiquary, First Supplement, 1978-1987', *Trafodion Cymdeithas Hynafiaethau Sir Gaerfyrddin*, [T.C.H.S.G.] (1989), 104, 124, 130.

[5]Thomas Jones (gol.), *Gerallt Gymro, Hanes y Daith Trwy Gymru, Disgrifiad o Gymru* (Caerdydd, 1938), 79.

[6]Lucy Toulmin Smith, (gol.), *The Itinerary in Wales of John Leland in or about the Years 1536-1539* (Llundain, 1906), 59-60.

[7]Aneirin Talfan Davies, *Crwydro Sir Gâr* (Llandybïe, 1955), 65, 88-9, 95, 98, 247, 263, 272, 277, 281, 287-8-9, 291-2, 295.

[8]Tom Beynon, *Treftadaeth y Cenfu a Maes Gwenllian* (Aberystwyth, 1941); *Cwnsel a Chefn Sidan* (Caernarfon 1946); *Allt Cunedda* (Aberystwyth, 1955)

[9]Gomer M Roberts, *Hanes Plwyf Llandybïe* (Caerdydd, 1939).

[10]Noel Gibbard, *Hanes Plwyf Llan-non* (Llandysul, 1984); D Huw Owen, *Cwm Gwendraeth a Llanelli* (Llanelli, 1989); K C Treharne, *Glofeydd Cwm Gwendraeth* (Llanelli, 1995) *Cymoedd y Gwendraeth Valley*, casglwyd gan Adran Datblygu Economaidd a Hamdden (Gwasanaethau Diwylliannol), Cyngor Sir Gaerfyrddin (Chalford, 1997). Gweler hefyd nodiadau 23, 31, 41.

[11]Comisiwn Brenhinol Henebion Cymru, *An Inventory of the Ancient Monuments in Wales and Monmouthshire*, V-County of Carmarthenshire (1917), 101-2, 177-8.

[12]*T. C. H. S. G.*, xii (1976); xv (1979); xviii (1982); xx (1984).

[13]Heather James, 'The Roman road in Carmarthenshire', yn *Sir Gâr, Studies in Carmarthenshire History, Essays in Memory of W H Morris and M C S Evans*, ed., Heather James (Caerfyrddin, 1991), 56, 72-3.

[14]J E Lloyd, *A History of Wales from the earliest times to the Edwardian Conquest*, (Llundain, 1939), 429-30, 470, 719, 724-5; William Rees (gol.), *A Survey of the Duchy of Lancaster Lordships in Wales 1609-1613* (Caerdydd, 1953), xii-xx; J Beverley Smith, *Llywelyn ap Gruffudd, Tywysog Cymru* (Caerdydd, 1986), 95-6, 124; R R Davies, *The Revolt of Owain Glyn Dr* (Rhydychen, 1995), 192, 200-1.

[15]Lloyd, *A History of Wales*, 432; Glanmor Williams, 'Kidwelly Priory', yn *Sir Gâr*, 189-204.

[16]Nigel Yates, 'Carmarthenshire Churches', *T. C. H. S. G.*, x (1974), 73.

[17]Rees, *Survey*, 173-303.

[18]Ibid, xx-xxix, 178-195, 197-200.

[19]David Thomas, *Hanes Pontyates a'r Cylch* (Llanelli, 1921), 11-13.

[20]Michael C S Evans, 'The Pioneers of the Carmarthenshire Iron Industry' *The Carmarthenshire Historian*, iv (1967), 32-40.

[21]W H Morris, *Kidwelly Tinplate Works: A History* (Llanelli, 1987).

[22]Rees, *Survey*, 300.

[23]M V Symonds, *Coal Mining in the Llanelli Area* (Llanelli, 1979), 95-100, 128-140; M R C Price, *The Llanelli and Mynydd Mawr Railway* (Headington, 1992); W H Morris, 'The Canals of the Gwendraeth Valley (Part 1)', *T. C. H. S. G.*, vi (1970), 53-8; a G R Jones, 'The Canals of

the Gwendraeth Valley (Part 2)', *T. C. H. S. G.*, viii (1972), 29-48; 'The Canals of the Gwendraeth Valley (Part 3), A Field Survey and Guide', *T. C. H. S. G.*, x (1974), 83-96; R E Bowen, 'The Burry Port and Gwendraeth Valley Railway Company', *T. C. H. S. G.*, xii (1976), 68-90.

[24]Muriel Bowen Evans, 'The Parish of Llangyndeyrn 1851: A Population Study', *T. C. H. S. G.* xvii (1981), 82.

[25]Ap Huw, *Hanes Dyffryn Gwendraeth gan 'Hanesydd y Cynoesau'* (Llanelli, 1873) 23-4.

[26]Stephen Evans, *Hanes Pontyberem* (1856).

[27]L W Evans, 'The Anthracite Coal-Mining Industry' yn Lloyd, *History of Carmarthenshire*, 385; Treharne, *Glofeydd Cwm Gwendraeth*, 2-4, 8-10.

[28]*Llanelly Mercury*, 19 Medi 1907; *South Wales Press*, 8 Ionawr 1908.

[29]Gweler mapiau 6, 7, 8 a 9.

[30]James Morris, *Hanes Methodistiaeth Sir Gaerfyrddin* (Dolgellau, 1911), 81-6, 93-8, 108-110; W M Davies, *Hanes Cychwyniad a Chynnydd y Trefnyddion Calfinaidd yn Nosbarth yr Hendre* (Llanelli, 1908); D Huw Owen (gol.), *Bethel, Eglwys mewn pentref glofaol, 1907 –82* (Cross Hands, 1982), 3-5.

[31]Gibbard, *Hanes Plwyf Llan-non*, 42-7; Maurice Loader (gol.), *Capel Als* (Abertawe, 1980); Eifion George, *Eglwys Annibynnol y Tabernacl, Cefneithin 1876-1976* (Llandysul, 1977); Ieuan Davies, *Lewis Tymbl* (Abertawe, 1989); Idem, *E Eurfin Morgan, Tad yn y Ffydd* (Caernarfon, 1999).

[32]Gibbard, *Hanes Plwyf Llan-non*, 48-50; J S Williams, *Hanes Bethel, Tymbl,* (Llanelli, 1954); T D Gwynallt Pryce, *Tabor Cross Hands* (Llandysul, 1972); Awen Daniels, 'Bethel Llangyndeyrn' yn *Y Gwendraeth, Trafodion Cymdeithas Hanesyddol Dyffrynnoedd Gwendraeth*, 5 (1983), 25-7.

[33]Gibbard, *Hanes Plwyf Llan-non*, 57-9; Rees Evans, *Precious Jewels, From the 1904 Revival in Wales* (1962); E P Jones, *Llain-y-delyn, Cymdeithas Gristnogol y Tymbl* (1970), 7-13.

[34]William Morris (gol.), *Tom Nefyn* (Caernarfon, 1962), 16-7.

[35]Nicholas Carlisle, *A Topographical Dictionary of the Dominion of Wales* (1811).

[36]David Williams, *The Rebecca Riots, A Study in Agrarian Discontent* (Caerdydd, 1955), 239-258; P Molloy, *And they blessed Rebecca* (Llandysul, 1983), 215-240, 252-7.

[37]Morris, *Kidwelly Tinplate Works*, 13. Ceir manylion llawn am weithlu'r gwaith hwn yn 1881, yn Muriel Bowen Evans, 'An Industrial work-force – Kidwelly Tin Workers 1881, *T. C. H. S. G.*, xxii (1986), 51-8.

[38]Noel Gibbard, 'The Tumble Strike', *T. C. H. S. G.*, xx (1984), 77-85.

[39]Hywel Francis, 'The Anthracite Strike and the Disturbances of 1925', *Llafur*, 1, no 2, (1973), 15-28.

[40]Owen, *Bethel*, 11-12; Harri Parri, *Tom Nefyn, Portread* (Caernarfon, 1999), 43

[41]Arwel John, *Dyddie Dathlu, Canmlwyddiant Clwb Rygbi Pontyberem a Golwg ar y Pentre* (1995), 66-7.

Bachgen Bach o Golier

Atgofion am Byllau Glo Cwm Gwendraeth gan un a oedd yno

Gareth Davies

Does fawr o ddim ond atgofion ar ôl erbyn hyn o'r diwydiant glo yng Nghymru gyfan. Ar wahân i lofa'r Twr a'i stori arwrol, ac ambell bwll bychan iawn hwnt ac yma, y mae'r saga ryfeddol am eu sefydlu a'u datblygiad yn perthyn i fyd hanes. Soniodd ffrind yn ddiweddar amdanom ni fu'n gweithio yn y pyllau glo, ein bod bellach yn mynd yn ddeinosoriaid. Prawf arall o hynny yw i mi fod mewn tair o ysgolion yn ystod y blynyddoedd diweddar hyn yn sgwrsio gyda'r disgyblion mewn gwersi hanes neu fel rhan o brosiect hanes am fy mhrofiad yn y pwll glo. Y mae hon yn ffaith boenus o wir yng Nghwm Gwendraeth. Y mae'r darn tir a alwodd Aneirin Talfan Davies yn ei lyfr *Crwydro Sir Gâr* yn 'Wlad y Pyramidiau' erbyn hyn mor wastad â chramwythen, heb yr un o'r tipiau'n sefyll yn atgof o'r hyn a fu. Ychydig a feddyliwn wrth ysgrifennu cerdd 'Yr Angladd' yn y chwedegau y byddwn yn gweld dydd yr angladd hwnnw:

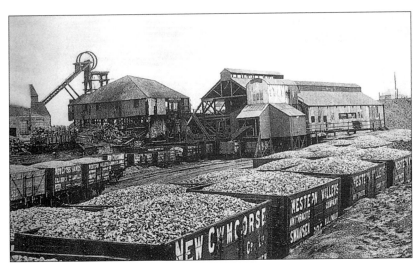

Pwll y Cross.

Does neb yn naddu pyst yng ngwaith y 'Cross,'
Neb yn peswch
Neb yn rhegi chwaith;
Maent wedi cau y pwll.

Ni alwyd neb i droi'r corff heibio'n barchus,
Mae'n gorwedd dros y fro yn hyll,
A'i fola du digywilydd yng ngolwg pawb.
Y geg fu'n llyncu dynion i fodloni gwanc,
A chwydu'i ddiffyg traul mewn gwagenni glo,
Sy'n torri gwynt y meirw
Nes ffieiddio'r corsydd o'i hymysgaroedd pwdwr.

Cleddwch ei bydredd.
Mae ei fedd yn barod.
Rhoddwch i orwedd yn y 'main' a'r 'headings.'
Llenwch y ffas a'r talcen â'i gorff gwastraffus.
Baw i'r baw a slwj i'r slwj.
A chaned y côr silicotaidd yn eu dillad parch:

    'O fryniau Llanlluan ceir gweled
    Holl dipiau'r anialwch i gyd,
    Yn gorwedd ar wastad eu cefnau
    Nôl sarnu'r ardaloedd cyhyd.
    Cawn edrych ar feysydd a dolydd,
    A'r nentydd a'u dyfroedd di-faw.
    Daw'r adar yn ôl i'r canghennau,
    A'r plant rodia eto'n ddi-fraw.'

A daw'r cwmwl tystion yn greithiau glas
I gyhoeddi'r fendith a gofyn gras.

Bellach, lle bu pwll a drifft Cross Hands a'r ddau dip enfawr, y mae Parc Busnes newydd a'r torfeydd yn tyrru yno i brynu popeth ond glo.

HANES UN TEULU

Hanes un teulu a'i helyntion o fewn ardal pyllau glo Cwm Gwendraeth sydd gennyf i'w adrodd; ond hanes ydyw sy'n gyffredin i lawer teulu arall yn y cwm. Unig bwrpas ei adrodd yw ceisio rhoddi darlun o fywyd yn y fro hon ac yn y gymdogaeth a'r gymdeithas a ddatblygodd gyda thwf y diwydiant glo.

Cofiaf fod mewn dosbarth daearyddiaeth yng Ngholeg Trefeca, a'r Prifathro W.P. Jones yn ceisio ein goleuo am effeithiau'r Chwyldro Diwydiannol. Sôn yr oedd am symud y boblogaeth o gefn gwlad i'r ardaloedd diwydiannol, ac er mwyn egluro'r pwynt aeth ati i sôn am ein teulu ni; ac yna gwnaeth y datganiad rhyfeddol fod 'Gareth Davies yn un o blant y Chwyldro Diwydiannol.' Dyna osod tipyn o gyfrifoldeb ar y Chwyldro hwnnw! Roedd yr hen brifathro yn iawn er hynny. Ar ddechrau dauddegau yr ugeinfed ganrif, daeth fy nhad o ardal Dre-fach, Henllan – o Glos-y-graig i fod yn fanwl gywir – i ardal Cross Hands – yr oedd cyn hynny wedi dilyn ei frawd hŷn i gylch Pont-rhyd-y-fen yng Nghwm Afan. Priododd â mam, un o ferched yr ardal, ym Mawrth, 1923, gan sefydlu'r cartref yng Ngorslas a chael tri o blant – Eluned fy chwaer, ac Alun fy mrawd a minnau.

Yr oedd pwll a drifft Cross Hands wedi eu hagor (gweler llyfr ardderchog K.C. Treharne, *Glofeydd Cwm Gwendraeth*, am yr hanes) a chafodd fy nhad waith yno, ac yn fuan gweithiodd ei ffordd i fyny i fod yn 'fireman'. Termau Saesneg oedd i'r rhan fwyaf o'r swyddi a'r raddfa mewn awdurdod oedd 'manager', 'deputy', 'overman' (un ym mhob shifft) a'r 'fireman' a oedd yn gyfrifol am ddiogelwch o fewn ei ardal danddaearol. Y 'fireman' a gariai'r lamp olew, y 'Davey Lamp' a'i rhybuddiai pan oedd perygl nwy yn yr ardal. Yr oedd y caneri, druan, wedi'i hen ddisodli gan y lamp waredigol honno.

Y DYDD DU . . .

Yng nghylch y pyllau glo yr oedd modd gwybod yr amser heb na waets na chloc. Yr hwteri oedd yn nodi'r amser, amser dechrau'r diwrnod gwaith deirgwaith y dydd – tyrn bore, prynhawn a nos – ac wrth gwrs cyhoeddent hefyd amser gorffen pob tyrn. Yr un eithriad arall oedd pan fyddai damwain fawr yn y pwll. Rywbryd ar fore'r 18 Chwefror 1928, fe ganodd hwter y 'Cross', ac i'n cartref ni y dygwyd y newyddion drwg am farwolaeth fy nhad. Yn dilyn Streic Fawr 1926 bu cyfnodau aml o ddiweithdra yn y pyllau, ac felly yr oedd hi yn Chwefror 1928. Byddai'n rhaid i'r swyddogion hynny a oedd yn ymwneud â diogelwch weithio, er mwyn cadw'r pwll yn ddiogel erbyn ailgydio yn y gwaith. A'r bore hwnnw bu cwymp a daliwyd fy nhad dano, ac nid oedd digon o ddynion yno i'w arbed:

> Bloedd hwter ddwed am gwymp yng ngwaith y 'Cross',
> Mae'n galw dyn i atgyfodi'r marw;
> I'w gladdu eto'n dwt dan do o glai,
> A diogelwch arch rhag tywydd garw.

Mi fyddaf yn meddwl yn aml am yr effaith a gafodd y newyddion y bore hwnnw ar mam – ac nid oedd hi ond un o blith llawer o wragedd eraill yn y cylch y bu rhaid iddynt yn eu tro dderbyn yr un newyddion. Ar ôl dim ond pum mlynedd o fywyd priodasol, a'r tri ohonom yn blant ifanc iawn, yr hynaf ond prin pedair a'r ieuengaf yn dri mis ar ddeg, dyma chwalfa mewn gwirionedd. Y mae angen i rywun fynd ati i ysgrifennu am arwriaeth gwragedd y glowyr, stori, efallai, sydd cyn bwysiced i'w diogelu â stori'r glöwr ei hunan. Bu'n rhaid iddi dorchi llewys mewn mwy nag un ystyr i geisio cynnal teulu heb nawdd Gwladwriaeth Les – heb ddim ond y pensiwn gwladol i'r weddw a'r plant a'r elw a gâi o'r ychydig 'gompo' a osodwyd mewn ymddiriedolaeth ar ein cyfer. Ond os nad oedd Gwladwriaeth Les yn bod, yr oedd yna deulu estynedig ac yr oedd i hwnnw wyneb caredig yn hytrach na'r wedd amhersonol sydd i fiwrocratiaeth y dwthwn hwn. Wyneb dat-cu a ddaeth i fyw atom, i fod yn ddyn, os nad yn dad, ar yr aelwyd; a Densil, nai i mam, a oedd fel brawd mawr yn y teulu. Ac ymhen amser daeth Dai James, gŵr o sir Benfro a gafodd waith yn y 'Cross', atom yn lojer. Roedd bywyd yn galed ond yn fyrlymus o hapus, a mam yn teyrnasu fel brenhines tra'n gweithio fel slaf ar yr un pryd.

TYFU CYN PRYD.

Y drefn oedd i'r wladwriaeth roddi pensiwn i'r weddw a lwfans i bob plentyn dan bedair ar ddeg; fe drefnwyd hefyd i'r 'compo' barhau tan i'r ieuengaf gyrraedd yr un oedran. Felly, pan gyrhaeddais yr oedran tyngedfennol hwnnw, fe sychodd y ddwy ffrwd o arian a fu'n fodd i'n cynnal fel teulu. Yr oeddem ein tri erbyn hyn yn Ysgol Ramadeg y Gwendraeth. Oherwydd y wasgfa ariannol a ddaeth arnom bu'n rhaid i'r tri ohonom, er mawr ofid i mam, adael yr ysgol.

Llwyddasai mam i gael lle i'm chwaer yn swyddfa'r Amalgamated Anthracite Company ac fe gafodd Alun, fy mrawd, waith ym mhwll Blaenhirwaun. Pan ddaeth dydd fy mhen-blwydd, ymhen deng niwrnod wedi'r dathlu (os mai dathlu yw'r gair iawn), yr oeddwn innau'n dechrau gweithio ym Mlaenhirwaun.

> Gofynion ein cymdeithas hurt
> Arweinia rai i roddi
> Naid Olympaidd,
> O lencyndod hyd at fod yn ŵr,
> Nes colli'r sbri sydd yn y gwagle.
> Naid o drwsys ysgol i un 'moleskin',
> O'r ddesg i'r ffas,
> O fyd chwarae i fyd gwaith a marw.
> Clamp o naid!
> Mi neidiais i honno,
> Ond chlywais i neb yn bonllefain cymeradwyaeth,
> Neb yn canu'r Anthem.
>
> Dim ond diolch dagreuol mam
> Am y pecyn pae ar y dydd Gwener cyntaf hwnnw.
> A'r wobr?
> Pedwar swllt ar bymtheg
> Yn arian gleision medalaidd!

Tipiau Blaenhirwaun.

Rwy'n dal i gofio'r bore cyntaf hwnnw, y codi cyn cân y ceiliog, y brecwast hael y bu mam yn ei baratoi cyn galw ar fy mrawd a minnau o'n gwlâu, gwisgo'r trwsys 'moleskin' a'r sgidiau hoelion newydd a theimlo'n anfodlon iawn wrth goroni'r cyfan â chap ysgol! Yna, cerdded rhyw hanner milltir i ddal lori Reg Penywaun i bwll Blaenhirwaun. Mae'r cof am y diwrnod cyntaf yn y gwaith yn niwlog iawn, mae'n debyg am fod y cyfan mor wahanol a newydd. Wedi treulio'r bore yn y 'screens', lle llychlyd ofnadwy lle dôi'r glo o'r pwll ar hyd belt symudol – a'n gwaith fel cryts oedd taflu'r cerrig o'r glo – cefais fy symud i'r 'wash' (washery) lle câi'r glo ei olchi. Roedd hynny'n destun rhyfeddod i mi, fod glo o bob peth yn cael ei olchi! Yn ystod y diwrnodau cyntaf hynny yr oedd yna dynnu coes diddiwedd, o'r sâmo (rhoi saim ar y rhannau mwyaf preifat o'ch corff!) i'r danfon ar y negesau mwyaf rhyfedd. Cael fy anfon i mofyn allwedd y tip, a chael gan un o'r dynion ddarn o hen 'girder' a'r gorchymyn, 'Cer â hwn i weld os yw e'n ffito.' Yna, cael bwced a'r cyfarwyddyd i fynd i'r pwerdy i mofyn 'bwceded o flast' (compressed air), a minnau'r pryd hynny heb yr un syniad beth oedd blast, yn mynd yn ddigon parod. Dweud fy neges wrth y gŵr priodol a hwnnw'n holi a oedd gennyf gaead i'r bwced, a minnau'n cyfaddef nad oedd gennyf yr un. 'Bydd yn rhaid cael rhwbeth', meddai yntau, gan roi ffetan yn fy llaw. 'Rho di'r ffetan ar ben y bwced a chadw hi yno'n dynn,' oedd y gorchymyn. A dyma agor rhyw dap nes bod y blast yn chwythu drwy'r lle, ac mi welais o'r diwedd mai tynnu coes oedd y cyfan. Ystryw digon diniwed oedd hyn i'm dysgu bod yn rhaid i minnau, fel pawb arall, ddysgu chwerthin am fy mhen fy hun. Diolch i'r glowyr am ddysgu'r wers dra phwysig honno i mi; bu'n rhaid i mi wneud hynny ar lawer tro wedi hynny.

Roedd y lofa yn ddigon tebyg i'r Ystadau Diwydiannol cyfoes, yn ganolfan i ymarfer llawer iawn o grefftau. Yr oedd ym Mlaenhirwaun, fel pob pwll arall, ofaint a seiri, trydanwyr a pheirianwyr, ac ostler i ofalu am y ceffylau. Yn yr efail yr oedd tri gof, un ohonynt yn of pedoli, un arall yn mendio'r dramiau a'r llall yn troi ei law yn ôl y gofyn; yr oedd hefyd fachgen wrth yr ordd gan bob un o'r gofaint. Yn siop y saer yr oedd dau yn ymarfer y grefft honno, a melin goed mewn man arall yn paratoi'r coed a fyddai'n diogelu'r to dan-ddaear. Yr oedd ffwrneisi yno hefyd yn cynhyrchu ager i yrru'r peiriannau.

Cwch gwenyn o le mewn gwirionedd, ac i ganol y berw hwn y deuthum yn llencyn digon anaeddfed ar gyfer y fath brofiad.

Wedi'r cyfnod yn y 'washery' fe'm dyrchafwyd (os dyna'r gair priodol) i ben y pwll i oelo'r dramiau. Gwaith brwnt ar y naw, a digon diddiolch yn aml. Pebai un o'r dramiau heb fod am beth amser o fewn fy nghyrraedd, mi fyddai'i symud yn dipyn o job, a'r oelwr druan fyddai'n ei chael hi am ei esgeulustod tybiedig. Yna, wedi cyfnod wrth y gwaith hwnnw, fe'm gosodwyd i weithio gyda'r 'fitters'. Golygai hynny newid tyrn a mynd i weithio yn y prynhawn. Ein cyfrifoldeb ni oedd gofalu fod yr holl offer yn y 'screens' a'r 'washery' mewn cyflwr da ar gyfer y diwrnod canlynol, ac yr oedd yno lawer iawn o offer! Yr oedd digon o amrywiaeth yn y gwaith, gan fod yno gymaint o wahanol fathau o offer. Byddai galw ambell dro i ni fynd i lawr i'r pwll i osod rhyw beiriant yn iawn. Yr oedd amrywiaeth y gorchwylion yn gwneud y diwrnod gwaith yn rhywbeth wrth fy modd. Mae gennyf ryw syniad i'r 'manager', Warren Watkins, drefnu nad oeddwn i fynd i weithio'n barhaus dan-ddaear. Roedd ef a 'nhad wedi bod yn gydweithwyr a ffrindiau yng ngwaith y 'Cross', a chredaf iddo sicrhau nad awn i dan-ddaear er mwyn gwared mam rhag y pryder a'r boen allasai ddod i'w rhan. Ymhen amser symudwyd fi eto i wneud amrywiol bethau ar wyneb y pwll, unrhyw beth o weithio ar y tip, i lwytho'r coed a'r 'rings', i ddiogelu'r to dan-ddaear.

YR HWYL.

Lle yn llawn hwyl a sbri oedd y pwll glo, lle am dynnu coes a doniolwch naturiol, a theatr i gymeriadau a allai'n hawdd iawn fod yn britho rhaglenni comedi teledu cyfoes. Cymeriad fel David Jones, na fyddai neb yn ei nabod wrth yr enw hwnnw; Dai Garej oedd i bawb ohonom. Roedd yn un o'r ddau a yrrai'r peiriant a âi â'r dramiau i'w dadlwytho ar ben y tip, yn ogystal â'r peiriant arall a fyddai'n tynnu'r dramiau coed neu pa lwyth bynnag arall y byddai galw amdano dan-ddaear. Cymeriad annwyl, ond cymeriad ar y naw hefyd! Yr oedd yn gamster ar ddal y Nico a llawer anifail arall. Yr oedd peth atal dweud arno ond ni roddai hynny ddim taw ar ei barabl byrlymus. Cofiaf un digwyddiad a ddangosodd Dai ar ei orau. Yr oedd coed cogs (coed o ryw lathen neu fwy o hyd) yn cael eu cadw yn ymyl swyddfeydd y pwll, ac fe âi ffordd y dramiau atynt ar hyd codiad bychan y tu cefn i'r swyddfeydd. Fe aeth cydweithiwr arall a minnau â chwech o ddramiau o ben y pwll i lawr at y coed cogs a'u llanw o'r coed. Fel roeddem yn dod i ben â'r gorchwyl hwnnw, dyma lwyth o 'chaff' (bwyd i'r ceffylau dan-ddaear) yn cyrraedd. Fe benderfynwyd gosod y sachau 'chaff' ar y 'shackles' rhwng y dramiau, ac eraill ar ben y coed cogs. Dyma roi arwydd i Dai a oedd wrth y peiriant i'w tynnu i fyny. Symudai'r cyfan fel mur, ond fel y nesaent at ben y codiad fe dorrodd y rhaff ddur a dyma'r cyfan yn ôl bendramwnwgl am y swyddfeydd. Mae'r olygfa honno'n fyw yn fy nghof hyd heddiw – gweld y bobol oedd yn y swyddfeydd, a'r 'Manager' yn eu plith, yn bollto fel cwningod o'u warennau ar ôl gosod y fferet yn y tyllau. Dyma Dai yntau'n dod yn hamddenol braf i edrych ar y gyflafan, a'i ateb ysgubol i gwestiwn y 'Manager', 'What happened?', oedd cydio mewn dram wag a'i gwthio ar ôl y lleill, a dweud, 'Wwwel that's what happened.' Mae'r helyntion y bu Dai ynddynt yn ddiddiwedd, yr oedd diwrnod gwaith yn ei gwmni yn ferw o hwyl a sbri, ac amser a ballai i'w hadrodd i gyd.

GALAR.

Byw yn ymyl y dibyn oedd rhan y glöwr. Mae'n hawdd iawn goreuro ei fywyd a bod yn afiach o sentimental fel yr hen ffilmiau amdano. Er hynny, yr oedd byw yn ymyl y dibyn rhwng byw a marw wedi creu cymdeithas glòs a chydgynhaliol. Yr oedd cydweithio yn hanfodol er diogelwch. Er gwaetha'r gofal, digwyddai'r damweiniau a achosai niweidiau ofnadwy a cholli bywyd. Y mae'r cof am ddau o'r digwyddiadau hynny yn aros. Yr arfer ambell dro oedd i fachgen fynd i weithio gyda'i dad, ac felly y bu yn hanes Percy. Ar ei ddiwrnod cyntaf dan-ddaear aeth i weithio gyda'i dad, Basil, a oedd yn gefnder i mam. Ni chofiaf y manylion yn llawn ond credaf mai cwymp a fu ac fe laddwyd Basil yn y fan a Percy, ei fab, yn dyst o'r erchylltra ar ei ddiwrnod cyntaf yn y gwaith. Soniais am y gofaint gynnau; yr oedd gan un ohonynt gyfrifoldeb dros y siafft, sef y pwll ei hunan. Wil Blaenau Mawr oedd y gof â'r gofal hwnnw ym Mlaenhirwaun. Ar benwythnos y gwneid y gwaith cynnal a chadw a'r bore Sul arbennig hwnnw yr oedd Wil ac eraill wrthi'n gweithio ar waelod y pwll. Mi fyddai'r caets yn mynd i fyny ac i lawr yn ôl y gofyn ac roedd Wil yn gweithio o dan y caets oedd ar i fyny. Am ryw reswm fe wnaeth gamsyniad ofnadwy ac aeth i'r ochor anghywir. Pan oedd Wil wrthi yn ei ddyblau yn gweithio, daeth y caets i lawr ar ei gefn a'i ladd yn y fan. Dyna ddwy enghraifft o'r hyn a ddigwyddai'n rhy aml ym mhrofiad y glöwr a gellid ychwanegu atynt dro ar ôl tro.

TWLS AR Y BAR A FFARWEL.

Cefais wahoddiad yn ddiweddar at ddosbarth yn Ysgol Mynydd Bychan, Caerdydd. Roeddent wedi bod yn astudio'r diwydiant glo ac yr oedd yr athro yn dymuno i'r plant gael cyfarfod â rhywun oedd wedi bod yn gweithio yn y diwydiant hwnnw. Wedi i mi sgwrsio am beth amser â'r plant, rhoddwyd cyfle iddynt holi ambell gwestiwn. Cefais y cwestiwn mwyaf annisgwyl gan un ohonynt: 'Pam', meddai'r bychan, 'y gadawsoch chi'r pwll?' Tybed imi liwio bywyd y glöwr mewn ffordd mor ddymunol fel na allai'r bychan ddychmygu neb yn gadael y bywyd hwnnw? Ychydig a wyddai ef mai dymuniad pennaf pob mam a thad yn y gymdeithas honno oedd na fyddai'n rhaid i'w plant fyth fynd i'r pyllau i weithio ac mai gwasgfa amgylchiadau a'm gyrrodd i yno. Ond mae'r cwestiwn, 'Pam gadael y pwll?' yn aros.

Alun (ar y chwith) a Gareth (ar y dde).
Y ddau frawd pan oeddent yn gweithio ym Mlaenhirwaun.

Fe berthyn yr ateb i'r cwestiwn i fyd y tu hwnt i ddymuniad am well amgylchiadau byw. Mae'n debyg y gallaswn innau ddilyn llwybr tebyg i Alun fy mrawd a gododd ymhen amser i fod yn 'Manager' yn y pyllau glo. Fel Cristion fe gredaf fod Duw yn llywio bywydau Ei blant a bûm yn ymwybodol iawn o hynny o'm dyddiau cynnar. Yr oedd addoli a mynychu lle o addoliad yn batrwm sefydlog yn ein cartref, nid yn unig ar y Sul ond ar nosweithiau seiat a chwrdd gweddi hefyd. Mae'n wir mai mater o ddefod a mater o fod dan orfodaeth mam oedd y mynychu hwnnw yn aml. Fe gredwn yn Nuw ac yr oedd gennyf ryw fath o grebwyll ynglŷn â phwysigrwydd Iesu Grist. Gan mai cefndir glofaol oedd gennyf a bod ymwybyddiaeth o'r annhegwch creulon a fu'n rhan o hanes y glöwr yn fyw iawn i mi, yr oedd i Undebaeth a Sosialaeth le hanfodol yn fy ffordd o feddwl. Ac i gryn raddau, Sosialydd oedd Iesu i mi.

Ni wn i ddim pam, ond dyma'r Parchg. H.H. Williams (ef oedd gweinidog y capel a fynychem fel teulu ym Methel, Cross Hands), yn gofyn i mi a oeddwn wedi ystyried yr alwad i'r weinidogaeth erioed. Yr ateb syml oedd nad oeddwn. Ond bu'r cwestiwn, ar ôl ei ofyn, yn fy erlid â'i her am gryn amser. Yn y diwedd atebais y cwestiwn yn nyfnder fy nghalon, a gerbron Duw addunedu fy mod yn barod i roddi ystyriaeth ddifrifol i'r alwad honno pe deuai. Hysbysais y gweinidog o hynny, ac ymhen amser fe gadarnhawyd yr alwad gan y llysoedd Cyfundebol ac fe'm derbyniwyd yn fyfyriwr ar gyfer y weinidogaeth. Ymarswydaf ar brydiau wrth feddal am y niwed mawr y gallaswn ei wneud i lawer enaid o fewn fy ngofalaethau pebawn wedi mynd i'r weinidogaeth i bregethu Iesu'r Sosialydd. Ond diolch i Dduw nid felly y bu.

Yr oedd pregethu'r Parchg. H.H. Williams yn ysgrythurol ac o'r herwydd yn efengylaidd, ac yn raddol, mewn canlyniad i'r pregethu hwnnw, deuthum i weld mai Iesu'r Gwaredwr oedd Iesu'r Testament Newydd. Newid y byd trwy newid dynion oedd bwriad mawr Duw yn nyfodiad Crist i'r byd, ac yr oeddwn innau, fel pechadur, yn un y daeth Crist i'r byd i'w geisio a'i gadw. Yn Nhrefeca y gwawriodd rhyfeddod cariad Duw arnaf. Yno, yr oedd bechgyn eraill fel fi yn dechrau'r daith i fod yn weinidogion yr efengyl. Deellais ar ôl ychydig amser yn eu cwmni fod yna ddyfnder ysbrydol i'w profiad hwy a oedd yn hollol ddieithr i mi. Gallwn ddod i ben â'r pregethu ar y Suliau yn weddol, yr oedd gennyf nodiadau o'm blaen; fy

Coleg Trefeca, 1948. Gareth Davies yw'r ail ar y chwith yn yr ail res.

mhroblem fawr oedd y gweddïo cyhoeddus yn yr oedfa. Yr oedd
hynny'n broblem am fod gweddi ei hun yn rhywbeth dieithr iawn i
mi. Bob nos fe ddywedwn fy mhader, ond rhywbeth adroddus a hollol
ffurfiol oedd hynny.

Bu hwn yn gyfnod argyfyngus yn fy mhrofiad, ac yn yr argyfwng
cefais gyfarwyddyd ysbrydol gan un, yn arbennig, o'r bechgyn hynny.
Dangosodd i mi o'r Beibl y gwirionedd mawr am gyfiawnhad trwy
ffydd ac mai oblygiad cyntaf ffydd yw credu a derbyn. Credu i Grist
ddwyn fy mhechod a'i ganlyniadau i'r Groes, ac iddo yno dderbyn
cosbedigaeth fy mhechod yn fy lle. Gan iddo Ef dderbyn fy mhechod
a'i gosb, fy mraint i oedd derbyn Ei farw iawnol gan ddiolch am y
fath gariad hunanaberthol at un nas haeddai o gwbwl. Cefais ffydd i
gredu ac i dderbyn, ac O!'r fath orfoledd a ddaeth i'm rhan. Ac fe
ddaw y gorfoledd hwnnw'n donnau ar dro o hyd. Cyfrifaf i mi gael un
o'r breintiau mwyaf a ddaw i ran creadur o ddyn yn hyn o fyd, y
fraint aruchel o gyhoeddi rhyfeddod cariad Duw at bechaduriaid, bod
yn was i Iesu Grist ymhlith Ei bobol ac yn gennad iddo i alw pobol i'r
cymod a gafwyd yn Ei waed. Mae'r bererindod bellach tua'r Ddinas
dragwyddol, ond rwy'n diolch am i'r daith fynd â mi i Gwm
Gwendraeth ac at brofiadau gwerthfawr y pwll glo.

YR HYN A FU.

Hanes, bellach, yw arwriaeth pyllau glo Cwm Gwendraeth. Y mae'n haeddu ei le fel pennod bwysig yn hanes y Gymru fach hon. Fe gefais i ffarwel i'w gofio ar y dydd Gwener olaf hwnnw cyn i mi adael am Drefeca a chwrs newydd i'm bywyd. 'Dere am baned yn y cantîn', mynte un o'r bechgyn, ac i ffwrdd â mi heb feddwl am ddim mwy na'r paned. Roedd y cantîn yn orlawn a'm cydweithwyr wedi casglu at ei gilydd i ddymuno'n dda i mi. Caed anerchiad neu ddau a chefais anrheg o 'fountain pen' sydd wedi bod wrth fy nesg trwy gydol fy ngweinidogaeth. Nid bai'r 'fountain pen' ydoedd os oedd y pregethau'n wael! Cefais ganddynt hefyd rodd ariannol sylweddol a fu'n gryn help drwy gyfnod cynnar dyddiau coleg. Diolchais iddynt yn y cantîn, fe ddiolchaf iddynt eto am ddysgu mwy i mi am y natur ddynol nag a ddysgais wedi hynny mewn coleg. Diolch am gymdeithas yr oedd yn fraint cael bod yn rhan ohoni.

Cymoedd y Gwendraeth –
O Fewn Cof, Fwy neu Lai

Walford Gealy

Nid hanes a geir yma. Honnid, ar un adeg o leiaf, nad yw hanes yn cychwyn nes bod llwch y cof yn llonydd. Yn hytrach, atgofion personol o'm plentyndod sydd yma – atgofion sydd, i raddau helaeth, yn oddrychol eu harwyddocâd ac ymhell o fod yn adroddiad diduedd hanesyddol o fywyd yn y cymoedd hyn, fel yr oedd oddeutu canol yr ugeinfed ganrif.

Gall geiriau fod yn gamarweiniol ac y mae'r ansoddeiriau sy'n rhan o enwau'r cymoedd hyn, sef 'mawr' a 'bach', nid yn unig yn amwys, ond yn gamarweiniol. Nid oes fawr o syniad gennyf paham y gelwir un o gymoedd y Gwendraeth yn 'fawr', a'r llall yn 'fach', pan ymddangosant gyhyd a chyfled â'i gilydd. Yn wir, os rhywbeth, y mae afon Gwendraeth Fach yn hwy na'r Gwendraeth Fawr. Ar y llaw arall, y mae cwm Gwendraeth Fawr yn llawer mwy poblog na chwm Gwendraeth Fach, ond cafodd y cymoedd eu henwi cyn bod hynny'n wir! Beth bynnag, dau gwm bychan iawn o ran eu maint yw'r cymoedd hyn, a thybiaf mai dyna'r rheswm paham nad oes angen teithio ymhell o sir Gâr cyn dod ar draws Cymry heb unrhyw syniad ynglŷn â'u lleoliad. Dysgais mai ofer yw ateb mai yng Nghwm Gwendraeth y mae fy ngwreiddiau am nad yw'r ateb yn boddhau fawr o neb y tu hwnt i sir Gâr, ac nid yw'r ateb ond yn arwain at y cwestiwn pellach, 'A lle mae Cwm Gwendraeth?' Nid annisgwyl yw ymateb o'r fath, nid yn unig oherwydd bychander y cymoedd, ond hefyd oherwydd mai ychydig o sylw a gawsant mewn cyfrolau safonol ar hanes y sir, heb sôn am hanes Cymru. Serch hynny, yn ystod y ganrif ddiwethaf, digwyddodd rhai pethau yn y cymoedd hyn a dynnodd sylw Cymru gyfan atynt – dros dro, o leiaf. Ond syndod byrred yw'r cof! Yn eu trefn hanesyddol, dyma'r digwyddiadau hynny. Yn gyntaf, y rhwyg crefyddol yn Y Tymbl yn nyddiau'r Parchg. Tom Nefyn yn niwedd y dauddegau. Yn ail, yr hyn a ddisgrifiodd Saunders Lewis, ar y pryd, fel y peth mwyaf calonogol a

Pwyllgor Amddiffyn Llangyndeyrn adeg y Cyfarfod Diolchgarwch Awst 1965.

ddigwyddodd yng Nghymru ers tro byd, sef gwrthsafiad gwrol a llwyr fuddugoliaethus trigolion Cwm Gwendraeth Fach yn erbyn ffolineb biwrocrataidd a'r bygythiad barbaraidd i foddi'r cwm hwnnw ar ddechrau chwedegau'r ganrif. Yn drydydd, anwarineb torri asgwrn cefn economi Cwm Gwendraeth Fawr wrth i bob pwll glo oedd yno gael eu cau a rhoi rhai cannoedd o lowyr ar y clwt. Ac, yn olaf, ymweliad hapus ac eithriadol o lwyddiannus Eisteddfod Genedlaethol yr Urdd â Chwm Gwendraeth Fawr yn 1989.

Saif pentref Dre-fach (Dre-fach, Llanelli, sylwer, gan fod yna ddau Dre-fach arall nid nepell o Gaerfyrddin, sef Dre-fach, Felindre a Dre-fach, Llanybydder) ar ddarn o dir gweddol wastad ar ochr orllewinol Cwm Gwendraeth Fawr a thua dwy filltir o bentref Porth-y-rhyd sydd ynghanol y Gwendraeth arall. O fewn dim i adael pentref Dre-fach ar yr hen ffordd fawr, sef yr A48, i gyfeiriad Porth-y-rhyd, y mae hen gwar cerrig. Yno gellir gweld y wythïen lo yn dod i'r brig. Dyma un ffin i faes glo de Cymru – er, fel y deallaf, yn nes i lawr y cwm y mae'r haenen lo yn dal i fynd yn ei blaen ac yn ymestyn o dan fae Caerfyrddin nes iddi ailymddangos eto ar yr wyneb yn sir Benfro – megis yng nghyffiniau pentref Cilgeti – lle bu pyllau glo gynt. Ychydig y tu hwnt i ogledd dyffryn Gwendraeth Fawr, ar ochrau'r bryniau sydd ar oleddf o Ben-y-groes tuag at ddyffryn Aman, daw'r wythïen lo eto i'r brig mewn aml i le, ac, o ganlyniad, gwelodd pentrefi'r ardal hon, megis Pen-y-groes, Blaenau, Saron, Capel Hendre a Llandybïe fwy na'u siâr o weithio glo brig. Dioddefodd y pentrefi hyn yn arw yn ystod y degawdau diweddar o effeithiau'r llwch a'r bryntni sy'n gynnyrch anochel gwaith glo brig. Diwydiant yw hwn sy'n fendith a melldith ar yr un pryd; mae'n dod â chyflogaeth a gwaith ar y naill law, a hefyd hagrwch erchyll ar y llaw arall. Hyd yn hyn, ni ddioddefodd Cwm Gwendraeth o'r malltod hwn. Yn wir, gyda thranc y gweithiau glo traddodiadol a symud y pyramidiau du niferus, adferwyd y cwm i'w lesni cyntefig unwaith eto, fel y mae cyn hardded â dyffryn y Gwendraeth Fach.

Pan oeddwn yn ddisgybl yn yr ysgol gynradd, fe'm dysgwyd mai sir i ymfalchïo ynddi oedd sir Gâr. Hi oedd sir fwyaf Cymru, meddid, ac roedd hi ymhell ar y blaen o ran nifer yr enwogion a fagwyd ynddi – pobl megis Hywel Dda, Y Ficer Prichard, Theophilus Evans, Gruffydd Jones, Llanddowror, Pantycelyn, Peter Williams, Thomas Charles a'i frawd, David, Morgan Rhys, Elfed, Nantlais, D. J. Williams ac ati. Ond er mawr siom i mi ar y pryd, nid oedd yr un o'r mawrion hyn yn hanu o gymoedd y Gwendraeth – heb sôn am un ohonynt yn dod o'm pentref bach i! Gwenllian, a'i brwydr ddewr yng Nghydweli yn erbyn y Normaniaid, oedd yr enwocaf o gymeriadau Cwm Gwendraeth – heblaw, efallai, am y fenyw fach arall honno o

Sgwâr Dre-fach.

Gydweli oedd yn arfer gwerthu losin du. Dim ond ymhen
blynyddoedd, wrth edrych ar hen fapiau o'r ardal, y sylweddolais nad
oedd pentref Dre-fach yn bod 'slawer dydd – nac, ychwaith, bentrefi
cyfagos megis Y Tymbl, Cross Hands, Cefneithin, Pontyberem ac ati.
Ar hen fapiau nodwyd yn unig leoedd megis Llanddarog, Llan-non a
Llangyndeyrn – sef y pentrefi lle saif eglwysi'r plwyfi sy'n dwyn eu
henwau. Hynny yw, fel yn achos tref Llanelli, yn sgil y Chwyldro
Diwydiannol y tyfodd poblogaeth yr ardal ac y datblygodd y pentrefi.
A hyd yn oed o fewn cof, tyfodd y pentref bach a adwaenwn yn
blentyn yn lle rhyfeddol o fawr mewn cymhariaeth erbyn heddiw. Yn
nyddiau fy mhlentyndod, ychydig o dai oedd yno i gyd, ac roedd
erwau o ofod rhwng un tŷ a'r nesaf ato.

Eto i gyd, roedd popeth yr oedd arnom ei eisiau yn y pentref bach
fel yr oedd pan oeddwn yn blentyn. Roedd yno nifer o siopau bach,
gan gynnwys siop papurau newydd, sef 'siop Rhys James', siop drws
nesaf i'm cartref ar y pryd, sef 'siop Gravell', a'r Swyddfa Bost.
Roedd yno un garej, sy'n dal i gyflenwi petrol, siop Ifor y cigydd, siop
papur-wal a phaent, meddygfa, a meddyg a weithiai ei foddion ei hun
cyn y daeth fferyllydd – un o fechgyn y pentref – nôl i'w gartref.
Roedd crydd yn y pentref, gof, sawl saer coed a saer maen – a siop
Dai'r barbwr. Rhyfeddol meddwl fod pentref mor fach mor
hunangynhaliol! Ond roedd dau beth yn arwyddocaol absennol, sef
tafarn a gorsaf heddlu. Honnai fy nhad Rechabaidd fod absenoldeb y
ddeubeth ynghlwm wrth ei gilydd! Ond roedd tafarn a chlwb yfed o
fewn milltir i'r pentref, yng Nghwm-mawr, ac yno, mae'n debyg, y
byddai bechgyn y pentref yn torri eu syched. Oherwydd piwritaniaeth
fy rhieni, ni fûm erioed ar gyfyl y naill le na'r llall, ond cofiaf fy nhad
liw nos Sul, ar ddechrau ei ddwy filltir o daith i gapel Porth-y-rhyd, yn
cyfarfod dau o'i gydnabod. Gwyddai fy nhad fod y ddau ar eu ffordd
i'r Clwb a dyma'u hannog: 'Dewch gyda fi i'r oedfa fechgyn. Dewch,
mae'n oedfa gymundeb gyda ni heno.' 'Gwilym bach,' atebodd un
ohonynt, 'mae'n gymundeb gyda ni bob nos Sul yn y Clwb!'

Am ei bod hi'n ardal ffiniol, yn economaidd roedd hi'n bosibl i'r
ddau fyd gwahanol, yr amaethyddol a'r diwydiannol, gymysgu â'i
gilydd. Byddai nifer o lowyr nid yn unig yn berchen ar erddi
sylweddol eu maint, ond hefyd ar 'leoedd bach'. Ac yr oedd plant yr
ardal hon hefyd yn elwa o gyfoeth amrywiaeth profiadau'r ddau fyd.

Yn bersonol, roedd gennyf gysylltiad agos â thri lle bach, sef Iscoed,
Y Wern a'r Gwyndy. Roedd y ddeule cyntaf hyn o fewn cyrraedd
cerddediad plentyn bach ar ei ben ei hun o bentref Dre-fach, tra oedd
y Gwyndy, lle trigai un o frodyr fy mam a'i deulu, ar lethr orllewinol
y Gwendraeth Fach a thua thair milltir i ffwrdd. Treuliais lawer
diwrnod diddan yn Iscoed a'r Wern. Brawd fy nhad a'i wraig oedd yn
byw yn Iscoed. Nid oedd ganddynt blant eu hunain ac, o ganlyniad,
roeddent bob amser yn hoff o'm gweld. Ac yr oeddwn innau'n hoff
iawn o fynd yno. Un rheswm dros hynny oedd fod ganddynt beth prin
iawn, sef car – Austin 'Big' Seven. Nid oedd dim arall yn fwy wrth fy
modd na chael mynd yn y car gyda 'ynti Soff' – Sophia, wrth gwrs, i
roi iddi ei henw cywir. Ni fedrai f'wncwl Jos yrru car ond priododd
cyn-*chauffeur* meddyg o Feidrim. Digwyddodd un peth ar un siwrnai
yn y car a wna imi chwerthin bob tro y daw i'm cof. Rhyw fore
Sadwrn, pan oeddwn tua saith oed, euthum gyda Jos a Soff i ocsiwn
ar fferm nid nepell o Iscoed. Prynodd Jos lo bach yno a
phenderfynodd ddod ag e nôl yn ei gôl yn y car. Eisteddodd yn y sedd
gefn a'r llo bach yn ei arffed. Fe'm rhybuddiwyd i eistedd yn dawel
wrth ochr yr yrwraig, rhag peri ofn iddo. Ond ar ôl teithio am
ychydig, am ryw reswm, troais yn ôl yn sydyn i ddweud rhywbeth
wrth Jos – gan beri i'r llo bach wylltio'n llwyr. Wel, os do fe! dyma
Sophia'n stopio'r car a chefais y pryd o dafod mwyaf a gefais erioed
– a llais uchel Soff yn dychryn yr hen lo bach yn waeth. Llanwyd y
car â drewdod – a llanwyd côl fy wncwl Jos! Wel druan ag ef! Wel
druan o'r tri ohonom – y llo, Jos a minnau.

Cofiaf, wedyn, am ddigwyddiad arall, yn Y Wern y tro hwn.
Cyfnither fy nhad, Magi, a'i gŵr, Huw, oedd yn byw yno. Roedd
Magi yn gymeriad. Roeddwn tua naw oed, os cofiaf yn iawn – er nad
wyf yn cofio llawer am y digwyddiad hwn am resymau a ddaw'n
amlwg. Amser cywain gwair oedd hi, ac nid oedd amser hapusach i'w
gael i blant. Byddai'r ffermwyr i gyd yn dibynnu ar lawer o ddwylo
ceraint a chymdogion i gynorthwyo gyda'r gwaith blynyddol hwn – a
byddai cydweithio hyfryd bob amser. Nid oedd dim yn well na chael
paned o de a rhywbeth i'w fwyta ar y cae gwair ei hun, heb sôn am y
wledd fawr yn y tŷ fferm ar ôl i'r gwaith ddod i ben.

Ar y diwrnod arbennig hwn cefais job gan Magi. Rhoddodd ddwy
fasged fawr i mi, gymaint ag y medrwn gario, a photeli brown mawr

ynddynt. Nid oeddwn erioed wedi gweld cyffelyb boteli o'r blaen, a thybiais mai pop o ryw fath oedd ynddynt. Fy ngorchwyl oedd mynd rownd â'r 'pop' i'r gwŷr a'r gwragedd er mwyn eu disychedu. Ac felly y bu. Ond ni fedrwn wrthsefyll y demtasiwn i flasu'r 'pop' hwn fy hun, yn enwedig gan fod ei liw euraidd mor ddeniadol a'i arogl mor bêr. Felly, cymerais lased bach. Symudais ymlaen at y criw nesaf, ac yfed glased bach arall . . . ac un arall. Dyna 'bop' hyfryd iawn, yn gyfan gwbl at fy nant! Ond, yn y gwres, teimlais fy hun yn gwanychu ychydig, ac nid oedd dim yn ymddangos fel pebai'n sefyll yn ei unfan. Gadewais y basgedi yn y fan a'r lle a dechreuais wneud fy ffordd adref. Dyna'r hanner milltir hiraf a diflasaf a gerddais erioed – a dim ond trwy drugaredd y cyrhaeddais ben y daith. Nid agorais fy ngenau wrth neb am y digwyddiad. Onid oeddwn wedi dysgu'n yr Ysgol Sul mai 'Dŵr, dŵr, dŵr' oedd y ddiod 'i bob sychedig un'?

Gweithiai Jos yn y cwar cerrig, Huw yn yr 'ROF' ym Mhen-bre a glöwr oedd Tudor, Y Gwyndy. Roedd y gweithwyr hyn yn amaethwyr rhan-amser, ac yr oedd hi'n bosibl iddynt fod yn eithaf llewyrchus eu byd mewn cymhariaeth â glowyr, a gweithwyr cyffredin eraill, mewn dyddiau pan oedd arian yn brin. Er enghraifft, ym Mhont-iets roedd yna ffarm fechan o'r enw Rhas Fach. Roedd y ffarm hon yn agos iawn i ganol y pentref ac yn gyfleus i werthu llaeth i'r pentrefwyr. Serch hynny, glöwr oedd yn ei ffermio ac yr oedd ganddo bump o ferched. Byddai'r merched hyn, yn eu tro, yn gyfrifol am ddosbarthu llaeth i'r pentrefwyr bob bore cyn mynd i'r ysgol. Er bod gan y gŵr hwn deulu sylweddol ei faint, trwy ddyfalbarhad, dygnwch a gwaith caled creodd y glöwr hwn o amaethwr beth cyfoeth, a'i fuddsoddi mewn tai. Pan fu farw, gadawodd dŷ yr un i bob un o'i ferched fel y gwn yn dda, canys priodais ag un o'i wyresau! Efallai ei fod yn eithriad gan i'w lwyddiant ddibynnu ar gyfuniad arbennig o ffactorau cyfleus.

Eto i gyd, roedd digon o rai eraill nid annhebyg iddo. Ym Mhontyberem, roedd bachgen o gefndir digon tlawd yn nhermau'r byd hwn. Yn ôl ei addefiad ei hun arferai, o fwriad, golli'r trên i Ysgol Ramadeg y Gwendraeth am nad oedd arian ganddo i dalu am y daith fer. Ni allai brynu llyfrau gosod, chwaith, a bu'n rhaid iddo, o ganlyniad, fyw ar eu benthyg gan ei gyfeillion. Er ei allu meddyliol amlwg, gadawodd yr ysgol yn bedair ar ddeg oed 'i fynd dan-ddaear' er mwyn cynorthwyo a chynnal aelodau eraill o'i deulu. Dechreuodd gyfuno gweithio yn y pwll â dosbarthu llaeth yn y bore. Ymhen dim, casglodd ddigon o arian i brynu'r 'rownd laeth' oddi wrth berthynas iddo. Yna, prynodd lori fechan a dechreuodd gludo lloi o'r mart yng Nghaerfyrddin yn ogystal â gweithio'n y lofa a dosbarthu llaeth. Ar ôl iddo briodi, dechreuodd werthu ceir – o flaen ei gartref. Yn y diwedd, tyfodd i fod yn un o wŷr busnes mwyaf llwyddiannus Cwm Gwendraeth, ac yr oedd yn haeddu pob llwyddiant a ddaeth i'w ran, nid yn unig oherwydd ei ymdrechion diflino i orchfygu ei amgylchiadau, ond hefyd am ei ofal tyner a hael dros ei deulu cyfan a'i garedigrwydd parod i'w gyfeillion.

Fe aeth yn ystrydeb i honni mai yn yr ugeinfed ganrif y bu'r newidiadau mwyaf mewn hanes. Diau fod gwirionedd mawr yn hyn. Yn wir, bron na allaf honni i'r chwyldroadau hyn ddigwydd yn ystod y blynyddoedd y bûm yn byw ym mhentref Dre-fach. Fe'm ganwyd flwyddyn yn union cyn dechrau'r Ail Ryfel Byd a gadewais y pentref, yn ŵr a thad, ychydig dros chwarter canrif yn ddiweddarach. Perthyn fy mhlentyndod i'r hen fyd. Perthyn dyddiau fy ngadael, yn y chwedegau, i'r byd newydd. Bu dyddiau'r rhyfel yn anodd iawn i bawb, er nad oeddwn yn ddigon hen i sylweddoli pa mor real oedd y bygythion a'r peryglon. Clywais hefyd gan fy rheini am galedi'r dirwasgiad ar ddiwedd y dauddegau, ac am ddibyniaeth llawer o'r werin ar y 'soup kitchens'. Ond yr oeddwn yn blentyn ffodus iawn am y rheswm syml mai plentyn y ffin oeddwn. Er mai glöwr oedd fy nhad, roedd ein sefyllfa economaidd cystal fel nad oeddwn yn ymwybodol o eisiau dim. Wrth gwrs, gwyddwn am y llyfrau *rations* ac na fedrwn gael a fynnwn o losin, a bod rhai ffrwythau, megis y banana, yn brin iawn. Ni welais y ffrwyth hwn nes fy mod tua chwech oed. Roedd fy rhieni yn berchen ar eu cartref ac ar un eiddo bychan arall. Roedd gennym ardd enfawr, a chae bach tua dwy erw yn ei hymyl. Cadwem lond sied o ieir, gwyddau a hwyaid, ac yn un cornel o'r cae gwnaeth fy nhad bwll ar gyfer yr adar dŵr. Prynodd aradr a benthycai geffyl i aredig darn o'r cae, a chododd datws, erfyn a bresych. Roedd garddio'n rhan annatod o fywyd pob pentrefwr yn y dyddiau hynny. Oherwydd y 'rations', byddai pob penteulu'n gwneud ei orau glas i godi cymaint o lysiau a ffrwythau a oedd yn bosibl. Gartref, roedd rhan o'r ardd yn berllan. Ni fyddai un tŷ heb ei bren afalau, ac achubid ar bob cyfle yn ystod yr hydref i gasglu pob math o ffrwythau – gardd a gwyllt – a'u storio. Byddai'r gwragedd yn ymfalchïo wrth ddangos y pantri'n llawn ffrwythau wedi eu cadw mewn poteli – yn afalau, gwsberis, eirin gwyrdd, cyrens coch a du – a'r ffefryn mwyaf – mwyar gwyllt. Byddem hyd yn oed yn casglu cnau a'u cadw mewn sach tan y Nadolig. Nid oedd gwastraffu ar ddim; roedd bwyd yn brin.

Drachefn, un o fendithion mawr bywyd y ffin yn y cyfnod hwn oedd bod gan bron bob teulu ryw gysylltiad â rhyw ffarm neu'i gilydd. Byddai'r cysylltiadau hyn yn sicrhau ambell bwys o fenyn neu ddarn o gig ychwanegol i'r teuluoedd o bryd i'w gilydd, os nad yn rheolaidd! Bu fy mam, cyn priodi, yn 'gwasnaethu' ar ffarm, a bu un aelod o'r ffarm honno'n hynod o garedig wrthym fel teulu yn ystod y rhyfel. Ac un o'm hatgofion cynnar yw heddwas Porth-y-rhyd yn stopio fy mrawd ar ei feic (a minnau ar sedd fach ar far y beic hefyd) ac yn ei holi ynglŷn â beth yn hollol oedd ganddo yn y bag. Ni chofiaf ateb fy mrawd a chawsom fynd yn ein blaenau. Diau fod yr heddwas yn gwybod yn iawn fod yna bwys o fenyn anghyfreithlon yn y bag, a'i fod yn ei atal er mwyn sicrhau nad oedd y ddeddf yn cael ei herio! Yn ogystal, roedd nifer fawr o'r pentrefwyr yn cadw mochyn, ac nid oeddem ninnau'n eithriad yn hyn o beth. Ond roedd yna gyfyngu ar faint o foch y gellid eu cadw – un yn unig, neu ddau ar y mwyaf, os cofiaf yn iawn. Ac un o ddiwrnodau tristaf y flwyddyn i mam oedd dydd lladd mochyn. Wedi ei fwydo am tua blwyddyn gyfan a mwy, a siarad â'r mochyn neu'r hwch fel pebai'n ffrind a oedd yn deall y cyfan, peth digon anodd oedd ei weld yn cael ei ladd o fewn cyrraedd i'r drws cefn, a chlywed y sgrechfeydd angeuol yn byddaru pawb o'r pentref! Byddai mam yn colli dagrau fel afon ar y diwrnod hwn. Ond diwrnod mawr ydoedd i ni'r plant, oherwydd er y byddid yn halltu'r rhan fwyaf o'r mochyn, rhennid darnau helaeth ohono ymhlith y cymdogion a'r rheini a fyddai'n cynorthwyo â'r lladd. Roedd yn ddiwrnod proffidiol wrth i ni gael ceiniog neu ddwy gan y rhai fyddai'n derbyn darn o gig. Dim ond ar ddydd Calan y caem fwy o geiniogau. Ymhen dim o amser, peidiodd yr arfer o gadw mochyn – ac o ofyn am galennig, gwaetha'r modd.

Bu'r newid o ran trafnidiaeth yn fwy chwyldroadol na dim arall. Yn ystod y rhyfel roedd hi'n arfer gennym i chwarae ar yr hewl fawr, oherwydd ychydig iawn, iawn o geir a cherbydau eraill oedd ar gael. Mae'n wir fod heddwas unwaith y flwyddyn yn dod lawr o'i orsaf yn y Tymbl Uchaf i'r ysgol gynradd cyn iddi dorri ar gyfer gwyliau'r haf, er mwyn ein rhybuddio i beidio â chwarae ar yr hewlydd. Ond o ystyried faint o gerbydau o bob math sydd ar ein hewlydd heddiw, nid yw'n ormodiaith honni nad oedd bron neb arnynt yn y dyddiau hynny. Prin oedd y ceir preifat; ceffyl a chart a welid yn amlach na dim. Ni chofiaf am fwy na thua hanner dwsin o foduron yn y pentref cyfan, ac yr oedd y rheini ar yr hewlydd oblegid fod ganddynt amgenach swyddogaeth na moduro preifat. Dim ond ambell gar a welid ac ambell fan. Byddai lorïau yn cludo nwyddau, ac un lori a fyddai'n mynd heibio, nôl ac ymlaen yn ddyddiol, oedd honno a ddefnyddid i gario Eidalwyr o garcharorion rhyfel o'u gwersyll yn Llanddarog i'w gweithio. Ac yn gyson ddigon, teithiai bagad o filwyr Americanaidd mewn rhes hir o lorïau uchel ar y ffordd fawr. Byddai hyn bob amser yn rheswm dros redeg gyflymed ag y byddai modd, drwy gae Crompton i'r ffordd fawr, a gweiddi 'Any gum chum?' fel y byddai'r milwyr yn myned heibio. Ceid ymateb hael, a mwy na 'gum' yn aml, gan gynnwys ambell becyn o fisgedi. Ond, yn gyffredinol, dyddiau'r ceffyl a chart oedd hi.

O holl siopau'r pentref, 'siop Gravell' oedd yr orau gennyf. Yr oedd hi, ar y pryd, drws nesaf i'm cartref. Dyma gartref yr enwog Handel Gravell, chwaraewr rygbi campus dros Lanelli -ac unwaith dros Gymru – er iddo haeddu llawer mwy o gapiau. Roedd Haydn Tanner yn ei gadw mâs. Un o'r ychydig droeon y cefais fynd yn blentyn i'r sinema i Cross Hands oedd pan gafodd Handel ei gap – a'i gario ar ysgwyddau o'r maes gan ei gyd-chwaraewyr ar ôl curo'r Awstraliaid. Byddai'r *Pathé News* yn dangos prif uchelbwyntiau'r gêm cyn y ffilm. Mrs Gravell fyddai'n cadw'r siop, tra byddai Mr Gravell allan yn gwerthu bwydydd o silffoedd ar sêt gefn ei gar! Ar ôl y rhyfel, a phethau'n gwella, cafodd fan at y gwaith. Ond adeg y rhyfel ei hun, gallai car wneud y gwaith yn hawdd, gan brinned oedd y bwyd yn nyddiau'r llyfrau 'rations'. Ac er mai yn y cop – Co-op Gors-las a'r gangen ohono yn y Tymbl Uchaf – y byddai fy rhieni sosialaidd-eu-tuedd yn gwsmeriaid, byddai Mrs Gravell yn garedig iawn wrthyf fel plentyn. Efallai fod yna gysylltiad rhyngddi a menyw fach Cydweli! Ond er mai siop fach oedd siop Gravell, roedd hi'n

Co-op Gors-las a agorwyd yn 1930.

eithriadol o brysur, yn enwedig yn ystod y cyfnod pan ddaeth y
rations i ben. Y prif reswm am ei llewyrch a'i llwyddiant oedd ei
lleoliad – llai na chanllath o Ysgol Ramadeg y Gwendraeth. Nid oedd
hawl gan y disgyblion yn y cyfnod hwnnw i grwydro amser brêc a
chinio i'r pentref, ond byddai'r hawl ganddynt i gerdded cyn belled â
siop Gravell. Wedi'r cwbl roedd Hebron, gyferbyn â'r siop, yn rhan
o'r ysgol. Felly, bob amser brêc, amser cinio ac ar ddiwedd y pnawn,
byddai disgyblion yn pentyrru i 'siop Gravell' i brynu melysion a
chreision a phethau tebyg.

Ar y sgwâr agosaf atom gartref roedd siop y crydd. Roedd i'r crydd,
y dyddiau hynny, le amlwg ym mywyd pentref. Roedd crydd yn Nre-
fach, ym mhentref Porth-y-rhyd ac un arall yng Nghwm-mawr. Nid
oes yr un crydd yn un o'r pentrefi hyn bellach. Lle diddorol oedd siop
William Davies, neu 'Wil y crydd' i bawb. Byddai Wil yn croesawu
pawb a byddai ei weithdy bach yn fan cyfarfod i fechgyn iach-
ddireidus y pentref. Dyma ganolfan afiaith a sbort. Roedd 'na lawer o
dynnu coes, mewn ffyrdd digon ymarferol ar adegau. Cofiaf am un tric
a wneid yn gyson â phob crwt newydd a ddeuai i gymdeithasu yn siop
Wil. Rhoddwyd twndis ym mlaen ei drowsus, mwgwd am ei lygaid, a
cheiniog ar ei ben. Yr her, honedig, oedd iddo symud ei ben yn araf i

lawr nes iddo lwyddo i gael y geiniog mewn i'r twndis. Ond tra byddai
ef yn canolbwyntio, heb allu gweld dim, byddai un o'r bois arall yn
arllwys rhyw ddwrach i'r twndis, lawr dros ei fol a phob dim islaw! Ni
fyddai neb, wrth gwrs, yn barod i addef mai ef a dywalltodd y dŵr i'r
twndis! Amrywiad ar yr un math o dric â'r twndis oedd mygydu'r
llygaid eto, a'r tro hwn, er mwyn i'r crwt gael y geiniog i'r twndis,
byddid yn ei helpu i symud ei ben yn araf ac i'r cyfeiriad cywir. Ond
byddai dwylo'r helpwr wedi eu rhoi mewn polis du, ac o ganlyniad,
byddai bochau'r creadur diniwed, druan, fel y frân – ac ni fyddai'n
gwybod dim am ei gyflwr chwerthinllyd nes iddo gyrraedd gartref!
Roedd siop y crydd yn lle am adrodd pob math o storïau a bathu pob
math o lysenwau ar bobl. Trigai brodor o'r Rhondda yn y pentref ac fe
fyddai'r bechgyn yn hoff o'i weld yn dod i siop y crydd i holi a oedd ei
'sgatsia'n barod'. Roedd pawb yn y pentref yn adnabod y gŵr hwn
wrth ei ffugenw, 'Sgatsia'.

Nid lle annhebyg oedd gweithdy 'Dai y gof' neu 'Dafydd y gof' i
roi iddo'i barchus deitl. A gŵr oedd yn haeddu ei ddyledus barch
ydoedd gan nad gof cyffredin mohono o gwbl. Roedd yn feistr ar ei

Glewion yr Efail.

waith ac yn enillydd cyson mewn cystadlaethau cenedlaethol. Credaf iddo ennill tua deg gwobr genedlaethol yn ei faes, ac roedd yn wneuthurwr gatiau haearn heb ei ail. Ond i blentyn, y rhyfeddod mawr oedd ei weld yn trin a thrafod y ceffylau wrth iddo eu pedoli. Byddwn yn blentyn yn mynd i lawr i efail y gof yn aml ar fore Sadwrn. Roedd y tân rhyfeddol mor groesawus ar foreau oer y gaeaf a byddai'r gwreichion yn tasgu yma ac acw fel tân gwyllt ac yn bywiogi dychymyg plentyn. Gwnaeth y gof fwy nag un gymwynas â mi. Efe a wnaeth gylch a hwc i mi chwarae. Ac efe a arbedodd fy meic bach hollbwysig. Bu'r beic gennyf er pan oeddwn yn blentyn bach, beic dwy-olwyn, deg modfedd eu maint. Ar hwn y byddwn yn mynd i bobman – yn yr haf, cyn belled ag afon Tywi ger y Dryslwyn i nofio, ac yna dros y Mynydd Mawr, i lawr i'r Hendy, ger Pontarddulais, lle roedd pwll nofio iawn. Ar un o'r ymweliadau hyn â'r Dryslwyn, tua Neuadd Middleton, lle mae'r Gerddi Cenedlaethol newydd, torrodd fy meic bach. Gallwn bedlo ond nid oeddwn yn symud yr un fodfedd! Roedd y 'free wheel' wedi torri. Am wythnosau wedyn bûm yn ddi-feic a cheisiwyd prynu rhan newydd yn siopau Llanelli neu Gaerfyrddin. Ond yr oedd yn adeg rhyfel ac roedd yn amhosibl i gael rhan newydd. Ond daeth ysbrydoliaeth o rywle. Beth am weldio deuddarn y 'free wheel' at ei gilydd! Byddai hynny'n creu'r anfantais o orfod pedlo bob amser, a'r fantais o allu rheoli'r beic â'r pedalau yn unig, a hepgor y brêc. Ond, yn bwysicach na dim, byddai gennyf feic eto! Dafydd y gof wnaeth y job ac adferwyd llawenydd i'm bywyd.

Lle arall y mynychwn yn gyson ar y beic oedd Cwm-mawr ac i lawr at lan afon y Gwendraeth nes cyrraedd olion yr hen waith glo yno. Yma y bu fy nhad-cu, tad fy nhad, yn gweithio am dros hanner canrif. (Ac y mae tystiolaeth ar gael fod un, Thomas Rees, wedi bod yn 'halio glo' yn y pwll hwn yn wythdegau'r bedwaredd ganrif ar bymtheg. Ymhen amser daeth y glöwr bach yn brifathro Coleg Bala-Bangor, yn brif olygydd *Y Geiriadur Beiblaidd* ac yn un o'r dylanwadau mwyaf ar ddiwinyddiaeth Cymru ac addysg grefyddol ym Mhrifysgol Cymru ddechrau'r ganrif ddiwethaf.) Roedd hen bwll Cwm-mawr yn gyrchfan poblogaidd gan feicwyr oherwydd natur anwastad y tipiau bach a oedd ymhobman. Roedd y rhain yn eithriadol o addas ar gyfer cyflawni pob math o driciau beic arnynt ac

yn ein galluogi i godi'r beic yn chwim oddi ar y ddaear yn gyfan
gwbl. Yma roedd 'dare devils' y beiciau'n cwrdd.

Cymharol dlawd oedd adnoddau'r pentref ei hun i blentyn. Roedd
yno barc go sylweddol ei faint. Cae mawr ydoedd a siglenni a
throgylch mewn un cornel ohono; roedd gormod o oledd ynddo i fod
yn gae chwarae pêl-droed go iawn, er i ambell gêm gael ei chwarae
arno. Yn wir, yn y blynyddoedd yn union ar ôl yr Ail Ryfel Byd,
gwnaethpwyd ymdrech i ffurfio rhyw fath o dîm pêl-droed yn y
pentref, ond ni wnaeth barhau'n hir. Roedd tîm go gryf, a chartref o
gae gwastad hardd ganddo, ym Mhorth-y-rhyd. Ond, wrth gwrs, yn Y
Tymbl rygbi oedd y gêm. Y mae yma ffaith sy'n hynod ddiddorol, sef
fod yna gysylltiad, ymddangosiadol o leiaf, rhwng natur gwaith ac
economi ardal a'u harferion chwarae. Wedi gadael ardal y
gweithfeydd glo, pêl-droed oedd gêm y bechgyn – ar wahân i'r
Ysgolion Gramadeg lle gorfodid chwarae rygbi fel gêm swyddogol
gan yr awdurdod addysg – ond yn yr aradloedd diwydiannol, rygbi
oedd gêm fawr y pentrefi. Hyd yn oed ym mhentref Dre-fach ar gyfyl
y gweithiau glo, tueddid i feddwl am bêl-droed fel y gêm addas, tra
yng Nghefneithin a'r Tymbl, namyn milltir i ffwrdd, rygbi oedd
popeth. Methais â darganfod y rheswm am hyn, ac anodd yw dyfalu
beth a allai fod, gan mai i'r gwrthwyneb y mae pethau yn Lloegr lle
yr ystyrir rygbi yn gêm i'r bonedd a'r ysgolion bonedd, a phêl-droed
yn gêm i'r werin.

Bu cyfnod pan ddefnyddiwyd y parc hefyd i gynnal eisteddfod
flynyddol y pentref mewn pabell fawr a godwyd yn benodol ar gyfer
yr achlysur. Ni wn am ba hyd y parodd hyn, oherwydd ni chofiaf
gystadlu ond ar un achlysur yn unig mewn eisteddfod a gynhaliwyd
yn Hebron. Mae'n siŵr mai gwasgfa'r rhyfel a ddaeth â'r fenter hon i
ben, ac roedd yn fenter fentrus heb os. Sylwer mai'r llywydd oedd
Arglwyddes Dinefwr, ac y mae'n debyg ei bod hi'n ffyddlon i'r
eisteddfod ac yn bresennol bob amser. Ymhlith yr is-lywyddion a'r
cefnogwyr yr oedd 'bobl bwysig' yr ardal, megis y rheolwr banc, y
doctor lleol, y cynghorwyr sir a dosbarth, y gweinidog ac, er mawr
ryfeddod i mi, y Foneddiges Stepney o Lanelli. Ai taeogrwydd oedd
hyn? Ni fûm i erioed yn ymwybodol ohono yn y gymdeithas gyfartal
hon. Sylwer, hefyd, mai un a etholwyd yn ddiweddarach yn
Archdderwydd, sef Gwyndaf, oedd yn feirniad llên ac adrodd. Yn

DREFACH, ger LLANELLI

Cynhelir y Chweched . . .

Eisteddfod Gadeiriol

mewn PABELL EANG yn y lle uchod

Dydd Sadwrn, Gorff. 20, 1940

Llywydd   -   ARGLWYDDES DYNEFWR

Is-Lywyddion a Chefnogwyr:

E. W. HOPKIN, Ysw. (Midland Bank); Dr. J. WALLACE, Drefach;
D. JONES, Ysw. C.D., (Ysgol y Cyngor, Drefach); EDGAR LEWIS,
Ysw., C.S., C.D.; REES MORGAN, Ysw., Y.H., C.S.; Parch. R, M.
RHYS. Capel Sion; Lady HOWARD STEPNEY, M.B.E., Llanelli

Beirniaid:

Cerddoriaeth   -   Proff. JACOB GABRIEL, Caerdydd
Mr. GRIFF WILLIAMS, L.R.A.M., L.T.S.C., Ponthenri
Llen ac Adroddiadau - Parch. E. GWYNDAF EVANS, B.A., Llanelli
Arweinydd   -   Mr. TOM GRIFFITHS ("Caerfryn"), Llanelli
Cyfeilyddion   -   Mr. TOM JAMES, Cross Hands
Mr. D. MORGAN, Tumble

Yr Eisteddfod i ddechrau am 1.30 o'r gloch y prynhawn yn
brydlon, a rhagbrawf i blant am 12 y prynhawn
Mynediad i 'mewn   -   -   -   Seddau, 2s.; Pabell, 1s.
(Plant dan 14 oed, hanner pris)
Darperir Lluniaeth am bris rhesymol
Rhaglenni i'w cael oddiwrth yr Ysgrifennydd Cyffredinol: Mr. D.
M. Davies, Avolon, Drefach, Llanelli; neu'r Ysgrifennydd Arian-
nol: Mr. Phil. S. Davies, Osbourne House, Drefach, Llanelli

Cadeirydd y Pwyllgor: Mr. Luther Lewis, Maesygwern
Is-Gadeirydd: Mr. Rhys James (Newsagent)
Trysorydd: Mr. James Jones, Beaufort

CANU CYNULLEIDFAOL

(COMMUNITY SINGING) ym Mhabell yr Eisteddfod

NOS SUL DILYNNOL, Gorffennaf 21, 1940

Bydd CERDDORFA yn cyfeilio, dan arweiniad
LUTHER LEWIS, Ysw., Drefach, Llanelli
Cyfeilydd: Jas. Jones, Ysw., Drefach

Llywydd   -   -   -   Parch. R. M. RHYS, Capel Sion
Arweinydd   -   Proff. JACOB GABRIEL, Hengoed, Caerdydd

I ddechrau am 8 o'r gloch yn brydlon
Mynediad i ¡mewn drwy Raglenni 6ch. yr un; Plant dan 14 oed
yn rhad, hefyd y di-waith, ond iddynt dangos eu "Insurance
Cards"

ogystal, noder fod mynediad am ddim i blant dan bedair ar ddeg ac i'r di-waith 'ond iddynt dangos *(sic)* eu "Insurance Cards".' Ymhlith yr amodau a osodwyd ar gyfer y cystadleuwyr, sylwer ar 'Hawlir gweld "Birth Certificates" y plant os bydd angen.' Ymddengys nad oedd byd a bywyd mor bur a delfrydol ag y tybiais ei fod! Oblegid wrth edrych yn ôl, ymddangosai bywyd pentref mor ddifai a diogel, heb dwyll na throsedd ynddo. Dwywaith yn unig yn ystod fy mhlentyndod y clywais sôn am ladrad yn Nre-fach, ac roeddwn yn fy arddegau pan glywais sôn am lofruddiaeth yn sir Gâr. Noder mai cadeirydd pwyllgor gwaith yr eisteddfod oedd Mr Luther Lewis, Maesgwern, ac yn y gymanfa ym mhabell yr eisteddfod y nos Sul ddilynol, arweinydd y gerddorfa oedd yr un Luther Lewis.

Mae'n hysbys i bawb fod bywyd diwylliannol ardaloedd cyfan yng Nghymru yn annatod glwm wrth fywyd y capeli yn ystod y ddwy ganrif ddiwethaf. Ond, fel yr awgrymwyd, nid oedd capel fel y cyfryw ym mhentref Dre-fach. Y capel agosaf yw Capel Seion a saif tua milltir – a milltir go serth – o'r pentref ei hun. Ond yn Nre-fach, ac yn union gyferbyn â'm cartref, saif cangen o Gapel Seion, sef festri Hebron – adeilad sylweddol, a fu, ac sy'n parhau i fod, o wasanaeth amhrisiadwy i'r pentref. Yn wir, yn absenoldeb unrhyw neuadd

Hebron.

gyhoeddus leol, bu Hebron, ac y mae felly o hyd, yn anhepgor ar gyfer bron pob gweithgaredd cymdeithasol. Yn ogystal â chyflawni ei swyddogaeth wreiddiol fel canolfan Ysgol Sul, yma y dechreuodd Ysgol y Gwendraeth ac ynddi y cafodd cannoedd o blant eu haddysg grefyddol dros flynyddoedd maith, gan i'r ysgol ddal i ddefnyddio'r adeilad fel ystafell ychwanegol. Hi yw'r orsaf bleidleisio, hi yw canolfan yr henoed, iddi hi yr âi pob côr neu grŵp drama i ymarfer. Ac y mae gennyf atgofion melys iawn am fy nghysylltiad â'r adeilad hwn.

I festri Hebron yr awn i'r Ysgol Sul lle byddai torf niferus. Byddai tua chant, o oedolion a phlant, yn ei mynychu yn rheolaidd, ac un o ddiwrnodau mawr y flwyddyn oedd diwrnod trip yr Ysgol Sul. Cofiaf un haf i ryw hanner dwsin o fysiau aros y tu allan i Hebron ar fore Sadwrn trip yr Ysgol Sul! Roedd hi fel Picadili yno'r bore hwnnw ac erys yr olygfa mewn cof. Cof arall, fy unig gof annymunol, yw sefyll ar wal Hebron ac edrych i gyfeiriad Cross Hands a gweld yr wybren yn ddihafal goch. Roedd Abertawe ar dân. Y mae'n rhaid fy mod yn ifanc iawn ond erys a welais mewn cof yn fyw iawn, ac fe'i dilyswyd droeon yn ddiweddarach wrth edrych ar fap sy'n dangos yn glir fod llinell syth o Dre-fach i Abertawe yn croesi Cross Hands i'r union gyfeiriad lle roedd yr wybren yn goch y noson honno. Dyna fy unig atgof uniongyrchol bersonol o'r rhyfel er, yn ôl yr hanes, fe ddaeth y perygl ychydig yn nes na hynny. Ymddengys fod un o awyrennau'r gelyn wedi ceisio bomio Ysgol Ramadeg y Gwendraeth. Gollyngwyd bom arni ond methodd daro'r ysgol a syrthiodd y tu ôl i 'siop Morris' yng Nghwm-mawr ac i'r afon Gwendraeth, llai na chwarter milltir i ffwrdd o'r ysgol. Roeddwn yn rhy fach i gofio'r digwyddiad hwnnw.

Un o atgofion mwyaf byw fy mhlentyndod yw swn y canu yn Hebron. 'Gwlad y gân' yw Cymru, meddem, ac y mae cryn wirionedd yn yr honiad. Yn nhermau diwylliant cymdeithasol, seciwlar a chrefyddol, cerddoriaeth a gafodd y flaenoriaeth yng Nghymru, ac yn sicr fe'i cafodd ym mro fy mebyd. Er i gryn waith gael ei gyflawni'n ddiweddar sy'n dangos na fu'r celfyddydau gweledol mor anweledig yng Nghymru ag y tybiwyd gynt, rhaid cydnabod na fu'r amodau economaidd o blaid ffyniant y doniau sy'n perthyn i'r *genre* arbennig hwnnw o'r esthetig. Yn hytrach, y celfyddydau perfformiadol a gafodd y flaenoriaeth – yn bennaf, efallai, am nad oes rhaid wrth gyfoeth naill ai i actio mewn drama, neu gystadlu ar lwyfan eisteddfod neu gyfrannu i gyngerdd. Crefydd, cerddoriaeth a gardd oedd y tri pheth yn y gymdeithas honno a oedd yn gyfryngau parod i godi ysbryd dynion uwchlaw y gofid, y galar a'r gwae a oedd mor gyffredin oherwydd y caledi economaidd, y peryglon, a llwch a budreddi'r gweithiau glo. Ni all neb ddiystyru pwysigrwydd yr ardd yn y gymdeithas ddiwydiannol. Y mae cysylltiad agos rhwng dyn a'r ddaear a thrin y pridd. Byddai tyfu llysiau o bob math yn dod ag elfen o'r glas i fywyd llwyd y glowyr, a byddai harddwch blodau lliwgar yn ysbrydoliaeth. Ac, wrth gwrs, yr oedd cerddoriaeth ymhobman.

Roedd digon o gerddoriaeth yn fy nghartref. Roedd fy nhad yn organydd yn ei gapel a bu am gyfnod, cyn fy nyddiau i, yn rhoi gwersi piano i rai o blant y pentref. Arddelai'r llythrennau AVCM ac LVCM a enillodd yr un diwrnod ar organ y Brangwyn yn Abertawe. Nid oes gennyf syniad am werth y cymwysterau cerddorol hyn, ond gwn fod fy nhad yn hoff o gerddoriaeth. Ar un Sadwrn gwlyb aeth fy mam i weld ei mam ym Mhorth-y-rhyd ar y bỳs ugain munud wedi un. Dychwelodd am chwarter i bump, ac ni wyddai fy nhad iddi fod allan o'r tŷ. Drwy gydol yr amser ni chododd o'i stol biano! Roedd mam yn ogystal yn hoff o ganu. Does dim rhyfedd fod 'Aga', fel y gelwid ef gan blant Ysgol Ramadeg y Gwendraeth, sef Mr William Rees, MA, yr athro cerdd, wedi lletya yn fy nghartref cyn i mi ddod i'r byd. A dim ond agor cil y drws oedd raid ar ambell noson i glywed y canu yn Hebron, oherwydd yno y dôi pob math o gorau dros y blynyddoedd i ymarfer. Y mae gennyf gof plentyn o'r geiriau hyn yn cael eu canu yn Hebron, geiriau Saesneg nad oeddwn yn deall yr un sillaf ohonynt. Dyma sut y clywais hwy ar y pryd, heb unrhyw ddirnadaeth o'u hystyr: 'Twrisi power, and wisdom and strenth and blesin and onor'. Nid oes angen dweud mai *Messiah* Handel oedd y gwaith dan law. Hynod yw'r cof.

Luther Lewis, yn fy meddwl i, oedd y person amlycaf ym myd diwylliant y pentref os nad yr ardal gyfan. Y mae gennyf y parch uchaf i goffadwriaeth y cymeriad dawnus a hoffus hwn. 'Dyn dŵad' ydoedd a'i wreiddiau yn un o gymoedd y de. Daeth i weithio yn Y Tymbl a chafodd wraig yn yr ardal. Felly yr ymsefydlodd yma. Wedi cyfnod yn y Rhyfel Mawr ni ddychwelodd i'r pwll glo ond prynodd lori fechan a dechreuodd gasglu cynnyrch ffermydd – wyau a menyn

– yn sir Benfro. Sefydlodd ganolfan fechan yn Arberth lle dechreuodd gymysgu'r menyn o'r gwahanol ffermydd a'i alw wrth yr enw, *Pembroke Maid*. Tyfodd y fenter a symudodd y ganolfan i bentref Dre-fach, gan gyflogi rhai o'r pentrefwyr. Mewn byr amser daeth *Pembroke Maid* yn enw cyfarwydd drwy Gymru a thu hwnt i Glawdd Offa. Dawn yr *entrepreneur!*

Ond nid fel dyn masnach a busnes llwyddiannus y cofiaf yn bennaf am Luther Lewis, ond fel gŵr a oedd yn athro dosbarth yr oedolion yn yr Ysgol Sul, ac fel cerddor. Roedd yn ŵr o argyhoeddiadau crefyddol dwfn. Pan oedd yn byw yn Y Tymbl, bu'n gefnogol i Tom Nefyn a bu'n gymorth i adeiladu capel Llain-y-delyn. Wedi dod i Dre-fach i fyw, a'i blant yn mynychu Ysgol Sul Hebron, ymaelododd yng nghapel Seion. Serch hynny, ni thorrodd bob cysylltiad â Llain-y-delyn ond i fywyd diwylliannol Dre-fach a'r ardal y gwnaeth ei gyfraniad pennaf oherwydd fod ganddo ddoniau cerddorol arbennig ac amrywiol. Pan ddaeth i'r Tymbl gyntaf, ffurfiodd gerddorfa yn ei gapel, Ebeneser, a bu fy nhad, mi gredaf, yn aelod o 'Gerddorfa Luther Lewis'. Ymhell ar ôl dyddiau Mr Lewis, parhâi pedwarawd o'r gerddorfa hon i chwarae hyd yn gymharol ddiweddar, dan arweiniad un o'i feibion, sef Tomi Lewis. Yn sicr, tan yr 1970au byddai'r pedwarawd yn ymweld yn flynyddol ag ardaloedd megis Hebron a Nebo yng nghyffiniau Clunderwen ar achlysur y gymanfa ganu. Dechreusai'r cysylltiad hwn flynyddoedd maith ynghynt – nôl, efallai, yn y cyfnod pan oedd y menyn yn cael ei gymysgu yn Arberth, nid nepell o'r ardal.

Mewn un deyrnged i Luther Lewis mewn papur lleol ar ôl ei farw, dywedwyd amdano: 'He was an enthusiast of the Gymanfa Ganu, having attended Cymanfaoedd throughout Carmarthenshire and Pembrokeshire for the last 50 years.' Cyfeiriad annelwig sydd yma, wrth gwrs, at y ffaith iddo ef a'i gerddorfa fod yn rhan o'r cymanfaoedd hynny. Ar ôl symud i Dre-fach rhwng y ddau Ryfel Byd, ffurfiodd Gymdeithas Operatig. Yn Hebron yr oedd y côr hwn yn ymarfer ac ymunodd cantorion lu o wahanol bentrefi â'r gymdeithas gerddorol hon. Mae'n debyg mai opera Joseph Parry, *Blodwen*, oedd y fenter fwyaf llwyddiannus yn ystod ei hanes, ac fe'i perfformiwyd droeon yn neuaddau cyhoeddus yr ardal. Yn ôl tystiolaeth y poster a hysbysebai berfformiad ym Mhontyberem ar 13

Gwilym Gealy y feiolinydd yn 1914.

Mai 1939, un o'r cynhyrchwyr oedd Gwilym Evans, LRAM, organydd capel Tabor, Cross Hands, tad Ernest Evans, 'Jenkins y *Sarjant*' gynt yn y gyfres deledu boblogaidd, *Pobol y Cwm*. Mr Trevor James oedd yr ymgynghorwr technegol, wrth gwrs, a sylwer fod hyd yn oed trysorydd y côr, ffermwr adnabyddus, yn gerddor deallus. Y cyfeilydd oedd Mr David Morgan, organydd Ebeneser, Y Tymbl, a'r gŵr a ddatgelodd i mi fod athronydd mwyaf yr ugeinfed ganrif, Ludwig Wittgenstein, wedi aros rywdro yn ei gartef yn Y Tymbl – a bod Jack Wardell y barbwr, tad Gareth, yr Aelod Seneddol gynt, wedi torri gwallt yr enwog feddyliwr!

Nid unwaith y perfformiwyd *Blodwen* ym Mhontyberem. Fe'i perfformiwyd yno eilwaith dros ddeuddeng mlynedd yn ddiweddarach gan Gwmni Corawl Dre-fach, sef ar 26 Mawrth 1952, ac aed â hi ymhellach na chwm Gwendraeth i leoedd cyn belled ag Aberystwyth ac Abergwaun. Ond ym mis Medi, 1952, wedi mynd i'r Coliseum yn Nhrecynon i helpu sefydlu ysgoloriaeth er cof am Joseph Parry, y cafodd perfformiad Cwmni Luther Lewis o *Blodwen* y sylw mwyaf. Honnodd adroddiad yn y *Merthyr Express* y gellid fod wedi llanw'r Coliseum ddwywaith drosodd – daethai pedwar bŷs ar ddeg yn llawn i'r perfformiad o ochr Merthyr i'r mynydd – a honnwyd ymhellach fod y gymeradwyaeth ar y diwedd yn ddigon o ateb i holl gollfarnwyr Joseph Parry!: 'It was so good to see so many devotees . . . worshipping at the shrine . . . Many in the audience were reviving nostalgic memories of their own performances in the past, and the younger generation were hearing it for the first time. . . The latest information is that Aberdare will invite the Drefach Society to repeat the performace in the near future.' Barn sylwebydd arall oedd bod 'yn y cwmni leisiau cyfoethog, ac yn sicr mewn tonyddiaeth, hawdd ydoedd canlyn y geiriau, a chafwyd cydsymudiad hapus rhwng y gerddorfa a'r lleisiau.' Nid oedd unrhyw amheuaeth am feistrolaeth Luther Lewis y cerddor.

Yn ystod yr Ail Ryfel Byd, ffurfiodd 'y meistr' gôr merched i ddiddanu'r bechgyn pan ddoent adref ar 'leave'. Yn sicr, bu Luther Lewis, amryddawn a brwd, yn ysbrydoliaeth i ardal eang mewn cyfnod eithriadol o anodd. Mewn teyrnged arall iddo mewn papur newydd ar ôl ei farw, cofnodwyd 'the death of a well-known musician . . . He was the conductor of the Drefach and District Operatic Society, a member of the Swansea Festival Orchestra, and one of the few remaining pioneer members of the Ammanford Orchestral Society.' Rhyfeddod yw fod y gŵr hwn, yn yr un adroddiad, yn cael ei gydnabod fel 'a well-known figure in business circles throughout South Wales'. Tybed a oedd amser yn symud yn arafach y dyddiau hynny? Sut y gallodd wneud cymaint yn ystod ei ddiwrnod gwaith?

Cyn gadael Hebron, rhaid dwyn un atgof pleserus arall i'r golwg, sef Hebron fel gorsaf bleidleisio. Rhaid cofio fod perthynas agos rhwng fy mhentref genedigol a'r pyllau glo, ac o ganlyniad rhaid ei weld fel pentref sosialaidd. Diau mai i Lafur y byddai fy rhieni'n pleidleisio. Cofiaf ofyn i mam i ba blaid y byddai'n bwrw ei phleidlais a'i hateb oedd: 'Labour wrth gwrs. Gweitho 'dwi wedi i wneud eriôd.' Ond daeth 1966. Yr oedd Dre-fach, wrth gwrs, yn rhan o hen etholaeth Caerfyrddin – yr afon Gwendraeth yng Nghwm-mawr oedd y ffin rhyngddi ac etholaeth Llanelli. Erbyn 1966 roeddwn am flwyddyn neu ddwy wedi bod yn byw yng ngwlad y Sais, ond wedi dod nôl at fy mam i fyw. Y profiad o fyw oddi cartref a'm gwnaeth yn ddwfn ymwybodol o'm Cymreictod. Roedd Dre-fach mor Gymraeg a Chymreig, a'm Cymreictod yn beth mor naturiol fel nad oeddwn yn ymwybodol ohono. Dim ond wrth drigo mewn gwlad mor wahanol, ac mor estron ei harferion, y deuthum yn fyw i'r ffaith mai Cymro oeddwn. Er enghraifft, pan euthum i goleg y Sais roedd gan y myfyrwyr sgowt. 'Scout' oedd yr enw technegol ar berson a oedd at wasanaeth myfyrwyr. 'Bill' oedd enw fy sgowt i; ni ddysgais erioed beth oedd ei gyfenw. Roedd dros drigain oed. Mynnai'r hen ŵr hwn fy nghyfarch i, a phob myfyriwr arall, fel 'Sir'. Erfyniais yn daer arno, 'Please Bill, don't call me "sir"!' 'I've got to, sir – College regulations, sir' oedd ei ateb. Teimlais ar unwaith mai byd estron oedd hwn, mai fi, mab ifanc i golier cyffredin, ddylai fod yn cyfarch yr hynafgwr 'Bill' fel 'sir'. Ni ddeuthum ar draws dim felly yng Nghymru – sef y syniad o ddosbarthiadau cymdeithasol hierarchaidd. Yn ein traddodiad ni, diolch i'r drefn, y mae pawb yn gyfwerth â'i gilydd – ond bod yr ifanc i barchu'r hen. Dyma droi'r gwerthoedd a adwaenwn wyneb i waered; myfi'n cyfarch hen ŵr fel 'Bill', ac yntau'n cael ei orfodi gan y sefydliad i alw plentyn yn 'sir'! A hynod o beth, ni welai ef ddim o'i le ar hynny!

Beth sydd a wnelo hyn â Hebron ac 1966? Erbyn hynny, a minnau nôl yn fy nghynefin ac yn cael yr anrhydedd o siarad yn rhai o gyfarfodydd etholiadol Gwynfor Evans, daethai dydd yr etholiad, a chadw'r rhestr o etholwyr yn Hebron oedd fy ngwaith ar y diwrnod. Ond gan fod fy nghartref gyferbyn â'r bwth, mynnais greu poster enfawr a'i osod ar blacard ar y lawnt o flaen y tŷ, ac arno'r geiriau: 'Pleidiol wyf i'm gwlad'. Nid oedd gwên ar wynebau'r Llafurwyr wrth iddynt fynd heibio i bleidleisio, ond, yn rhyfeddol, rhoddodd ambell wraig i Lafurwr wên neu winc arnaf wrth adael – a mi a freuddwydiais am foment fod gwyrth ar ddigwydd. Hanes yw'r wyrth honno bellach.

Fel y crybwyllwyd, y mae dwy ysgol yn Nre-fach – cynradd ac uwchradd. Pwy oedd ysgolor mwyaf erioed yr ysgol fechan? Cwestiwn digon peryglus yn enwedig gan fy mod wedi colli cysylltiad, i raddau helaeth, â hanes mwy diweddar trigolion y pentref. Ond un o fechgyn y pentref a aeth ymhellach yn y maes academaidd na neb arall y gwn i amdano oedd Ieuan Harries. Aeth o'r ysgol gynradd i Ysgol Ramadeg y Gwendraeth cyn mynd i Brifysgol Cymru, Caerdydd. Enillodd radd mewn biocemeg. Oddi yno aeth i Brifysgol Llundain lle cafodd ddoethuriaeth mewn biocemeg; ymlaen

ag ef i brifysgolion Yale a Berkeley yn yr Unol Daleithiau ac
ymchwilio ymhellach yn ei faes. Oddi yno symudodd i Copenhagen i
weithio yn Labordai Karlsburg gydag un o brif fiocemegwyr y byd.
Dychwelodd i Brydain i Brifysgol Caergrawnt lle bu ar staff Coleg y
Brenin cyn ymuno â staff Coleg Graddedigion Darwin yn yr un
brifysgol. Diau fod Ieuan yn gryn athrylith a phe byddai wedi cael
byw byddai yntau, mae'n siŵr, wedi derbyn anrhydeddau uchel am ei
waith. Ond o ganlyniad i drychineb, fe'i torrwyd i lawr ym mlodau ei
ddyddiau pan nad oedd ond 52 oed. Daeth bachgen arall i fyw i'r
pentref, ond yr oedd ef o oed mynychu'r ysgol uwchradd pan
gyrhaeddodd. Mortyn Jones o fferm Y Tŵr ydoedd. Gadawodd Ysgol
Ramadeg y Gwendraeth i astudio meddygaeth ym Mhrifysgol
Llundain a thyfodd yn arbenigwr ar afiechydon y galon. Eto, yn
eithriadol o anffodus, bu Mortyn farw cyn cyrraedd ei hanner cant. Ac
ym maes meddygaeth hefyd y mae un arall o blant pentref Dre-fach
yn gweithio, sef Mr Myrddin Rees. Cafodd yntau ei addysg gynnar
yn ysgol y pentref cyn mynychu'r Ysgol Ramadeg. Oddi yno aeth i
Brifysgol Llundain i astudio meddygaeth a thyfodd yn arbenigwr ar
yr iau. Ef oedd meddyg y diweddar Helen Rawlinson, a gyflwynai
raglenni chwaraeon ar y teledu, ac yn ei hunangofiant mae hi'n talu
teyrnged uchel i'r Cymro hwn o feddyg, nid yn unig oherwydd ei
allu, ond am ei ofal a'i dynerwch. Ydyw, y mae Dre-fach eisoes wedi
cynhyrchu doniau disglair a deil i wneud hynny yn y dyfodol, rwy'n
siŵr.

Ysgol hapus iawn oedd yr ysgol gynradd yn fy mhrofiad i er, wrth
gwrs, yn y dyddiau hynny ac am flynyddoedd lawer ar ôl fy nyddiau
yno, amharwyd ar y cyfan gan y broses ddewis ac arholiad yr 11+.
Tra'n cydnabod i Ddeddf Addysg 1944 fod yn drobwynt sylweddol
ym myd addysg plant, yn anffodus crewyd ganddi ddau fath o ysgol a
oedd yn golygu dyrchafu'r gwahaniaeth mewn galluoedd academaidd
yn wahaniaeth cymdeithasol, ac o ganlyniad wahanu plant oddi wrth
ei gilydd yn gyhoeddus ym mlynddoedd tyner a sensitif eu bywyd.
Eto, efallai nad oedd hynny'n cyfrif dim yn nhir y Sais, ond mewn
cymdeithas lle roedd cymaint o fri ar addysg, yn rhannol oherwydd ei
gallu i achub person rhag gweithio'n y pyllau glo – 'Gofala dy fod yn
stico yn yr ysgol neu lawr dan ddiar y byddi di gyda dy dad' (ac mor
wir oedd y bygythiad!) – yr oedd methu'r 'eleven plus' yn graith ar

feddwl plentyn am gyfnod hir os nad am oes. Ni allaf ddeall sut y gallai gwybodusion fod mor ansensitif wrth 'gynllunio' dyfodol plant ac rwy'n gwbl argyhoeddedig fod yr 'eleven plus' bondigrybwyll gyda'r camwri gwaethaf a wnaed yn yr ugeinfed ganrif. Cafodd yr arholiad hwn effaith seicolegol difrifol o andwyol ar liaws o blant a ystyrid yn 'fethiant'. Y mae pob cenhedlaeth yn ei thro yn creu rhyw fath o anwarineb!

Os oedd hi'n hawdd i mi gyrraedd yr ysgol gynradd, roedd hi hyd yn oed yn haws i mi gyrraedd yr ysgol uwchradd. Roedd gardd fy nghartref yn ffinio â chae rygbi'r ysgol – mater o ofid i mam yn yr hydref pan fyddai'r plant yn rheibio'r prennau ffrwythau oedd yn y berllan ar waelod yr ardd. Fodd bynnag, er fod yr ysgol uwchradd yn y pentref, nid oedd ganddi hi ran yn niwylliant Dre-fach, dim o leiaf yn ystod fy nyddiau i ynddi. Ychydig o athrawon yr ysgol fawr fyddai'n byw yn y pentref, ac er fod y prifathro'n byw yn nhŷ'r ysgol, ni welais ef, na neb o'i deulu, erioed mewn dim cyhoeddus yn Nre-fach. Ond roedd dau athro, sef Trefor James a Rhyddid Williams, er gwaetha'r ffaith nad adwaenent ei gilydd gan gymaint y bwlch mewn oedran rhyngddynt, yn eithriadau. Roedd 'James yr Art', y cyfeiriwyd ato eisoes, ynghanol pob cynhyrchiad cerddorol o'r tridegau i'r pumdegau, ond ni ddaeth Rhyddid Williams i ddysgu cerdd yn y Gwendraeth nes y chwedegau. Wedi iddo gyrraedd, rhoddodd wasanaeth llawn a chlodwiw i'w ardal fel arweinydd Côr Y Mynydd Mawr.

Bûm eto'n eithriadol o hapus yn Ysgol Ramadeg y Gwendraeth. Roedd hi'n ysgol hapus, yn ysgol gymysg o fechgyn a merched a roes gryn ddiddanwch i'w gilydd! Rwy'n siŵr fod cannoedd o briodasau dedwydd wedi eu sefydlu ar berthynas a charwriaethau a ddechreuodd yn yr ysgol hon. Roedd yno hefyd athrawon campus. Serch hynny, aeth yn sgrech arnaf ar ddiwedd fy nghyfnod yn yr ysgol hon. Rhaid i mi ysgwyddo'r cyfrifoldeb, i raddau helaeth, am yr hyn a ddigwyddodd i mi yno, ond ni allaf chwaith ond condemnio pwy bynnag oedd yn gyfrifol am gwricwlwm yr ysgol ar y pryd. Roedd i'r ysgol hon enw am fod yn fentrus o arbrofol, gan iddi fabwysiadu cynllun Dalton bron o'r dechrau. Ond, wrth grws, peth peryglus yw arfbrofi ag addysg plant, gan mai ond un cyfle a ddaw i'w rhan. Y mae dau ganlyniad yn bosibl i bob arbrawf, llwyddiant neu fethiant. A beth sy'n digwydd i'r plant a gollodd eu hunig gyfle os yw'r fenter yn methu? Ymddengys i mi fod rhyw arbrawf anghyfrifol ar waith pan oeddwn yn ddisgybl yno – sef annog dewis cyfeiriad academaidd yn gynnar.

Tua chant o ddisgyblion newydd oedd yn cyrraedd Ysgol Ramadeg y Gwendraeth yn flynyddol ac fe'u rhennid yn dri dosbarth a phob plentyn, mae'n debyg, yn dilyn yr un pynciau. Ond ni ddysgid Lladin na Ffrangeg yn ystod y ddwy flynedd gyntaf. Cam trychinebus oedd hwn. Ar ddiwedd yr ail flwddyn roedd yn rhaid i'r deuparth gorau o'r disgyblion ddewis dilyn cyrsiau naill ai 3A ('Three Arts') neu 3Sc ('Three Science'). Byddai'r traean gwannaf o'r disgyblion, heb ddewis, yn mynd i 3G ('Three General') i ddilyn cyrsiau llai arbenigol. Diau fod cymhellion y sawl fu'n gyfrifol am y cynllun yn anrhydeddus, ond beth am ddyfodol y disgybl a wnâi gamgymeriad pan nad oedd ond tair ar ddeg oed? Dyna fu fy hanes i. Dewisais y gwyddorau – gan feddwl ar y pryd fynd yn feddyg – tra oedd fy niddordeb yn y celfyddydau. Flynyddoedd yn ddiweddarach yn fy mywyd, ar ôl ennill profiad yn dysgu mewn ysgolion gramadeg ac uwchradd, gwn mai arfer call prifathrawon bellach yw cadw opsiynau ar agor i'w disgyblion gyhyd ag y gellir, er mwyn osgoi'r math o gamwri a'm rhwystrodd i. Felly, yn dair ar ddeg oed, gwyddoniaeth oedd hi i mi – heb air o Ladin na Ffrangeg, a Chymraeg fel 'ail iaith' i grwt nad oedd ganddo fawr ddim Saesneg cyn cyrraedd yr ysgol hon! Onid oedd hyn yn gwbl groes i reolau'r bwrdd arholi? Roeddwn yn ail dymor fy ail flwyddyn yn y chweched dosbarth cyn rhoi'r gorau i wyddoniaeth a newid cyfeiriad, ac oni bai fod gennyf chwaer alluog a oedd yn dilyn cwrs anrhydedd yn y Gymraeg yn Abertawe ar y pryd – a minnau'n defnyddio ei nodiadau a syniadau'r dihafal Hugh Bevan – ni fyddwn wedi llwyddo i dywyllu drws prifysgol o gwbl! Ni wn ai myfi oedd yr unig ddafad a aeth ar goll oherwydd system addysg hollol wallgof.

Serch hyn i gyd, roedd gan yr ysgol enw da er mai fel canolfan rygbi yr enillodd ei henwogrwydd pennaf. Ar ddiwedd fy mlwyddyn gyntaf ynddi, cynaeafodd chwe 'State scholarship', rhyfeddod o gynhaeaf, ac un o'r enillwyr hynny oedd disgybl enwocaf yr ysgol erioed, sef Syr John Meurig Thomas, FRS. Prin yw'r ysgolheigion sy'n cael eu hanrhydeddu fel y mae ef eisoes wedi'i anrhydeddu. Un o'r Tymbl

Uchaf ydyw ac yn fab i 'Thomas y Baths', sef y gŵr a oedd yn gyfrifol am y baddonau yng ngwaith glo'r Tymbl. Cofiaf John yn ddisgybl yn y chweched uchaf pan oeddwn i yn 'Form One', ac yn y cyfnod hwnnw ei lysenw oedd 'John Walker' – nid am fod ganddo unrhyw gysylltiad o gwbl â gŵr y whisgi ond oherwydd iddo, yn ystod yr haf blaenorol, ennill pencampwriaeth ysgolion Cymru yn y ras gerdded dros filltir. Bu Syr John yn Athro Cemeg ym Mhrifysgol Cymru, Aberystwyth, cyn ei benodi'n Athro yng Nghaergrawnt ac yn ddiweddarach yn Bennaeth Sefydliad Davey yn Llundain, cyn dychwelyd ohono yn Bennaeth ar Goleg Peterhouse yng Nghaergrawnt.

Llwyddodd Ysgol Ramadeg y Gwendraeth i roi nifer o wŷr academaidd ar ben eu ffordd. Yn y llyfryn a gyhoeddwyd i ddathlu hanner can mlwyddiant yr ysgol yn y flwyddyn 1975, nodir fod chwech o Athrawon Prifysgol wedi cael eu haddysg yno. Fodd bynnag, ni welwyd yn dda i enwi yr un ohonynt, tra bod y llyfryn yn llawn lluniau o chwaraewyr rygbi a chwaraeon eraill! Erbyn hyn, chwarter canrif arall yn ddiweddarach, y mae nifer dda iawn o academyddion wedi dod o'r ysgol – rhai'n Athrawon mewn pynciau amrywiol mewn gwahanol brifysgolion ym Mhrydain. Yn y cyfamser, newidiodd y gyfundrefn addysg uwchradd yn llwyr gyda diddymiad

Tîm rygbi Ysgol Ramadeg y Gwendraeth, 1946-7.
Carwyn James yng nghrys Ysgolion Uwchradd Cymru yw'r capten.

yr arholiad 11+. Bellach, y mae Ysgol Ramadeg y Gwendraeth yn Ysgol Gyfun i'r rhai hynny na ddymunant addysg trwy gyfrwng y Gymraeg i'w plant. Ysgol Gyfun Maes yr Yrfa yng Nghefneithin sy'n darparu'r addysg honno a thybiaf y byddai Carwyn y Cymro, arwr y meysydd rygbi, yn eithriadol o hapus o wybod fod yr ysgol honno yn ei hen bentref ef.

Y mae cryn hiraeth arnaf am fy hen gynefin. Mae fy ngwreiddiau'n ddwfn yn yr ardal ac yno mae beddrodau 'nhadau a'm rhieni. Cofiaf y gymdeithas glòs Gymraeg a Chymreig y sugnais gymaint ohoni pan oeddwn yn blentyn ac a roddodd cystal cychwyn i mi ar daith bywyd. Mawr yw fy nyled iddi. Ar adegau, byddaf yn ystyried mynd nôl i'r hen ardal, ond ofnaf y newid. Os yw Dre-fach heddiw fel lleoedd eraill, yna darfu am yr hen gymdeithas glòs. Nid technoleg yw'r newid mwyaf, ond effeithiau technoleg a'r symud cyson sydd dros fyd cyfan. Disodlwyd cymdeithas gan gymdeithasau a chlybiau. Ond pethau yw'r rhain y penderfynwch ymuno â hwy neu beidio. Ond fe'm ganwyd i gymdeithas organaidd, unedig a byw nad oedd yn fater o ddewis, ond a oedd yn dir parod i wreiddio ynddo. Heddiw, ni fyddai'n bosibl i rywun megis Syr Henry Jones gredu yn undod Hegelaidd cymdeithas fel y gwnaeth ef tua chanrif yn ôl. Diflannodd rhywbeth amhrisiadwy am byth o'n tir.

Carwn ddiolch i rai o ferched Dre-fach a roddodd groeso a/neu gymorth i mi yn ddiweddar wrth baratoi'r atgofion hyn: yn 'arbennig felly i Iris (Jenkins *neé* Lewis) merch Luther; i Gwenda (Rowlands *neé* Davies) merch Dafydd y Gof; i Valmai (Evans *neé* Harries) chwaer Dr Ieuan Harries, ac i Fanw (Myfanwy Bowen) a fu ynghanol cymaint o weithgareddau'r fro, ac sydd hefyd yn fodryb i Mr Myrddin Rees.

Drama'r Cwm

Nan Lewis

Wrth sôn am ddylanwad cynefin a diwylliant Cwm Gwendraeth, sôn yr wyf am ddylanwad Cefneithin, Dre-fach a'r fro yn y cyfnod cyn ac wedi'r Ail Ryfel Byd. Dyma'r cyfnod pan oedd y 'gwithe glo' yn eu hanterth a'r mwyafrif o'r plant yn blant i goliers. Roedd tair i bedair mil o goliers yn gweithio yn y cwm – yng ngwaith glo yr Emlyn, Cross Hands, Blaenhirwaun, Mynydd Mawr, Dynnant, Gwaith Bach, Glynhebog, Capel Ifan, Carwe, Pont-henri a Thrimsaran. Bron nad oeddem ni'r plant yn credu fod pawb yn y byd yn goliers, fod 'na hwter ymhob pentref a bod pob dydd wedi'i rannu'n shiffts. Clywed shifft y bore y byddem ni – clywed sŵn y sgidie hoelion yn sgathru ar hyd yr hewl a hithau'n dal yn dywyll. Gweld shifft y pnawn a wnaem – gweld dynion dierth yn dod sha thref ac yn tuchan lan y tyle. Dod nôl yn glystyrau ac ambell un yn loetran i dynnu mwgyn tra byddai'r lleill yn cyrcydu wrth dynnu anal. Pob un â'i focs bwyd a'i botel de yn ei boced, a phlocyn pren i gynnau tân o dan ei gesail. Y rhain oedd dynion y 'gwithe' a'r rhain oedd ein tadau ni.

Y Parti. Tad Nan Lewis sydd wrth y piano. I'r dde iddo saif Gwynne D. Evans ac i'r chwith iddo y ddau glown ysbrydoledig, Shoni a Iori.

Rhyfedd, hefyd, fel roedd y badell sinc yn eu newid. Eu newid o fod yn ddu fel blacled i fod yn wyn ac arnynt farciau glas. Eu newid o fod yn rheibwyr dan-ddaear i fod yn llawdyner yn yr ardd. Eu newid o fod yn fud wrth y ffas i fod yn floeddwyr ar y galeri. A dyna, am wn i, oedd y rhyfeddod mwyaf ohonynt i gyd – fod coliers mor brin o anal yn llwyddo i ganu mor ddeinamig. Ond dyna, cwm y canu oedd Cwm Gwendraeth – dyna'n ddi-os ein diléit ni.

Fe'm ganed yng Nghefneithin ac o'm dyddiau cynnar clywais sŵn canu yn y tŷ. Roedd fy nhad yn gyfeilydd yn ogystal â bod yn golier. Ffurfiwyd parti o ddoniau'r fro a Shoni a Iori yn brif ddiddanwyr ynddo. Yn eu gwisgoedd clown aent o amgylch i ddifyrru, D.Gwynne Evans y dramodydd yn arweinydd a 'nhad wrth y piano. Deuai unawdwyr i'r parlwr i ymarfer ac yn fynych wedi'r oedfa ar nos Sul deuai teulu Waun-wen atom. Roedd pob aelod o'r teulu yn gerddorol – y rhieni, y tair merch a'r chwe mab. Dyma gôr y teulu ac aelodau o'r côr hwn oedd yr enwog Jac a Wil. Cynhelid cwrdd chwarter yng nghapel y Tabernacl yn rheolaidd, ac yn ddieithriad clywid Côr Waun-wen yn canu'r anthem – 'Pwy sydd ar du'r Arglwydd?'. Roedd i gapel y Tabernacl (capel yr Annibynwyr a sefydlwyd yn 1876), draddodiad canu a thrwythwyd y plant a'r oedolion yn drwyadl ar gyfer oedfa, cyngerdd a chymanfa. Cynhelid y gymanfa ganu ar ddydd Llun y Pasg, naill ai yn y Tabernacl neu ym Methania, y fam eglwys, yn Y Tymbl. Dydd gŵyl oedd dydd y gymanfa – ni'r merched yn ein dillad newydd a phawb o bob oed yn gwisgo het! Dyna beth oedd swanco!

Os ym Methania y cynhelid y gymanfa, rhaid oedd dechrau cerdded yn fore iawn. O Gefneithin i'r Garreg Hollt ac yna ar draws y lein i'r Tymbl. Glaw neu beidio, roedd y daith yn gynhyrfus, ond mwy cynhyrfus fyth oedd cyrraedd y capel a'r lle yn llawn. Oedfa'r plant oedd oedfa'r bore a'r galeri yn gwegian wrth i'r merched fynd i'r ochor dde a'r bechgyn i'r ochor chwith. Pawb yn gwneud ei orau i beidio â slipo dros yr ochor. Yna, rhuthro i'r festri am fara cwrens a bara caws cyn rhuthro eilwaith i chwarae rhwng y beddau.

Anamal y byddai canu'r prynhawn yn cyrraedd yr uchelfannau ond ymhell cyn i oedfa'r nos ddechrau, teyrnasai disgwylgaredd. Disgwyl gweld y seddau'n dod i'r ale; disgwyl gweld y côr yn dod i'w lle a disgwyl clywed sŵn yr organ. Yn fynych, clywid y gynulleidfa yn torri allan i ganu ymhell cyn i'r oedfa ddechrau a chyn hir byddai'r waliau'n chwysu a'r dillad newydd yn glynu wrth y farnish. Yna, esgynnai'r arweinydd i'r pulpud ac ar drawiad y baton dechreuai'r llofft ganu a'r llawr ryfeddu. Rhyfeddu fod gwragedd y clocs a'r ffedogau yn gallu canu nodau mor uchel; rhyfeddu fod dynion heb anal yn gallu dala'r nodau mâs, a rhyfeddu tu hwnt i bob rhyfeddu wrth glywed yr anthem. Canu heb lyfr, canu heb ofon; canu â chalonnau ar dân. Cantorion heb fawr o ddysg yn codi'r gynulleidfa uwchlaw'r llwch a'r tlodi. Wedi gaeaf hir o ysgol gân, roedd y côr wedi meistroli anthem arall. Un arall i'w hychwanegu at y rhestr hir o ffefrynnau: 'Teyrnasoedd y ddaear' (John Ambrose Lloyd); 'Dyn a aned o wraig' (D. Christmas Williams); 'Eisteddai teithiwr blin' (D. Emlyn Evans); 'Wedi'r storm' (Dan Jones); 'Y Nefoedd sy'n datgan' (Haydn) a 'Teilwng yw'r Oen'(Handel). A deuai ein cymanfa i ben. Ond roedd yna gymanfaoedd eraill i'w mwynhau a rhaid oedd rowndo pob un – cymanfa Capel Seion, Dre-fach; Bethesda'r, Tymbl; Caersalem, Pontyberem a chapel y Sgwâr, Pen-y-groes. Capeli Annibynnol bob un ac er i'r selogion ddilyn cymanfaoedd yr enwadau eraill, doedd y rheini ddim cweit cystal.

Wrth gwrs, roedd llwyddiant y gymanfa'n dibynnu nid yn unig ar ansawdd y côr ond hefyd ar ddawn yr arweinydd. Roedd 'Pwy sy'n arwen?' yn gwestiwn mawr ac ymhlith yr etholedig rai roedd Arthur Duggan, Idris Griffiths, Haydn Morris, Dan Jones, Ivor Owen, Ernest Evans a D. J. Davies. Drannoeth y gymanfa, mawr fyddai'r trafod a'r tafoli a phob capel yn honni mai eu cymanfa nhw oedd yr orau bob tro.

Nid trafod y gymanfa ganu yn unig a wnâi pobol y cwm ond trafod, hefyd, y 'Cwrdde Mawr'. Yn y cyfnod hwnnw dechreuai'r gyfres cyfarfodydd ar nos Sadwrn ac ar y Sul disgwylid i'r capeli cylchynol gau er mwyn chwyddo cynulleidfa'r 'Cwrdde Mawr'. Unwaith eto, arferai'r selogion gerdded o un cwrdd i'r llall ac roedd gan y capelwyr eu ffefrynnau. Pregethwyr fel Elfed, Dyfnallt, D. J. Lewis, Emlyn Jenkins, D. J. Roberts, Idwal Jones, Huw Francis a Glyn Thomas. Roedd gan y rheini y ddawn i greu darluniau; nid clywed pregeth y byddem, ond ei gweld hi. Roedd pob pregeth yn ddrama ac mae dylanwad y pulpud yn drwm arnaf i. Roedd i blant le amlwg yng ngweithgareddau'r capel. Cynhelid cwrdd y plant yn fisol a chaem ein paratoi yn y 'Band-o-hope' a'r Ysgol Sul. Âi'r mwyafrif o blant y pentref i'r Ysgol Sul a llenwid y festri â sŵn fel sŵn rhai wedi'u gollwng yn rhydd.

Yn saith mlwydd oed bu farw 'nhad o glefyd y llwch a gadawyd fy mam a'm brawd a minnau yn ddigartref ac yn ddiymgeledd. Derbyniodd teulu fy mam ni yn ôl i'r hen aelwyd a daeth i ben ein cyfnod yn y 'Cefen'. Bellach, pentref Dre-fach oedd ein pentref ni. Er hynny, yr un oedd patrwm ein byw – byw i'r capel a byw i bethau'r fro. Ac yn awr gorfu i fy mam, yn hytrach na 'nhad, fynd i'r gwaith glo. Yn blygeiniol bob bore, cerddai i Glynhebog lle'r oedd yn rheolwraig y cantîn, ac unwaith eto daeth problemau'r coliers yn broblemau i ni.

Dychwelodd fy mam i gapel y Bedyddwyr ac aeth fy mrawd gyda hi. Glynais i wrth yr Annibynwyr gan fynychu Capel Seion a Hebron, Dre-fach. Cangen o'r capel mawr oedd Hebron; cangen hynod lewyrchus lle'r oedd dros gant o blant a dosbarthiadau i'r oedolion. Cawsom athrawon cwbwl ymroddedig ac roedd dysgu canu yn rhan o'n hyfforddiant ni.

Ac nid ar y Sul yn unig y dysgid ni i ganu. Yn gynnar yn y dauddegau daeth Mrs Elizabeth Ann Llywelyn, brodor o Abergwaun, yn 'pupil teacher' i ysgol gynradd Dre-fach. Cyn hynny bu'n dysgu yn ysgol Talog a phan benodwyd y prifathro yno yn ysgolfeistr Dre-fach, daeth â Mrs Llywelyn gydag ef. Un fechan o gorffolaeth ydoedd ond un fawr ei hegni a'i hymroddiad. Daeth yn athrawes Ysgol Sul yn Hebron ac mewn byr dro dechreuodd baratoi plant ac oedolion i ganu mewn cantatas ac operettas. Fe'n hyfforddid drwy gyfrwng y sol-ffa, a'r 'pitsh-fforc' oedd ei hunig arf hi. Ac eithrio 'Ymgom yr Adar' a 'Gwenno', yn Saesneg y canwyd pob gwaith arall ac roedd Saesneg yn iaith gwbwl ddierth i ni. Meddai un o'r côr a fethai ddechrau canu – 'Gofyn am sŵn', a'i bartner yn gweiddi ar Mrs Llywelyn, 'Please Miss – Tommy wants a noise!' Eto, rywsut rhywfodd, llwyddwyd i ddysgu'r gweithiau i gyd, gan gynnwys *The Gondoliers* (Gilbert & Sullivan), *Il Trovatore* (Verdi), *The Magic Cup, The Royal Jester* a *Hiawatha* (S.Coleridge-Taylor). A *Hiawatha* sydd gliriaf yn y cof. Allenby Davies (brawd Jac a Wil) oedd 'Hiawatha' a Lena Griffiths oedd 'Minnehaha'. Am y gweddill ohonom, roeddem i gyd yn Indiaid cochion, ac er ei bod yn gyfnod y

Cast *Hiawatha* ar y llwyfan.

Rhyfel a'r dogni daethom o hyd i wisgoedd ysblennydd. Cafwyd gafael mewn sachau tato i wneud y ffrogiau, plu ceiliogod i addurno'n pennau a phaentiwyd ein hwynebau yn felyn, coch a du. Ac yna'r sinari! Ynghanol y llwyfan safai totempôl anferth a'r wigwam ychydig i'r dde ohono. Pan ddaeth yr awr i ffarwelio â 'Hiawatha' gwelwyd ef yn llywio caiac ar draws y llwyfan a ninnau'r plant yn gegrwth. Y gwŷr a fu'n gyfrifol am y fath gampweithiau oedd Trevor James a Brinley Davies. Ar y pryd roedd Trevor James yn athro celf yn Ysgol Ramadeg y Gwendraeth – gŵr dawnus tu hwnt a hynaws dros ben. Roedd Brinley yn un o fechgyn Dre-fach ac yn gynorthwy-ydd da a disgybl parod. Wrth gwrs, nid hwy'n unig a fu'n cefnogi a chynorthwyo. Ceid cyfarwyddyd ar sut i ddilladu'r actorion gan Mrs Trevor James, Olwen Lewis fyddai'n dysgu'r geiriau i ni ac roedd Mrs Rees, Y Birch, yn ffrind i bawb gan mai hi fyddai'n paratoi bwyd ar gyfer noson y perfformiad.

Dechreuai'r perfformiad gyda chludo'r offer a'r sinari ar lori Gwilym Saer. Caem ni, fel actorion, ein cludo ar fŷs Brynteg ac yn ystod y tymor perfformiwyd yn neuaddau Cross Hands a Phontyberem. Mawr oedd y cynnwrf. I ni'r plant, roedd y llwyfan mor eang â'r môr a'r neuadd yn foethus i'w ryfeddu. Roedd yno seddau plysh a llenni felfed ac yn union o flaen y llwyfan roedd y gerddorfa o dan arweiniad Tommy Lewis. O dan y llwyfan roedd yr ystafelloedd newid fel crochan yn berwi, y plant yn methu â dod o hyd i'w dillad a'r rhai hŷn yn methu â dod o hyd i dawelwch. Pawb yn gweiddi 'hisht!' a phawb yn crynu fel dail. Llithrai ambell un, dewrach na'i gilydd, i fyny i'r llwyfan i bipo drwy'r llenni ac wedi dod nôl gwaeddai'n groch: 'Mae'n pact owt'! Yna, sŵn aflafar y gerddorfa'n tiwnio a daeth awr y prawf! I fyny â ni i ochrau'r llwyfan i syllu'n syn ar y llenni'n agor. Wedi'n dallu gan y golau llachar a heb wybod yn iawn i ble roeddem yn mynd, caem ein hunain ar y llwyfan! Sut y llwyddodd Mrs Llywelyn i'n dysgu; sut y llwyddwyd i drefnu pob perfformiad sy'n dal yn ddirgelwch i mi. Ond mawr yw ein dyled i bobol a roddodd o'u gorau er mwyn cyfoethogi bywyd y cwm.

Arferai Mrs Llywelyn baratoi'r plant ar gyfer eisteddfodau yn ogystal. Cynhelid eisteddfod ymhob pentref yn y cwm yn y cyfnod hwn a pheth peryglus oedd dal y dwymyn gystadlu. Roedd yna blant yn rhuthro o un eisteddfod i'r llall a'u henwau'n gyfarwydd i bawb. Doedd gan blant y pentref ddim gobaith ennill bag na chwpan pan ddeuai'r rhain i'r llwyfan. Mi fedrech eu nabod o bell; roedd gan bob un ei fag miwsig lledr ac am wddf pob un roedd yna gasgliad o fedalau aur. At hynny, roedd ganddynt famau dewr, cyhyrog a sawl tro clyw-wyd mam siomedig yn hysbysu'r beirniad fod yr enillydd 'dros yr oedran' wedi iddo/iddi guro ei hepil hi. Er hyn i gyd, roedd paratoi ar gyfer eisteddfod a chamu ar lwyfan yn brofiad gwerthfawr ac er i mi lwyddo ambell dro, colli oedd fy hanes y rhan amlaf. Sylw treiddgar y beirniad bob cynnig fyddai: 'Trueni iddi lyncu ei phoeri'!

Pan gynhelid eisteddfod yn agos i gartref, caem ni'r plant aros yn hwyr i glywed y dynion mawr. Ar sawl achlysur wedi'r Rhyfel, codwyd pabell yn Nre-fach a Chwm-mawr ar gyfer eisteddfod ac fel arfer byddai'n llawn hyd oriau mân y bore. Fel yr âi'r noson yn ei blaen, byddai gwres y babell yn codi a byddem ni'r plant, hyd yn oed, yn ymwybodol o'r tyndra. Roedd cystadlu taer ar yr unawdau i soprano, mezzo, contralto, tenor a bas ond pan ddeuai cystadleuaeth yr her unawd roedd pethau'n poethi mewn difrif. Gan amlaf, Madam Florence Holloway fyddai wrth y piano a'i hymddangosiad bob amser yn denu cryn sylw. Cantorion amlwg y dydd oedd Nancy Richards, Lyn Richards, Gwyneth Beynon, Betty Jones, Pegi ac Anita Williams, Geraint Davies, Islwyn Thomas, George Thomas, Greenwood Thomas a W.J. Williams. Roedd gwrando arnynt yn peri cryn gyffro ond yn rhyfedd iawn 'arias' Saesneg eu hiaith fyddai eu dewis bron bob tro, 'arias' anfarwol Handel, megis 'Why do the nations?', 'I know that my Redeemer liveth', 'The trumpet shall sound', 'How vain is man', 'Sound an alarm', 'Ar't thou troubled?' a 'Nirvana'(Coleridge-Taylor). Roedd canu'r rhain yn her ac ysgydwai'r babell. Pa mor hwyr byddag fyddai, doedd dim mynd adref i fod nawr. Eisteddfod heno – cysgu nos yfory!

Profiad ysgytwol oedd gwrando ar oreuon y dydd a champ aruthrol oedd dewis y gorau. Wrth gwrs, roedd 'na gannoedd o feirniaid yn y babell ond barn un gŵr fyddai'n cyfrif ar y diwedd a phan gyhoeddid y dyfarniad, cymysglyd fyddai'r ymateb yn amal iawn. Rhai yn bloeddio eu cymeradwyaeth ac eraill yn bloeddio fel arall, oherwydd roedd gan bob cantor ei ddilynwyr. Ar ddiwedd y nos, codai'r gynulleidfa ar ei thraed i ganu ond nid dyna ddiwedd yr eisteddfod.

Drannoeth a thradwy byddai trafod y cantorion a'r beirniaid nes nad
oedd dim ar ôl i'w drafod. Roedd pobol yn deall canu yng Nghwm
Gwendraeth a gwae i neb anghofio hynny. Ni châi'r adroddwyr yr un
driniaeth er fod pawb yn mwynhau dawn Tom Daniel, Ivor Thomas
ac eraill. Cwm y canu oedd ein cwm ni.

Wrth gwrs, nid dilyn eisteddfodau yn unig a wnâi carwyr y gân.
Roedd perthyn i gôr yn bwysig ac fe fu côr Luther Lewis, Dre-fach yn
gôr tra llwyddiannus. Y perfformiad mwyaf cofiadwy oedd
'Blodwen' (Joseph Parry) ac aeth y côr ar daith. Côr enwog arall yn y
fro oedd côr cymysg Y Tymbl, a Dai Morgan yn arweinydd gwahanol
a chydwybodol iawn. Y dasg, bob amser, oedd dysgu 'llyfr' ac yn
ystod y blynyddoedd perfformiwyd nifer o'r oratorios mawr, megis
trindod Handel, *Messiah*, *Samson*, a *Judas Maccabeus*, *Elijah*
(Mendelssohn) a *Creation* (Haydn). Gwahoddid unawdwyr blaenllaw
a'r prawf pennaf o gymhwyster unrhyw artist oedd ei fod ef neu hi yn
'National Winner'! Fel plentyn, dwywaith yn unig y bûm i mewn
Eisteddfod Genedlaethol – yn Llandybïe (1944) ac Aberdâr (1956).
Roedd teithio ymhell heb gar yn anodd yn y dyddiau hynny ond eto
caem hanes y 'Nashional' lle bynnag y cynhelid hi. A chaem glywed
hefyd am hynt a helynt y 'Semi-Nashionals'.

Dylanwad cerddorol pwysig yn yr ardal oedd dylanwad Tom James
a'i deulu. Roedd ef yn organydd yng nghapel y Tabernacl, Cefneithin;
roedd ei fab, Emlyn James, yn offerynnwr da ac yn arweinydd
cerddorfa a Cis James, y mab arall, yn arweinydd Cwmni Opera y
Mynydd Mawr. Drwy ymdrechion D.J. Evans, Pantyryrfa a Hopkins y
Banc, llwyddwyd i sicrhau grant anrhydeddus i sefydlu Cyngor Celf y
Mynydd Mawr ac ar ddechrau'r pedwardegau perfformiwyd yr opera
gyntaf, sef *Hansel and Gretel* (Humperdinck). Cyflogwyd Thomas
Taig, prif diwtor drama Coleg Bryste, yn gynhyrchydd, ac unwaith
eto Trevor James a Brinley Davies oedd yn gyfrifol am y sinari.
Roedd y cynyrchiadau hyn yn llawer mwy uchelgeisiol na rhai Mrs
Llywelyn ond eto i gyd y bobol leol oedd aelodau'r côr ac roedd
safon y perfformiadau yn uchel iawn. Profiad amheuthun oedd cael
mynd i neuadd Cross Hands i weld yr operâu clasurol ac roedd pob
calon yn llamu wrth glywed y canu a gweld byd o liw ar lwyfan.

Perfformiwyd nifer o operâu dros y blynyddoedd gan gynnwys *The
Bartered Bride* (Smetana) a *Cavalleria Rusticana* (Mascagni) ond

ymhen y rhawg daeth tymor y cwmni opera i ben. Er hynny, daliwyd gafael ar y grant a roddwyd i Gyngor Celf y Mynydd Mawr a'r tro hwn, sefydlwyd cwmni drama. Erbyn hyn roedd D. Gwynne Evans, a aned yng Nghefneithin ac a addysgwyd yn Ysgol Gynradd Cefneithin, Ysgol Ramadeg Caerfyrddin a Choleg y Brifysgol, Abertawe, wedi dychwelyd adref o'r Rhyfel ac aeth ati i gyfansoddi dramâu ar gyfer y cwmni. Ei ddrama gyntaf oedd *New Lamps for Old* ac yna daeth *Lili'r Gwendraeth, Glo Caled, Brwydrau Cudd, Corn Beca, Glo i'r Marwor, Tra bo Dau* a *Priodas Dda.* Cafodd gryn lwyddiant yng nghystadlaethau cyfansoddi drama yr Eisteddfod Genedlaethol a daeth llwyddiant cyson hefyd i'r cwmni drama wrth gystadlu yn y 'Genedlaethol' a pherfformio mewn gwyliau mawr a neuaddau bach.

I neuadd Cross Hands yr aem i weld pob drama. Deuai rhywun neu'i gilydd o amgylch y tai i werthu tocynnau ac am wythnos neu ddwy eisteddai'r tocyn ar y seld i'n hatgoffa fod noson fawr i ddod. A noson fawr ydoedd bob amser. Heblaw am y cwmni drama lleol, deuai cwmnïau eraill atom yn eu tro – Cwmni Dan Matthews, Pontarddulais; Cwmni Ivor Thomas, Pont-henri a Chwmni Edna Bonnell, Llanelli. Deuai pobol i'r neuadd o bell ac agos ac wrth i'r golau ddiffodd, diflannu i ebargofiant a wnâi ein byd bach ni. Pobol y llwyfan nawr oedd y bobol real. Nid gwylio drama y byddem, ond byw yn ei chanol.

Heblaw am chwarae tŷ bach a chwarae angladd, 'fûm i erioed yn actio mewn drama. Ni welwyd gweithgaredd felly yn fy amser i nac yn Ysgol Gynradd Dre-fach nac yn Ysgol Ramadeg y Gwendraeth. Camp yr Ysgol Ramadeg oedd magu dewiniaid y cae rygbi a disgyblion cwbwl ddedwydd eu byd. Ni fu erioed ysgol hapusach. Plant y 'gwithe' oedd y mwyafrif ohonom ac yn y pumdegau roedd dros naw deg y cant o'r disgyblion yn Gymry Cymraeg. Er hynny, drwy gyfrwng y Saesneg y dysgid bron bob gwers a'r unig ddiwrnod cwbwl Gymraeg yn ystod y flwyddyn oedd Dydd Gŵyl Dewi pan gynhelid yr eisteddfod. Roedd yr ysgol wedi'i rhannu yn bedwar tŷ, sef Arthne, Cyndeyrn, Darog a Non. Cesglid y dawnus ynghyd i ymarfer yn slei bob amser cinio, oherwydd yn unol â thraddodiad y cwm, nid rhywbeth i'w gymryd yn ysgafn oedd yr eisteddfod ac roedd y frwydr am oruchafiaeth yn un ffyrnig iawn. Ond y bore trannoeth roedd pawb yn ffrindiau.

Magodd yr ysgol lu o ddisgyblion disglair heb i neb ystyried ei hun yn well na'r llall. Rhôi rhieni'r cwm fri ar addysg; ni fynnent weld eu meibion yn mynd dan-ddaear ac roedd gweld y plant yn pasio'r 'sgolarship' yn destun balchder. Llwyddodd fy mrawd a minnau yn yr un flwyddyn, ac er ei bod yn weddw cawsom feic yr un gan ein mam. Yn Ysgol y Gwendraeth, dysgais fwy na nodiadau'r gwersi. Yno y clywais am y tro cyntaf gonsierto Tchaikovski – nid gan unrhyw athro ond gan rai yn y dosbarth. Roedd yn ein plith blant a 'wyddai'r cyfan' am weithiau meistri llên, celf a cherdd, yn ogystal â chanu pop rhaglenni Luxembourg. Ac yn aml trafodid gwleidyddiaeth.

Sosialwyr a gefnogai'r Blaid Lafur oedd pobol y cwm a Sosialwyr pybyr gyda hynny. Gwelodd y coliers gyni a chaledi mawr ac yn ystod Streic 1926 bu teuluoedd fyw am fisoedd ar y nesaf peth i ddim. Y Blaid Lafur, yn eu tŷb hwy, oedd yr unig blaid i bledio eu hachos, ac am hynny bu'r bobol yn driw iddi. Ond roedd 'na blaid arall yn fy nenu i. 'Wn i ddim pwy na beth a barodd i mi gefnu ar blaid fy nheulu ond gwn mai yn Ysgol y Gwendraeth y ces i'r droedigaeth. Flynyddoedd wedyn, a minnau'n cael pleidleisio am y tro cyntaf, gosodais lun o Jennie Eirian Davies, yr ymgeisydd dros Blaid Cymru yn yr etholiad, yn ffenestr ein cartref. Drannoeth, meddai cymydog wrthyf, 'Onibai mai chi ŷch chi Nan, fe dowlwn i garreg drw'r ffenest'. Rhai triw i'w plaid oedd pobol y cwm!

Nid bod yn driw oedd eu hunig rinwedd chwaith. Roeddent yn bobol frwd. Brwd wrth ganu; brwd wrth wrando; brwd wrth wleidydda a brwd iawn, iawn wrth chwarae rygbi. Partners dan-ddaear ond pan ddeuai timau rygbi y 'Cefen', Tymbl a'r Bont ynghyd, diflannu'n glou a wnâi'r ysbryd brawdol! Roedd pob gêm yn ddrama a honno'n un swnllyd dros ben. Ac nid ar y maes yn unig y gwelid perfformans. Roedd gan bob tîm ei ddilynwyr – yn hynafgwyr, gwragedd a phlant – ac nid er mwyn cysgodi rhag y glaw y carient ymbrelas! Maes y gad a maes y gwa'd oedd pob maes rygbi yng nghwm Gwendraeth.

Eto, yn y bôn, pobol ffein a phobol hael oedd pobol y cwm. Pobol yn barod i rannu baich a rhannu bwyd a 'daethom yn glòs gymdeithas trwy yr iau a'r asen fras'. Pobol â gofal am ei gilydd a phobol yn nabod pawb. A phobol a oedd yn rhieni da; rhieni na fynnai ddim iddynt eu hunain ond a fynnai roi popeth i'w plant. Pobol y siarad plaen heb ddim maldod. Pobol â Chwmrâg clemercedd ond ni ddewisent gefnu arni. Ac mae hynny'n syndod, oherwydd yn gyfrwys ond yn sicr treiddiodd yr iaith fain i'n bywydau ni.

Drwy gyfrwng y Gymraeg y dysgwyd ni yn yr ysgolion cynradd ond Saesneg oedd iaith yr ysgolion sir. Canem weithiau Saesneg mewn cyngerdd ac eisteddfod; yn Saesneg y cynhelid cyfarfodydd gwleidyddol a phwyllgor gwaith. Ac yn sicr, Saesneg oedd iaith y sinema ac roedd gan y sinema afael dynnach na lastig arnom ni. Am bedair ceiniog, caem fynd ar y bỳs o Dre-fach i'r 'Cross', ac am naw ceiniog arall caem fynd i'r nefoedd. Caem fynd i'r Capitol i gwrdd ag Esther Williams, Bette Davies a Sonia Healy. Caem gwrdd ag Alan Ladd, Bob Hope a Bing Crosby. Ychydig ohonom a allai gofio enwau brenhinoedd Lloegr a'i chadfridogion ond fe allem gofio sêr y sgrîn i gyd. A Saesneg oedd y rhain yn siarad. Dyna hefyd oedd iaith y radio. Ychydig o raglenni Cymraeg a ddarlledid ond yr oedd y rheini yn gafael. 'Byd y Gân', 'Teulu Tŷ Coch' a 'Teulu'r Mans' i'r oedolion ac 'Awr y Plant' ar ein cyfer ni i gyd. Yn sicr, ni fu erioed gyfres mwy iasol na 'S.O.S. Galw Gari Tryfan'. Ar bnawn dydd Mawrth roedd pawb o blant Dre-fach yn tasgu mâs o'r ysgol.

Saesneg oedd iaith y ddawns yn ogystal ac roedd 'dans' ar nos Sadwrn yn un o'r pleserau pennaf. Cynhelid dawnsfeydd yn neuaddau Y Tymbl, Cross Hands a Phontyberem ond 'dans' y Bont oedd yr un enwocaf. Anaml y caem ni'r ieuenctid fynd i ddawnsio yn ystod

Heol Llandeilo a sinema Cross Hands c. 1950.

tymor yr ysgol, ond roedd dawnsfeydd y nos cyn y Nadolig a'r nos cyn Calan yn eithriadau. Roedd gwyliau gan bawb, a deuai'r myfyrwyr yn ôl o'r colegau. Prin oedd y rhai a feddai gar a theithiem i gyd ar fysys coch 'James's' a phob bỳs yn pyngad. 'Mŵf-along, mŵf-along' – a neb yn gallu symud modfedd; roedd y bysys dybl-dec fel tuniau sardîns ar bedair olwyn! Teithiai trên drwy'r cwm ond ni theithiai'n ddigon hwyr i'r dawnswyr. Trên ar gyfer y coliers a phlant yr Ysgol Ramadeg oedd trên Cwm Gwendraeth a thrên ar gyfer mynd ar bnawn Sadwrn i draeth Pen-bre.

Wedi meddwl, roedd gan y cwm fysys ar gyfer pob achlysur ac fe allem fynd yn rhwydd i bob llan a thref. 'Bassett's' i Abertawe a Chaerfyrddin, 'L.C.W.' (Llandeilo Cattle Waggon ar lafar gwlad) i Landeilo a'r 'West Wales' a'r 'Western Welsh' i Rydaman a thre'r Sosban. Ond bỳs 'James's' yn unig a'n cludai i fyd y dawnsio. Byd y ffrogiau taffeta a'r sodlau uchel; byd y Brylcreem a byd y band. Band Bryn a Band y Brooklyn. Ar lawr y neuadd ciwiai'r merched yn swil ar un ochor, a'r bechgyn yn llygadu'r pertaf o'r pellter pell. Deuai rhai er mwyn eistedd a gwylio; deuai pawb er mwyn y cyfle i wrando. Gwrando 'yn Sisneg' ar y rhithm a'r swing. Ac am awr neu ddwy, roeddem i gyd o'r cwm mewn byd bach arall; roeddem i gyd yn real ffilm stârs!

Ond deuai diwedd hyd yn oed ar y dawnsio a doedd dim amdani ond cwrso am y cotiau a chwrso am y bỳs. A dechrau ofni. Ofni rheg y rhai meddw a arllwysai allan o'r tafarndai blawd-llif, ac ofni sawl gwaith y trawai'r hen gloc wrth i mi agor yn ddistaw ddrws y bac. Ond hwyr neu beidio, disgwylid i ni fod yn ein sêt ar y galeri bob bore dydd Sul. A da o beth oedd hynny, oherwydd y capel a'r Ysgol Sul, yn anad dim, a ddiogelodd ein hiaith ac a'n gwnaeth, nid yn bobol berffaith, ond yn bobol wâr.

Wrth edrych yn ôl dros flynyddoedd fy magwraeth, rwy'n falch mai merch o Gwm Gwendraeth wyf i. Rwy'n falch 'mod i'n perthyn i bobol a wrthododd ildio; pobol er pob caledi a gredodd gydag Elfed nad cardod sydd ei angen ar ddyn ond gwaith, am fod cardod yn gadael craith a chraith yn magu nychdod. Rwy'n falch 'mod i'n perthyn i bobol a gadwodd y ffydd gan barhau, ymhob tralled, i berfformio a chanu a dawnsio nes gwneud bywyd Cwm Gwendraeth yn un ddrama hir.

Tystiolaeth Cyfrifiad 1891 ym Mhlwyf Llan-non[1]

Hywel Befan Owen

Amgylchynir Cwm Gwendraeth gan drefi Caerfyrddin i'r gorllewin, Llanelli i'r de, Llandeilo i'r gogledd ac nid yw dinas Abertawe ond rhyw bymtheg milltir i'r dwyrain. Mae niferoedd y siaradwyr Cymraeg yn y canolfannau hyn yn llawer is nag yng Nghwm Gwendraeth; o'r 47.7 y cant yng Nghaerfyrddin â'r canran o'r boblogaeth sydd yn medru'r iaith i lawr i 10 y cant yn Abertawe. Ar y llaw arall, dengys Cyfrifiad 1991 fod 74.5 y cant o boblogaeth Cwm Gwendraeth yn siarad Cymraeg. Mae'r ffaith fod tri chwarter y boblogaeth yn medru'r iaith yn adlewyrchu safle'r ardal fel un o gadarnleoedd y Gymraeg ac yn un sydd yn rhaid ei gwarchod os yw'r iaith i oroesi. Mae'r ardal yn un dyngedfennol ar gyfer dyfodol yr iaith oherwydd mae'r ffin ieithyddol wedi symud yn raddol tuag at y gorllewin yn ystod y blynyddoedd diwethaf. Bellach, ystyrir mai'r ardaloedd hynny a ffurfiai faes glo'r de-orllewin yw'r ardaloedd allweddol yn nyfodol yr iaith yn rhinwedd eu poblogaeth uchel o'u cymharu ag ardaloedd mwy gwledig a gwasgaredig y gorllewin.

Datblygiad allweddol yn yr ymdrech i warchod y Gymraeg yn yr ardal oedd sefydlu Menter Cwm Gwendraeth yn Ionawr 1991. Yr ysbrydoliaeth a oedd wrth wraidd y prosiect arloesol hwn oedd llwyddiant ysgubol Eisteddfod Genedlaethol yr Urdd a gynhaliwyd yng Nghwm Gwendraeth yn 1989, a Chymreictod trigolion y cwm a frigodd i'r wyneb yn ystod y tair blynedd o baratoi ar gyfer yr ŵyl. Bwriad Menter Cwm Gwendraeth oedd ceisio adeiladu ar y sylfeini hynny er mwyn sicrhau parhad y Gymraeg yn y fro, ac o'r dechrau bu'n egnïol amlwg wrth drefnu gweithgareddau ar gyfer pobl ifanc. Nid oes amheuaeth nad yw pwyslais y Fenter wedi newid er ei sefydlu yn 1991. Yn wir, y prif ffocws yn awr yw hybu'r iaith ar lefel gymunedol a derbyniwyd grantiau sylweddol i ddatblygu a gwella cyfleusterau yng Nghwm Gwendraeth. Er 1 Ebrill 1998 y mae Menter Cwm Gwendraeth, ynghyd â mentrau eraill yn sir Gaerfyrddin, yn cydweithio dan ymbarél Mentrau Iaith Myrddin.[2]

Y brif ffynhonnell sydd ar gael i fesur nifer a chanrannau'r
siaradwyr Cymraeg yw'r Cyfrifiad a gynhelir bob deng mlynedd. Ni
ofynnwyd cwestiwn am yr iaith cyn 1891 ond gwnaed hynny (ac
eithrio 1941 pan na chynhaliwyd Cyfrifiad) ym mhob Cyfrifiad er y
flwyddyn honno. Yr oedd gwybodaeth am gynnwys Cyfrifiad 1891 ar
lefel siroedd a dosbarthiadau Cofrestru ar gael eisoes; eto i gyd, pan
ryddhawyd y wybodaeth fanwl amdano i'r cyhoedd ar 2 Ionawr 1992,
am y tro cyntaf yr oedd ystadegau llawn ar gael am sefyllfa'r iaith
Gymraeg yn y bedwaredd ganrif ar bymtheg. Gofynnwyd cwestiwn
yn ymwneud â'r Wyddeleg yn Iwerddon er 1851, a'r Aeleg yn yr
Alban er 1881. Yng Nghymru, yn y cyfnod cyn Ebrill 1891, bu cryn
ddadlau a thrafod ynglŷn â'r Cyfrifiad a bu unigolion megis Beriah
Gwynfe Evans, Michael D. Jones, Thomas Gee yn *Y Faner* ac O. M.
Edwards yn *Cymru,* yn cynghori'r Cymry ar faterion megis
pwysigrwydd llenwi pob colofn yn Gymraeg, nodi eu gallu yn y
Gymraeg a mynnu ffurflenni Cymraeg. Yr oeddent hefyd yn gofidio
am y modd y geiriwyd y cwestiwn, 'Iaith a leferir', oherwydd credent
y gallai arwain at ansicrwydd a fyddai yn ei dro yn lleihau nifer y
Cymry uniaith. Yn swyddogol, disgwylid i'r rhai hynny fyddai'n
gallu tystio yn Saesneg mewn llys barn nodi eu bod yn hyddysg yn y
ddwy iaith, ond ymddengys na roddwyd fawr o gyhoeddusrwydd i
hynny.

Dosbarthwyd ffurflen y Cyfrifiad i bob tŷ yng Nghymru rhwng
dydd Llun, 30 Mawrth, a dydd Iau, 2 Ebrill, ac yr oedd i'w chasglu ar
6 Ebrill. Yn naturiol, yr oedd cryn gyfrifoldeb ar ysgwyddau'r
cyfrifwyr i sicrhau cyflawni pob gorchwyl ac nid yw'n syndod bod y
dasg yn ormod i rai. Bu Beriah Gwynfe Evans yn hallt ei feirniadaeth,
gan eu cyhuddo o fod yn ddiog ac yn gelwyddog. Yn ogystal, ceir
enghreifftiau o gyfrifwyr yn ymyrryd yn annheg â'r ffurflenni
Cymraeg, fel y digwyddodd yng Nghaerdydd. Bu cwyno mewn rhai
ardaloedd am na chawsent ffurflenni Cymraeg a danfonwyd rhai i'r
mannau anghywir, megis i blith y Gwyddyl yn Bootle. Cythruddwyd
Beriah Gwynfe Evans gan awgrym Brydges P. Henniker, y
Cofrestrydd Cyffredinol, y byddai canlyniadau'r Cyfrifiad yn dangos
fod nifer y siaradwyr uniaith Gymraeg wedi ei chwyddo yn sgil
ymgyrch fwriadol yn y wasg, a chredai Evans y dylid cynnal
ymchwiliad cyhoeddus llawn. Nid atebwyd ei alwad a chyfeiriodd C.

T Ritchie, Llywydd y Bwrdd Masnach, at yr anawsterau a achoswyd gan ffurflenni Cymraeg oherwydd fod rhaid eu cyfieithu i'r Saesneg. Yn dilyn cyhoeddi ffigurau'r Cyfrifiad cadarnhaodd Henniker ei ofnau ac yr oedd ei sylwadau mewn gwirionedd yn awgrymu bod siaradwyr Cymraeg wedi dweud celwydd. Beirniadwyd ef gan unigolion megis David Lloyd George, Thomas Darlington a J.E Southall ac yr oedd cyfrol Southall, *The Welsh Language Census of 1891* (1895) yn ymgais i ddangos anallu'r Cofrestrydd Cyffredinol i ddadansoddi canlyniadau'r Cyfrifiad yng Nghymru.[3] Awgrymwyd bod nifer y siaradwyr uniaith Gymraeg wedi ei chwyddo gan rai oedd yn gallu siarad Saesneg ond a oedd yn teimlo'n fwy cartrefol yn y Gymraeg. Serch hynny, mae Cyfrifiad 1891 yn ffynhonnell amhrisiadawy i'r rhai hynny sy'n dadansoddi sefyllfa ieithyddol Cymru.

Rhoddir ystyriaeth fanwl yn y bennod hon i dystiolaeth Cyfrifiad 1891 mewn perthynas â phlwyf Llan-non, oherwydd mae'n cyflwyno manylion allweddol am gyfansoddiad y plwyf gan gynnwys y rhai hynny a ymfudodd i'r ardal i sicrhau gwaith yn sgil datblygiad y diwydiant glo. Mae'r plwyf yn cwmpasu rhan sylweddol o ardal ogleddol Cwm Gwendraeth lle mae pentrefi Llan-non, Cross Hands, Y Tymbl a Phontyberem. Mae poblogaeth Cwm Gwendraeth heddiw dros 25,000 o ganlyniad i'r pentrefi a'r cymunedau bychain a dyfodd yn sgil datblygiad y diwydiant glo. Cyn tua 1850 yr oedd y cwm yn bennaf yn gymuned amaethyddol, er i'r ardal ddenu sylw rhai masnachwyr a diwydianwyr dros y canrifoedd. Erbyn 1891 yr oedd y diwydiant glo ar fin ffrwydro yn yr ardal ac yn 1887 agorwyd glofa'r *Great Mountain* ym mhentref Y Tymbl gan aelodau o deulu Waddell.

Mae'n bwysig sylweddoli fod plwyf Llan-non yn rhan o un o siroedd Cymreiciaf Cymru, sef sir Gaerfyrddin. Dengys Tabl 1 fod 63,345 o drigolion y sir, sef 56.5 y cant yn 1891, yn siaradwyr uniaith Gymraeg. Dim ond 10.5 y cant o boblogaeth y sir a gofnodwyd yn siaradwyr uniaith Saesneg tra oedd 33.0 y cant yn ddwyieithog. Siroedd Meirionnydd, Aberteifi, Môn a Chaernarfon yn unig oedd â chanran uwch o siaradwyr uniaith Gymraeg. Yn 1891 yr oedd 54.5 y cant o boblogaeth Cymru yn gallu siarad Cymraeg – 30.4 y cant ohonynt yn siaradwyr uniaith Gymraeg.

Tabl 1: Iaith a leferid gan boblogaethau Plwyf Llan-non, Dosbarth Cofrestru Llanelli,
Sir Gaerfyrddin a Chymru, 1891.

(2 flwydd oed a throsodd)

	Nifer				Canran			
	Cymraeg	Y Ddwy	Saesneg	Cyfanswm	Cymraeg	Y Ddwy	Saesneg	Cyfanswm
Llan-non[1]	1643	253	57	1953	84.1	13.0	2.9	100.0
Llanelli[2]	25366	17630	6161	49157	51.6	35.9	12.5	100.0
Sir Gaerfyrddin[3]	63345	36937	11751	112033	56.5	33.0	10.5	100.0
Cymru[4]	508036	402253	759416	1669705	30.4	24.1	45.5	100.0

[1] Hepgorwyd 11 nad oeddynt wedi nodi eu hiaith ac un a lefarai Ffrangeg a Saesneg.
[2] Hepgorwyd 200 nad oeddynt wedi nodi eu hiaith a 58 a lefarai ieithoedd eraill.
[3] Hepgorwyd 583 nad oeddynt wedi nodi eu hiaith a 69 a lefarai ieithoedd eraill.
[4] Hepgorwyd 12,833 nad oeddynt wedi nodi eu hiaith a 3,076 a lefarai ieithoedd eraill.

Fel y dengys Tabl 1, yr oedd mwyafrif helaeth, sef 1643 o
unigolion (2 flwydd oed a throsodd) neu 84.1 y cant o boblogaeth
plwyf Llan-non, yn siaradwyr uniaith Gymraeg yn ôl tystiolaeth
Cyfrifiad 1891. Tra oedd 253 o unigolion, 13.0 y cant, yn medru'r
Gymraeg a'r Saesneg, dim ond 57 o drigolion y plwyf, sef 2.9 y cant
oedd yn siaradwyr uniaith Saesneg. Lleolid plwyf Llan-non yn
Nosbarth Cofrestru Llanelli ac yno yr oedd y boblogaeth fwyaf yn sir
Gaerfyrddin yn 1891, sef 49,157 o'i gymharu â 32,410 yn Nosbarth
Cofrestru Caerfyrddin, 19,404 yn Llandeilo Fawr a 11,062 yn
Llanymddyfri. Eto, mae'n ddiddorol nodi mai yn Nosbarth Cofrestru
Llanelli, hefyd, y lleolid y ganran isaf o siaradwyr uniaith Gymraeg,
sef 51.6 y cant o'i gymharu â 55.1 y cant yng Nghaerfyrddin, 61.5 y
cant yn Llanymddyfri a 68.7 y cant yn Llandeilo Fawr.

Amlygir yn Nhabl 2 na fu unrhyw fewnlifiad sylweddol i'r ardal
o'r tu hwnt i sir Gaerfyrddin. Cofnodwyd bod 1,763 o unigolion, sef
90.3 y cant o'r sampl, yn hanu o sir Gaerfyrddin. Wrth ystyried
cymeriad Cymraeg amlwg y sir hon nid yw'n syndod bod 88.2 y cant
o'r rhai a ddaeth o sir Gaerfyrddin yn siaradwyr uniaith Gymraeg a
11.5 y cant yn siaradwyr dwyieithog. Dim ond chwech o unigolion a
aned yn sir Gaerfyrddin a gofnodwyd yn siaradwyr uniaith Saesneg.
Ymhlith y garfan hon roedd dau letywr a drigai yn 32, Tanygraig
Row, Y Tymbl, sef David Jones o Landybïe a John Lewis o Sain Pedr,
Caerfyrddin, y ddau'n lowyr. Yn ddiddorol, yr oedd pawb arall ar yr

Tabl 2: Iaith a leferid yn ôl man geni, 1891

(2 flwydd oed a throsodd)[1]

Man Geni	Nifer				Canran			
	Cymraeg	Y Ddwy	Saesneg	Cyfanswm	Cymraeg	Y Ddwy	Saesneg	Cyfanswm
Sir Gaerfyrddin	1554	203	6	1763	88.2	11.5	0.3	100.0
Sir Aberteifi	16	4	—	20	80.0	20.0	—	100.0
Sir Benfro	7	6	16	29	24.1	20.7	55.2	100.0
Sir Faesyfed	—	1	—	1	—	100.0	—	100.0
Sir Frycheiniog	5	5	—	10	50.0	50.0	—	100.0
Sir Forgannwg	54	15	6	75	72.0	20.0	8.0	100.0
Sir Fynwy	1	4	2	7	14.3	57.1	28.6	100.0
Sir Gaernarfon	—	1	—	1	—	100.0	—	100.0
Cymru[2]	2	—	—	2	100	—	—	100.0
100.0								
Lloegr	3	14	26	43	7.0	32.5	60.5	100.0
Eraill[3]	—	—	1	1	—	—	100.0	100.0
Cyfanswm	**1642**	**253**	**57**	**1952**	**84.1**	**13.0**	**2.9**	**100.0**

[1]Hepgorwyd un nad oedd wedi nodi ei fan geni.
[2]Heb nodi sir.
[3]Man geni: Iwerddon

aelwyd yn siaradwyr uniaith Gymraeg. Yn yr un modd, Clarice Roderick, 'ymwelydd' uniaith Saesneg o Landeilo oedd yr unig un a fedrai'r Saesneg yn 49 a 50, Tanygraig Row. Yn ôl tystiolaeth y Cyfrifiad, nid oedd yr unigolion hyn yn gallu cyfathrebu ag unigolion eraill ar yr aelwyd, heb sôn am y mwyafrif helaeth o'r gymdeithas o'u hamgylch!

Wrth edrych yn fanylach ar fan geni'r rhai a aned yn sir Gaerfyrddin, mae'n ddiddorol nodi mai ychydig dros eu hanner a aned ym mhlwyf Llan-non. Yr oedd 1,012 o unigolion, sef 57.4 y cant o'r rhai a aned yn sir Gaerfyrddin a 51.8 y cant o'r holl sampl, yn enedigol o'r plwyf. Siaradwyr uniaith Gymraeg oedd 918 (90.7 y cant) o'r unigolion hynny, tra oedd 92 (9.1 y cant) yn siaradwyr dwyieithog a dim ond dau (0.2 y cant) yn siaradwyr uniaith Saesneg. Yr hyn sy'n arwyddocaol yw bod carfan sylweddol o drigolion plwyf Llan-non yn 1891 yn hanu o'r plwyfi amgylchynol yn sir

Gaerfyrddin. O'r 595 o unigolion a hanai o'r plwyfi cyfagos hyn yr
oedd 72 yn siaradwyr dwyieithog (12.1 y cant), tra mai dim ond dau
(0.3 y cant) a gofnodwyd yn siaradwyr uniaith Saesneg. Serch hynny,
o'r gweddill yr oedd 521 o unigolion, neu 87.6 y cant, sef y mwyafrif
helaeth ohonynt, yn siaradwyr uniaith Gymraeg.

Catherine Gwendoline Jones, merch 19 oed o Gaernarfon, oedd yr
unig un o drigolion plwyf Llan-non a aned yng ngogledd Cymru, ac
yr oedd yn gallu siarad Cymraeg a Saesneg. Bellach yr oedd
Gwendoline wedi ymsefydlu yn y ficerdy ym mhentref Llan-non,
aelwyd a oedd yn cynnwys siaradwyr dwyieithog ac uniaith Saesneg.
Ei thad, William Jones, brodor o Aberystwyth yn sir Aberteifi, oedd
ficer plwyf Llan-non (1878-93) ac yr oedd yntau'n siaradwr
dwyieithog. Ef oedd un o'r areithwyr yn y cyfarfod a gynhaliwyd ar
Gae Pound, Cross Hands adeg Streic Fawr 1893. Ganed Jane Sophia
Jones, gwraig William, yn Bungay, swydd Norfolk, ac yr oedd yn
siaradwraig uniaith Saesneg tra oedd ei gyfnither, Margaret Jones a
aned yn Llundain, yn siaradwraig ddwyieithog. Yr oedd plant eraill
William wedi eu geni ym mhlwyf Llan-non ond yr oedd Eleanor
Gwladys Jones, 12 oed, yn wahanol i'r gweddill gan ei bod yn
siaradwraig uniaith Saesneg. Ar yr aelwyd, hefyd, yr oedd Alfred
Jones, gwas uniaith Saesneg o Tunbridge Wells yng Nghaint.

Yn naturiol ddigon, gwelwyd y mewnfudo mwyaf i'r ardal o'r
siroedd Cymraeg hynny a oedd yn ddaearyddol agos i sir Gaerfyrddin.
Daeth y nifer mwyaf o sir Forgannwg, sef 75. Yr oedd 54 (72.0 y cant)
yn siaradwyr uniaith Gymraeg, 15 (20.0 y cant) yn medru'r ddwy iaith
a 6 (8.0 y cant) yn siaradwyr uniaith Saesneg. Hanai tri o'r siaradwyr
uniaith Saesneg o Lan-giwg a'r gweddill o Abertawe, Tre-gŵyr a'r
Rhondda. Yr oedd y datblygiadau diwydiannol yn yr ardal yn cynnig
cyfleodd gwaith gwerthfawr i drigolion y cymunedau amaethyddol a
leolid i'r gogledd a'r gorllewin, sef ardaloedd yn cynnwys nifer uchel
o siaradwyr Cymraeg, a symudodd nifer ohonynt i blwyf Llan-non. Yr
oedd y symudiad demograffig hwn yn un arwyddocaol yng nghyd-
destun safle'r Gymraeg; dyna sy'n cyfrif fod Cwm Gwendraeth yn
parhau yn un o gadarnleoedd yr iaith. Er bod gweithwyr o ardaloedd
Cymraeg gogledd, gorllewin, a chanolbarth Cymru wedi symud i
gymoedd dwyreiniol de Cymru, denwyd hefyd nifer sylweddol o'r
siroedd cyfagos yn Lloegr. Felly, yr oedd dyfodol yr iaith Gymraeg yn

yr ardaloedd hyn yn fwy ansicr nag ydoedd yng Nghwm Gwendraeth, sef ardal orllewinol Maes Glo De Cymru. Tanlinellir hynny yn y sampl dan sylw sy'n dangos fod pob un a ddaeth o sir Aberteifi naill ai'n siaradwr uniaith Gymraeg, 16 (80.0 y cant) neu'n ddwyieithog, 4 (20 y cant).

Yn gyffredinol, yr oedd gallu ieithyddol y rhai hynny a symudodd i'r ardal o'r siroedd eraill yng Nghymru yn adlewyrchu sefyllfa ieithyddol eu broydd genedigol. Serch hynny, er mai o Abaty Cwm Hir yn sir Faesyfed yr hanai Henry Pugh, teiliwr 24 oed a'r unig un o'r sampl a aned yn y sir honno, yr oedd yn medru'r ddwy iaith. Yr oedd yr wyth unigolyn arall a drigai ar aelwyd Maesderwen yn hanu o sir Gaerfyrddin, chwech ohonynt yn ddwyieithog a dau yn uniaith Gymraeg. Mae'r wybodaeth a roir am y rhai a aned yn sir Benfro yn adlewyrchu rhaniad ieithyddol y sir honno. Ymhlith y siaradwyr uniaith Saesneg yr oedd Henry Belt, glöwr o Fegeli a'i wraig, Eleri, o Ddoc Penfro, a Lewis Howells, glöwr, ei wraig, Mary, a'u lletywr, William Philips o Fegeli. Tra oedd James Gibby, ffermwr o Hesgot a Lewis Jenkins, mecanydd glofaol o Jeffreyston, yn siarad y ddwy iaith, Cymraeg yn unig a siaradai Lizzie Stephens, morwyn o Dre-fin a Phoebe Daniel o Benrhydd.

Deugain a thri o drigolion y sampl a aned yn Lloegr, tra hanai un o Iwerddon. Yr oedd 26 o'r rhai a aned yn Lloegr yn siaradwyr uniaith Saesneg, pedwar ar ddeg yn ddwyieithog a thri yn uniaith Gymraeg. Ganed dau o'r siaradwyr uniaith Gymraeg, sef Charles H. Parker, gwas fferm, a Margaret Robbins, yn Llundain. Yr oedd y ddau yn byw ar aelwydydd uniaith Gymraeg ac felly yr oedd sicrhau gwybodaeth o'r iaith yn angenrheidiol. Preswyliai Maud Thomas Sellars, siaradwraig uniaith Gymraeg deirblwydd oed a aned yn Leeds, ar aelwyd Penybanc ym mhentref Llan-non. Siaradwyr uniaith Gymraeg oedd pawb ar yr aelwyd heblaw am y lletywr, Edward Clement o Dregŵyr a siaradai Saesneg ynghyd â'r Gymraeg. Yr oedd Ann Cousen, gwraig weddw 72 oed a siaradwraig uniaith Saesneg a aned yn Iwerddon, wedi ymsefydlu ar aelwyd uniaith Saesneg yn Nhŷ'r Garddwyr ym mhentref Llan-non. Yr oedd ei merch, Ellen, golchwraig a aned yng Nghaint yn briod ag Alfred Edwards, garddwr a brodor o swydd Henffordd. Ganed dau o'u meibion yn swydd Sussex a John, dwyflwydd oed, ym mhlwyf Llan-non.

Yr oedd enghreifftiau tebyg o gartrefi uniaith Saesneg yn brin iawn ym mhlwyf Llan-non yn 1891. Yn wir dim ond yn wyth (1.9 y cant) o'r 410 o dylwythau yn y plwyf y cofnodwyd pob aelod yn siaradwyr uniaith Saesneg. Fel y nodwyd eisoes, symudodd nifer o siaradwyr uniaith Saesneg i'r ardal o sir Benfro ac o'r wyth cartref uniaith Saesneg yr oedd pedwar tylwyth yn hanu o'r sir honno. Nid yw'n syndod bod y pedwar tylwyth arall yn cynnwys, yn bennaf, unigolion a symudodd i'r ardal o Loegr i sicrhau gwaith yn y lofa, ynghyd â rhai eraill o sir Benfro. Mae aelwyd 53 Tanygraig Row yn cynnwys unigolion o dair sir gwahanol. Ganed y glöwr, Henry Jones, yn Llanelli, sir Gaerfyrddin, tra hanai ei wraig, Isabella, o Rymni, sir Fynwy a'u mab, James, o Gwm Rhondda yn sir Forgannwg. Cyfanswm y tylwythau dwyieithog oedd 91 (22.2 y cant) o'u cymharu â 311 (75.9 y cant) o rai uniaith Gymraeg. Mae'r ystadegau hyn yn tanlinellu Cymreictod cartrefi'r ardal. Serch hynny, wrth ystyried y nifer sylweddol a oedd yn medru'r iaith yn yr ardal, mae'n syndod mai dim ond deg ar hugain o ffurflenni Cyfrifiad Cymraeg a ddefnyddiwyd yn y plwyf. Y mae'n bosibl, wrth gwrs, fod hyn eto i'w briodoli i'r anawsterau ynglŷn â dosbarthu ffurflenni Cymraeg a nodwyd eisoes.

Mae'n amlwg fod yr uned deuluol yn Gymraeg i raddau helaeth, gan fod 82.6 y cant o'r penteuluoedd, 83.7 y cant o'r gwragedd a 87.9 y cant o'r plant yn siaradwyr uniaith Gymraeg. Mae'n wir fod canran y siaradwyr Cymraeg yn disgyn ychydig wrth ddadansoddi ystadegau'r rhai hynny a oedd y tu allan i'r teulu cnewyllol. Eto, mae canrannau siaradwyr uniaith Gymraeg y perthnasau, y gweision a'r lletywyr yn parhau dros 70 y cant. Dim ond canran siaradwyr uniaith Gymraeg yr ymwelwyr sy'n amlwg yn wahanol i'r gweddill, sef 43.7 y cant. Eto, mae hanner yr ymwelwyr yn ddwyieithog heb ond un unigolyn yn methu siarad Cymraeg.

Y lletywyr sy'n cynnwys y ganran uchaf o siaradwyr uniaith Saesneg, sef 9.4 y cant, a chofnodwyd pob un ohonynt fel glowyr. Cyfeiriwyd eisoes at David Jones a John Lewis o sir Gaerfyrddin, tra oedd William Philips yn hanu o Fegeli, sir Benfro, a John Morgans o Dre-gŵyr, sir Forgannwg. Eto, yr oedd y ddau letywr arall wedi teithio ymhellach i fanteisio ar y datblygiadau diwydiannol lleol. Brodor o Plymouth yn Nyfnaint oedd James Ramsey, labrwr yn y

Hall Street, Y Tymbl yn edrych i gyfeiriad y 'Lodging House'.

Iofa, ac yr oedd yn lletya gyda theulu dwyieithog o Dalacharn, sir Gaerfyrddin, yn 102, Tumble Row. Gwerthwraig ffrwythau a llysiau oedd Louisa Richards, y penteulu, tra gweithiai Morris, ei mab 17 oed, yn y lofa. Trigai Jane y ferch a oedd yn 14 mlwydd oed ar yr aelwyd hefyd. Ganed John Copley, glöwr 17 oed, yn Llundain ac yr oedd yn lletya ar fferm Hirwenole, ger pentref Y Tymbl. Siaradwyr uniaith Gymraeg oedd pob aelod o'r teulu cnewyllol, y penteulu, David Walters, yn hanu o Gydweli ac aelodau eraill y teulu wedi'u geni ym mhlwyf Llan-non. Yn ddiddorol, yr oedd y lletywr arall yn Hirwenole, sef Henry J. Taylor, hefyd yn löwr ac yn hanu o Lundain ond cofnodwyd ef fel siaradwr dwyieithog. Felly, yn rhyfeddol, Henry oedd yr unig un o'r saith arall ar yr aelwyd y gallai John Copley gyfathrebu ag ef!

Prin iawn oedd nifer y lletywyr a symudodd i'r plwyf o Loegr a hefyd o siroedd eraill yng Nghymru. Daeth y mwyafrif o'r ardaloedd amaethyddol cyfagos. Hanai 48 o letywyr (sef 75.0 y cant o'r cyfanswm) o sir Gaerfyrddin, naw o sir Forgannwg (14.1 y cant), tri o Lundain (4.7 y cant) ac un yr un o siroedd Aberteifi, Penfro, Brycheiniog a Dyfnaint (6.2 y cant). Yn ei ddadansoddiad o ganlyniadau Cyfrifiad 1891 yn y Rhondda nododd John Davies fod 'y system letya, un o brif nodweddion y gymdeithas lofaol ar ddiwedd y ganrif ddiwethaf, yn cadarnhau Cymreictod lletywyr Cymraeg ac yn foddion i gymathu'n ieithyddol ymfudwyr o Loegr'.[4]

Wrth ystyried dyfodol y Gymraeg yn yr ardal mae'n arwyddocaol mai dim ond un ar ddeg o blant y sampl, 1.2 y cant, sydd yn siaradwyr uniaith Saesneg. Dim ond ym mhum tylwyth yn unig o'r sampl y ceir rhieni a oedd yn methu siarad Cymraeg. Yr hyn sy'n drawiadol yw nifer y cartrefi lle'r oedd dau riant uniaith Gymraeg. Yn wir, ar yr aelwydydd hynny lle yr oedd y ddau riant yn siaradwyr uniaith Gymraeg, sef 79.7 y cant o'r sampl, mae mwyafrif helaeth y plant hefyd yn uniaith Gymraeg. Eto, ceir pedwar tylwyth lle'r oedd y plant wedi sicrhau gwybodaeth o'r Saesneg. Siaradwr dwyieithog oedd William Anthony, glöwr 32 oed o Landdarog ac unig blentyn i Morgan, diasbyddwr o Landybïe, ac Anne o Lanarthne (y ddau'n siaradwyr uniaith Gymraeg). Mae'n debygol fod William wedi sicrhau gwybodaeth o'r Saesneg yn y lofa. Yn yr un modd, tra oedd Rees Thomas, a oedd hefyd yn löwr, yn medru'r ddwy iaith, yr oedd ei rieni, ei bedwar brawd a'i ddwy chwaer yn siarad Cymraeg yn unig. Ar aelwyd y Groesfaen, cofnodwyd pawb yn siaradwyr uniaith Gymraeg ar wahân i John Griffiths, saer coed yn y lofa a oedd yn ddwyieithog. Yr hyn sy'n ddiddorol yw bod swydd John yn union yr un fath â'i dad ond siaradwr uniaith Gymraeg ydoedd yntau. Mae'n bosibl mai oedran ac efallai ddylanwad addysg oedd yn gyfrifol am y ffaith fod John yn medru'r iaith Saesneg ac yntau'n 22 oed, deugain ac un o flynyddoedd yn iau na'i dad.

Yn ogystal â'r gweithle, yr ysgol oedd y lle amlwg arall i blant i rieni uniaith Gymraeg sicrhau gwybodaeth o'r iaith Saesneg. Ar aelwyd Coedycwmganol yr oedd tri phlentyn ieuengaf Evan a Rachel James yn siaradwyr uniaith Gymraeg, ond roedd y tri hynaf a gofnodwyd yn ddisgyblion ysgol yn ddwyieithog. Ar y llaw arall, gallai'r ysgol fod yn ganolfan i Gymreigio plant o gartrefi uniaith Saesneg. Yn wir, gwelir dylanwad yr ysgol ar allu ieithyddol plant rhai o rieni uniaith Saesneg plwyf Llan-non. Tra oedd y plant mewn tair o'r pum aelwyd yn siarad Saesneg yn unig fel eu rhieni, yr oedd dwy aelwyd yn cynnwys plant dwyieithog, pob un ohonynt yn ddisgyblion ysgol. Nid oes unrhyw arwydd yn yr ystadegau uchod bod nifer y plant a oedd yn siarad Cymraeg yn disgyn yn y cartrefi dwyieithog. Yn wir, dim ond un tylwyth oedd yn cynnwys plant oedd yn methu siarad Cymraeg pan oedd gan y rhieni wybodaeth o'r famiaith. Ar aelwyd 38, Tanygraig Row, dim ond David Lloyd, brodor o blwyf Llan-non a gyflogid fel taniwr, oedd yn gallu siarad Cymraeg. Cofnodwyd David yn siaradwr dwyieithog ond Saesneg yn unig a siaradai gweddill y teulu. Mae'n amlwg ei fod wedi treulio cyfnod o'i fywyd yn Lloegr oherwydd yr oedd ei wraig yn hanu o Broad Wood yn Nyfnaint a'i ferch hynaf o Aldershot, swydd Hampshire, a Saesneg yn unig a siaradai Sidney David, eu mab dwyflwydd oed, a aned yn Abertawe. Ar yr aelwyd, hefyd, yr oedd Lily Jessie Beatrice, merch ieuengaf y teulu a oedd yn flwydd oed ac a aned ym mhlwyf Llan-non, ynghyd â Kestra George, ymwelydd a aned yn Llanddarog ac a weithiai fel gwniadwraig: yn ddiddorol, fe'i cofnodwyd hi fel siaradwraig ddwyieithog.

Mae'n amlwg, felly, ar sail tystiolaeth Cyfrifiad 1891, mai'r Gymraeg a siaredid gan gyfran helaeth o drigolion plwyf Llan-non yn eu cartrefi ac yn y gweithle.

Dengys Tabl 3 mai cyfanswm y cyflogedig (yn cynnwys dynion a merched 10 mlwydd oed a throsodd) ym mhlwyf Llan-non yn 1891 oedd 886, 636 yn ddynion a 250 yn ferched. Yr oedd 71.8 y cant o gyfanswm y cyflogedig yn ddynion a 28.2 y cant yn ferched. Fel y nodwyd eisoes, yr oedd y diwydiant glo yn datblygu'n gyflym erbyn blynyddoedd olaf y bedwaredd ganrif ar bymtheg ac adlewyrchir hynny yn yr wybodaeth a geir am alwedigaethau'r boblogaeth. Cyflogid 323 o ddynion yn fwyngloddwyr, sef 50.8 y cant o gyfanswm y dynion cyflogedig ac yr oedd pob un o'r rhain, heblaw am William Robbin o Lanelli, a weithiai fel giard ar y rheilffordd mwynglawdd, yn gysylltiedig â'r diwydiant glo. Yr oedd canran uchel, sef 82.9 y cant ohonynt, yn siaradwyr uniaith Gymraeg, 11.8 y cant yn ddwyieithog a 5.3 y cant yn uniaith Saesneg. Dim ond 17 o ddynion a gofnodwyd yn siaradwyr uniaith Saesneg ac yr oedd tri ar ddeg ohonynt naill ai'n lowyr neu'n halwyr glo, tri yn llafurwyr ac un yn asiant.

Mae'n drawiadol mai prin yw nifer y siaradwyr uniaith Saesneg ynghyd â'r rhai dwyieithog a oedd mewn swyddi o awdurdod yn y diwydiant glo. Yr oedd asiant yn swydd allweddol ac mae'n debygol y byddai gwybodaeth o'r Gymraeg a'r Saesneg yn ddefnyddiol ar

Cwm Gwendraeth

Tabl 3: Iaith a leferir yn ôl galwedigaeth
(10 mlwydd oed a throsodd)

Dosbarth diwydiannol Dynion Merched							
	Cymraeg	Y Ddwy	Saesneg	Cyfanswm	Cymraeg	Y Ddwy	Saesneg	Cyfanswm
AMAETHYDDIAETH								
Cyfanswm	163	21	6	190	84	10	—	94
%	85.8	11.0	3.2	100.0	89.4	10.6	—	100.0
MWYNGLODDIO								
Cyfanswm	268	38	17	323				
%	82.9	11.8	5.3	100.0				
ADEILADU								
Cyfanswm	24	5	—	29				
%	82.8	17.2	—	100.0				
CYNHYRCHU								
Cyfanswm	26	6	1	33	24	5	—	29
%	78.8	18.2	3.0	100.0	82.8	17.2	—	100.0
CLUDIANT								
Cyfanswm	1	—	—	1				
%	100.0	—	—	100				
MASNACHU	11	11	—	22	14	6	—	20
Cyfanswm	50.0	50.0	—	100.0	70.0	30.0	—	100.0
%								
GWASANAETHAU CYHOEDDUS A PHROFFESIYNOL								
Cyfanswm	4	11	1	16	2	4	—	6
%	25.0	68.8	6.2	100.0	33.3	66.7	—	100.0
GWASANAETHAU CARTREF								
Cyfanswm	2	2	3	7	88	12	1	101
%	28.6	28.6	42.8	100.0	87.1	11.9	1.0	100.0
ERAILL								
Cyfanswm	14	1	—	15				
%	93.3	6.7	—	100				
CYFANSWM Y CYFLOGEDIG	513	95	28	636	212	37	1	250
%	80.7	14.9	4.4	100.0	84.8	14.8	0.4	100.0
GWEDDILL Y BOBLOGAETH	35	4	1	40	328	53	17	398
%	87.5	10	2.5	100.0	82.4	13.3	4.3	100.0
DISGYBLION YSGOL	77	14	1	92	75	12	2	89
%	83.7	15.2	1.1	100.0	84.3	13.5	2.2	100.0
CYFANSWM Y BOBLOGAETH 10 OED +	**625**	**113**	**30**	**768**	**615**	**102**	**20**	**737**
%	**81.4**	**14.7**	**3.9**	**100.0**	**83.4**	**13.9**	**2.7**	**100.0**

gyfer swydd o'r fath. Brodor o Hebburn, swydd Durham, oedd John Ord ac yr oedd yn byw ar aelwyd ieithyddol ddiddorol iawn yn 17, Furnace Terrace ym mhentref Pontyberem. Tra oedd John yn siaradwr uniaith Saesneg yr oedd ei wraig, Jane, yn siarad Cymraeg a Saesneg a'i ferch, Elizabeth, athrawes a aned ym mhlwyf Llan-non, yn siarad Saesneg a Ffrangeg. Mae'n anhebygol iawn y byddai'n bosibl i athrawes allu ymgymryd â'i dyletswyddau yn yr ardal heb unrhyw wybodaeth o'r Gymraeg, oherwydd cofnodwyd 84.0 y cant o'r disgyblion ysgol yn siaradwyr uniaith Gymraeg, 14.4 y cant yn ddwyieithog a 1.6 y cant yn uniaith Saesneg. Er bod siaradwraig Ffrangeg yn hynod anghyffredin (nid yw'n syndod mai dyma'r unig un yn y sampl) mae'n debygol mai ei chefndir addysgol sy'n cyfrif am hynny.

Hanai wyth o unigolion o sir Benfro, sef bron i hanner y siaradwyr uniaith Saesneg a gyflogid yn y diwydiant glo. Ymhlith y rhain yr oedd William Thomas, brodor o Dale a weithiai fel rhewlwr yn y lofa. Yr oedd ei wraig, Elizabeth, o Langwm, sir Benfro hefyd yn siaradwraig uniaith Saesneg, tra oedd tri o'u plant, disgyblion ysgol a aned ym mhlwyf Llan-non, yn gallu siarad Cymraeg yn ogystal â'r Saesneg. Yn yr un modd, yr oedd William Hay, labrwr yn y lofa, a'i wraig, yn hanu o sir Benfro, tra ganed un o'u plant yng Nglyn Ebwy, sir Fynwy a'r llall ym mhlwyf Llan-non. Yr oedd tri a aned yn yr un pentref yn sir Benfro yn byw yn 104, Tumble Row, aelwyd uniaith Saesneg. Yr oedd y penteulu, Joseph Morgans, labrwr yn y lofa, ei frawd, Thomas, glöwr, a'i chwaer, Priscilla, yn enedigol o St Issells a hanai Jane, gwraig Joseph, o Aberdaugleddau, a'r lletywr, John Bowen, glöwr, o Dre-gŵyr, sir Forgannwg.

Mae Cyfrifiad 1891 yn datgelu llawer am darddiad daearyddol a gallu ieithyddol trigolion Tumble Row. Tra oedd rhai, megis yr unigolion a nodwyd uchod, yn hanu o ardaloedd mwy Saesneg Cymru, daeth eraill o gymunedau cyfagos, megis teulu Owen Howells o Langennech (26, Tumble Row) a oedd yn uniaith Gymraeg. Yn ogystal, yr oedd rhai yn enedigol o ardaloedd eraill yng Nghymru a thu hwnt, megis Thomas Jones (rhif 23), a David Williams (rhif 22), siaradwyr uniaith Gymraeg o Aberdâr a David Rees (rhif 21) brodor o Dreorci. Mae'n ddiddorol bod y glowyr hyn o sir Forgannwg wedi ymsefydlu wrth ymyl ei gilydd. Yr oedd John Hood (rhif 13) yn hanu o Gasnewydd, sir Fynwy ond ganed ei wraig, Lucy, yn Marlborough; ei ddau blentyn hynaf yn Swindon, sir Wiltshire; ei ferch arall, Edith, yn Fasingdon; tra ganed ei fab ieuengaf, Robert, ym mhlwyf Llannon. Yr oedd pob aelod o'r teulu ar wahân i Lucy Hood, a oedd yn uniaith Saesneg, yn siarad Cymraeg a Saesneg.

Ganed tri o lowyr uniaith Saesneg yn sir Gaerfyrddin. Glöwr o Lanelli oedd Henry Jones, ac yr oedd pob aelod arall o aelwyd 53, Tanygraig Row hefyd wedi eu cofnodi yn siaradwyr uniaith Saesneg. Ar y llaw arall, yr oedd aelwyd 32, Tanygraig Row yn gymysg yn ieithyddol er bod pob un ohonynt wedi eu geni yn sir Gaerfyrddin. Tra oedd Anne Jenkins a'i dwy ferch ynghyd â dau letywr (y ddau'n lowyr) yn siaradwyr uniaith Gymraeg, fel siaradwyr uniaith Saesneg y cofnodwyd y ddau letywr arall, sef David Jones o Landybïe a John Lewis o Sain Pedr, Caerfyrddin. Mae enghreifftiau cyffelyb yn arwain yr hanesydd i amau dilysrwydd rhai o'r gosodiadau ieithyddol a gofnodwyd. Mae'n anodd amgyffred, wrth ystyried Cymreictod y sir honno, y byddai unigolion a aned ac a oedd yn byw yn sir Gaerfyrddin heb ryw wybodaeth o'r iaith Gymraeg. Eto, mae'n amlwg fod y ddau letywr uniaith Saesneg o'r farn nad oedd eu Cymraeg yn ddigonol i'w cofnodi fel siaradwyr dwyieithog. Mae'n bosibl fod rhai o'r glowyr uniaith Saesneg a aned yn Lloegr yn ymfalchïo yn eu cefndir Seisnig. Nid yw'n syndod bod y gweddill o'r glowyr uniaith Saesneg yn hanu o Loegr. Brodor o swydd Norfolk oedd George Groom, tra ganed ei wraig yn Forebridge, swydd Stafford. Yn rhyfeddol, Edward Peel o Wlad yr Haf oedd yr unig un ar aelwyd Penyshire, ym mhentref Cross Hands, a oedd yn gallu siarad Saesneg. Gellir dweud bod Edward yn nodweddiadol o nifer a ddaeth i'r ardal oherwydd priododd â Susannah, merch o blwyf Llannon a ganed eu plant yn lleol ac yn Gymry Cymraeg ac mae eu disgynyddion, ynghyd â disgynyddion ymfudwyr eraill, megis teulu Piles, yn byw yn y pentref heddiw.

Cyflogid 38 o weithwyr dwyieithog yn y diwydiant glo. Yr oedd 21 o'r rhain, sef dros hanner y siaradwyr dwyieithog, yn hanu o sir Gaerfyrddin: 11 yn lowyr cyffredin, pedwar yn llafurwyr, dau daniwr, clerc, saer, pwyswr a gyrrwr injan. Mae'n debyg na fyddai gwybodaeth o'r iaith Saesneg wedi bod yn angenrheidiol ar gyfer y swyddi uchod heblaw am swydd clerc y gwaith. Brodor o

Langyndeyrn oedd Thomas Beynon a heblaw am Diana Davies, morwyn o Lanelli, nid oedd neb arall a drigai yn Coalbrook Office, sef ei wraig a'i bedwar plentyn, yn gallu siarad Saesneg. Yr oedd Herbert I. Cook, labrwr o Lanelli, yn byw ar aelwyd ieithyddol ddiddorol iawn yn 8, Furnace Terrace. Er bod ei dad, Herbert, banciwr yn y lofa a'i fam, Mary L. yn enedigol o swydd Stafford, yr oeddent wedi meistroli digon o'r Gymraeg i'w cofnodi fel siaradwyr dwyieithog. Siaradwyr dwyieithog oedd ei frawd a'i chwaer hefyd ond Saesneg yn unig a siaradai mam-gu Herbert, sef Mary Mearm, gwniadwraig wedi ymddeol o Rangeworthy yn swydd Gaerloyw.

Yr oedd Herbert Cook, brodor o Stoke on Trent, yn un o bump o lowyr a aned yn Lloegr. Enghraifft arall oedd Clive I. Hood, glöwr o Swindon, swydd Wiltshire ac yr oedd ei dad, John, yn enedigol o Gasnewydd, sir Fynwy. Yr oedd John ymhlith yr un ar ddeg arall a hanai o siroedd yng Nghymru heblaw am sir Gaerfyrddin, chwech ohonynt yn enedigol o sir Forgannwg, tri o sir Benfro ac un o sir Frycheiniog. Ymhlith y rhai a aned yn sir Forgannwg roedd Edwin Robert Fisher, peiriannydd glofaol dwyieithog o Lan-giwg. Yn drawiadol, tra oedd mam Edwin hefyd yn siaradwraig ddwyieithog yr oedd ei dair chwaer (gan gynnwys un a oedd yn ddisgybl ysgol) yn siaradwyr uniaith Saesneg. Ar aelwyd Nant-glas, ym mhentref Cross Hands, yr oedd hefyd ymwelydd, sef myfyrwraig feddygol, ynghyd â dwy forwyn – y tair yn siaradwyr dwyieithog. Er bod pawb yn 8, Tumble Row yn hanu o sir Forgannwg, dim ond David H. Allen o Lansawel, sir Forgannwg, clerc yn y lofa, a oedd yn gallu siarad Saesneg. Yn ddiddorol, cofnodwyd dau reolwr glofa a oedd wedi ymddeol yn y sampl ac nid yw'n syndod canfod eu bod yn siaradwyr dwyieithog. Yr oedd Thomas Harris, a aned yn Llanelli, yn lletywr gyda Mary Thomas, howsgiper, ac yr oedd ei bedwar plentyn hefyd yn byw yn Llwydcoed Villa ym mhentref Cross Hands, tra mai brodor o Lanedi oedd William Harries.

Fel y nodwyd eisoes, yr oedd ychydig dros hanner y dynion cyflogedig yn gweithio yn y maes glo. Cyflogid y gweddill mewn amryw o wahanol feysydd diwydiannol. O'r 29 a oedd yn gweithio yn y diwydiant adeiladu ni chofnodwyd yr un siaradwr uniaith Saesneg, a dim ond pump, sef 17.2 y cant, oedd yn ddwyieithog. Ymhlith y siaradwyr dwyieithog yr oedd David Davies, syrfewr tir a mwyn a aned ym mhlwyf Llan-non. Yr oedd y pum aelod arall o'i deulu ar aelwyd Llwydcoed Fawr yn siarad Cymraeg a Saesneg, tra oedd dau was fferm a morwyn yn siaradwyr uniaith Gymraeg. Yr oedd dau o'r siaradwyr dwyieithog eraill a gyflogid yn y sector adeiladu yn seiri a'r ddau arall yn seiri maen. Yr oedd John Thomas, saer maen o Lan-non, yn briod â Mary o Winchester, swydd Hampshire a oedd hefyd yn ddwyieithog, tra ganed eu merch, Katherine, ym mhlwyf Llan-non. Yn ddiddorol, yr oedd y ddau saer, sef Lewis Lewis o Lanfynydd a William Piles o Wlad yr Haf, yn byw wrth ymyl ei gilydd yn yr un cyfeiriad, sef Cwmhowell.

Yn yr un modd, dim ond un o'r 33 a gyflogid yn y maes cynhyrchu a gofnodwyd fel siaradwr uniaith Saesneg, sef William H. Martin, adeiladwr wagenni rheilffordd o Gaerfaddon, Gwlad yr Haf. Yr oedd ei gartref, 7, Furnace Terrace yn enghraifft arall o'r modd y cymathwyd teuluoedd o Loegr â'r Gymraeg ar ôl iddynt symud i Gymru. Tra oedd ei wraig, Lucy Martin o Handley, swydd Dorset, hefyd yn siarad Saesneg yn unig, cofnodwyd eu plant yn siaradwyr dwyieithog, heblaw am Pauline nad oedd ond 11 mis oed. Ganed y ddau blentyn hynaf, a oedd yn ddisgyblion ysgol, yn Aberdâr, sir Forgannwg, tra ganed y plant iau ym mhlwyf Llan-non. O'r chwech yn y sector cynhyrchu a gofnodwyd yn siaradwyr dwyieithog yr oedd tri'n ofaint, un yn olchwr yn y gwaith tun , un yn deiliwr a'r llall, sef William Jenkins o Lanelli, yn yrrwr peiriant.

Nid oedd gwaith i ferched ym meysydd mwyngloddio, adeiladu a thrafnidiaeth. Serch hynny, cyflogid merched ym mhob un o'r dosbarthiadau diwydiannol eraill a gofnodir yn Nhabl 3. Gweithiai 29 o ferched ym maes cynhyrchu ac yr oeddynt i gyd yn siarad Cymraeg. Fel gyda'r dynion, yr oedd y mwyafrif yn siaradwyr uniaith Gymraeg, sef 24, a'r pump arall, i gyd yn wniadwragedd, yn ddwyieithog. Cyflogid y nifer mwyaf o ferched, sef 101, 40.4 y cant o gyfanswm y merched cyflogedig, ym maes gwasanaethau cartref – yr unig sector lle y cyflogid mwy o ferched na dynion. Eto, yr oedd y mwyafrif helaeth, sef 87.1 y cant, yn siaradwyr uniaith Gymraeg. Dim ond deuddeg o ferched, sef 11.9 y cant a gofnodwyd fel siaradwyr dwyieithog ac un yn unig oedd yn uniaith Saesneg, sef Ellen Edwards, golchwraig o swydd Caint. Yr oedd un ar ddeg o'r siaradwyr dwyieithog yn hanu o sir Gaerfyrddin a ganed Mary H. Herbert yng Nghenarth, sir Aberteifi.

Er mai dim ond saith o weithwyr gwrywaidd a gyflogid ym maes
gwasanaethau cartref ym mhlwyf Llan-non yn 1891, mae'n
arwyddocaol mai dyna'r unig ddosbarth yr oedd canran y siaradwyr
uniaith Saesneg ynddo yn uwch na'r gweddill. Cofnodwyd tri siaradwr
uniaith Saesneg o'i gymharu â dau siaradwr dwyieithog a dau siaradwr
uniaith Gymraeg. O'r tri siaradwr uniaith Saesneg yr oedd dau yn
weision a'r llall yn arddwr. Cyfeiriwyd eisoes at Alfred Jones, gwas a
breswyliai yn y Ficerdy, Llan-non, a'r garddwr, Alfred Edwards, tra
cofnodwyd Peter Maclean, a hanai o Loegr, yn was yn Pendery Well,
sef cartref y ffermwr David Owens. O Lanedi yr hanai David Owens
ac ar yr aelwyd hon, hefyd, yr oedd ei wraig a'i blant. Yr oeddent i gyd
yn siaradwyr dwyieithog ond Cymraeg yn unig a siaradai'r forwyn,
Sarah Bowen o Lan-non. Unwaith eto mae'n rhaid amau dilysrwyddd
y gosodiadau ieithyddol oherwydd mae'n anhebygol iawn y byddai
gwas a morwyn ar yr un aelwyd yn methu cyfathrebu â'i gilydd.

Cyfeiriwyd eisoes at y ffaith mai cymuned amaethyddol yn bennaf
oedd yr ardal dan sylw yn ystod hanner cyntaf y bedwaredd ganrif ar
bymtheg. Er bod newidiadau amlwg wedi effeithio ar gyfansoddiad y
gweithlu lleol erbyn diwedd y ganrif, yr oedd nifer sylweddol o
drigolion yr ardal yn parhau i weithio yn y diwydiant amaethyddol.
Yn wir, yr oedd 284 o ddynion a merched yn gysylltiedig â'r
diwydiant amaeth, sef 32.1 y cant o gyfanswm y cyflogedig ym
mhlwyf Llan-non yn 1891. Nid yw'n syndod bod 85.8 y cant yn
siaradwyr uniaith Gymraeg, 11.0 y cant yn ddwyieithog a 3.2 y cant
yn uniaith Saesneg.

Cofnodwyd 35 o ffermwyr ym mhlwyf Llan-non yn *Kelly's
Directory of Monmouthshire and South Wales 1895.*[5] Mae nifer o'r
rhai sy'n ymddangos yn y rhestr hon hefyd wedi'u cynnwys yn
ystadegau'r plwyf ar gyfer Cyfrifiad 1891, gan gynnwys Mary Jane
Hopkins, Goetrewen; John Richards, Gelliwernen; William Thomas,
Cildderwfawr; a Sarah Thomas, Tremythyn. Yr oedd pob un o'r
chwech a gofnodwyd yn y Cyfrifiad yn siaradwyr uniaith Saesneg, yn
weision fferm a hanai o Loegr – pump ohonynt o Lundain ac un o
swydd Amwythig. Mae'n debygol iddynt gael eu hanfon i'r ardal o
ysgolion diwydiannol yn Lloegr, a cheir cyfeiriadau cyson atynt yn yr
atebion i holiadur yn ymwneud â gwasanaethau dwyieithog a
anfonwyd i bob plwyf yn esgobaeth Tyddewi yn 1908.[6] Yr oedd

presenoldeb y plant hyn yn aml yn symbylu newid ieithyddol ym mhatrwm y gwasanaethau. Wrth edrych yn fanylach ar gyfansoddiad ieithyddol y chwe aelwyd berthnasol, mae'n drawiadol mai y gweision uniaith Saesneg yw'r unig rai sy'n medru siarad Saesneg yn achos pedwar cartref. Tra oedd William Hebber o Millwall yn Llundain yn siaradwr uniaith Saesneg, cofnodwyd y saith arall a brewswyliai ar fferm Rhydysarnau, ger pentref Cwmgwili, yn rhai uniaith Gymraeg. Yn yr un modd, yn ôl yr ystadegau, nid oedd William Edward Cole o Lundain yn gallu cyfathrebu â'r deg arall a drigai yn Ystlysycoeduchaf. Ar fferm Pantgwyn, Cross Hands, yr oedd Alfred Jones o Lundain yn gallu cyfathrebu â Thomas Lewis Bowen, y penteulu a oedd yn siaradwr dwyieithog ond cofnodwyd gwraig Thomas a'i ferch yn siaradwyr uniaith Gymraeg. Ar y llaw arall, yr oedd pawb, sef y deg arall ar fferm Gelliwernen, lle y gweithiai Frank Henessy o Lundain, yn siaradwyr dwyieithog.

Gweithiai'r ddau was fferm dwyieithog, sef Evan Thomas o Lanybydder a Daniel Thomas o Lanelli ar yr un fferm, sef Marchoglwyn, ger Pontyberem ac yr oedd y pump arall ar yr aelwyd hefyd yn siarad Cymraeg a Saesneg. Yr oedd deg o'r 21 o siaradwyr dwyieithog yn y sector amaethyddol yn ffermwyr a saith yn berthnasau a gynorthwyai ar y fferm. Er bod James Gibby o Hesgot, sir Benfro, yn siaradwr dwyieithog, dim ond y Gymraeg a siaradai ei wraig a'i fab. Yn yr un modd, cofnodwyd William Davies a'i wraig yn siaradwyr dwyieithog ond Cymraeg yn unig a siaradai eu pedwar plentyn, y gwas a'r forwyn a drigai yn y Groes-faen. Ymhlith y perthnasau a gynorthwyai yr oedd Jane Rees a'i chwaer, Hannah, yn siaradwyr dwyieithog ond Cymraes uniaith oedd eu mam, Margaret.

Yr oedd y ddau goedwigwr a gofnodwyd yn y sampl yn siaradwyr dwyieithog. Mae'n ddiddorol bod y ddau yn byw gerllaw ei gilydd; William Morris yn Keeper's Lodge a David Rolfe yn Graigfach ger pentref Llan-non. Hanai'r ddau o sir Gaerfyrddin ond yr oedd tad David Rolfe, Robert, yn gipar o swydd Suffolk. Arwydd o ddylanwad cynyddol y diwydiant glo yn yr ardal oedd bod pedwar ar ddeg o feibion fferm wedi eu denu i weithio yn y lofa. Mae'n drawiadol bod pum pâr o frodyr ymhlith y pedwar ar ddeg, gan gynnwys David a Thomas Hughes, meibion Morgan Hughes, fferm Tŷ-isha, a William a Thomas Evans, meibion Josiah Evans, fferm Ffynnonhosfar.

Nid oedd siaradwyr uniaith Saesneg ymhlith y merched a weithiai yn y diwydiant amaethyddol, tra oedd 10.6 y cant yn ddwyieithog a 89.4 yn siaradwyr uniaith Gymraeg. Ymhlith y siaradwyr dwyieithog yr oedd Ann Williams, ffermwraig o blwyf Llan-non, ynghyd â'i merch, Ann. Yr oedd y ddwy hyn yn nodweddiadol o'r mwyafrif a weithiai yn y diwydiant amaethyddol gan eu bod yn enedigol o'r ardal. Yn wir, o'r 284 o ddynion a merched a weithiai yn y diwydiant amaethyddol dim ond ugain, sef 7.0 y cant, a aned y tu hwnt i ffiniau sir Gaerfyrddin: wyth yn Llundain, chwech ym Morgannwg, tri yn sir Aberteifi ac un yr un yn sir Benfro, swydd Amwythig ac yng Nghymru (ni nodwyd sir).

Nid yw'n syndod bod nifer sylweddol o'r rhai a gyflogid yn y gwasanaethau cyhoeddus a'r sector proffesiynol yn hyddysg yn yr iaith Saesneg. Yn wir, dim ond pedwar, sef 25.0 y cant o'r dynion, a gofnodwyd fel siaradwyr uniaith Gymraeg ac yr oedd y pedwar yn weinidogion. Yr oedd John Griffiths o Feidrim a William Jones o Lan-non yn weinidogion gyda'r Methodistiaid Calfinaidd, tra mai gweinidogion gyda'r Annibynwyr oedd Thomas Powell o Landybïe a James Henry Davies o Lanelli.William Evans, athro ysgol o Arberth, sir Benfro, yw'r unig un yn y sector gwasanaethau cyhoeddus a phroffesiynol a gofnodir yn siaradwr uniaith Saesneg. Yr oedd saith o'r un gŵr ar ddeg a gofnodwyd yn siaradwyr dwyieithog yn gysylltiedig â'r byd crefyddol. Cyfeiriwyd eisoes at gyfansoddiad cartref William Jones, Ficer Llan-non, tra oedd Watkyn Walters Price a oedd yn gurad (1889-91) yn hanu o Ystradgynlais, sir Frycheiniog. Cofnodwyd dau weinidog gyda'r Bedyddwyr yn siaradwyr dwyieithog ynghyd â phedwar o weinidogion yr Annibynwyr. Yn ddiddorol, yr oedd dau o weinidogion yr Annibynwyr, sef David Bowen a Rees Rees o'r Betws yn sir Gaerfyrddin, yn ymwelwyr ar aelwyd Garreg Hollt.

Yr oedd tri o'r gweinidogion yn gymdogion ar Heol y *Meadows*, Cross Hands, a dangosir eu cartrefi ar y map o'r pentref. Trigai Thomas Powell, gweinidog gyda'r Annibynwyr, yn y *Meadows* gyda'i frawd, y ffermwr David Powell. Plas Newydd oedd cartref David Morgan, 'Mathryfardd', gweinidog cyntaf Tabor, eglwys y Bedyddwyr, Cross Hands. Fe'i ganed ger pentref Mathry, sir Benfro, ac enillodd yr enw 'Spurgeon bach' ar sail ei huodledd fel pregethwr pan oedd yn fachgen ifanc. Gweithiodd am gyfnod yn y lofa yn Aberdâr cyn dilyn cwrs yng ngholeg Hwlffordd, ac yna bu'n genhadwr yn Waterford, yn Iwerddon, cyn iddo ddod i Cross Hands pan gorfforwyd eglwys Tabor yn 1871. Bu hefyd yn weinidog eglwys Carmel er 1876, ac yna am gyfnod yn Bethel, Y Tymbl.[7] Yr oedd John Griffiths, gweinidog Pen-twyn, eglwys y Methodistiaid Calfinaidd ger Cross Hands, yn byw ym Mhen-y-banc gyda'i wraig, ei ddwy ferch a'i fab. Ganed ef ym Meidrim, a symudodd ef a'i deulu i fyw i Lansteffan erbyn 1911.[8] Dymchwelwyd Plas Newydd a Phen-y-banc erbyn heddiw fel rhan o'r paratoadau ar gyfer sefydlu Parc Busnes Cross Hands. Pregethwr gyda'r Methodistiaid Calfinaidd a oedd wedi ymddeol oedd Edward Jones a drigai yn Llwynhelig gyda'i ferch Elizabeth. Cysylltwyd yntau â Phen-twyn, a disgrifiwyd ef fel 'gŵr tawel, llednais a duwiol iawn.'[9] Trigai Evan Henry Davies, ei wraig Louisa a'i blant Eunice, Howard ac Elen yn Flower Hill, Y Tymbl, ac ef oedd gweinidog Bethania, Tymbl Uchaf, a'r Tabernacl, Cefneithin. Cyflwynwyd anerchiad iddo adeg ei ymddeoliad yn 1912 a dywedwyd ynddo fod 'cyfeillgarwch, gwyleidd-dra, manylrwydd, diwydrwydd, a sefydlogrwydd yn elfennau amlwg yn eich cymeriad'.[10]

Cyfeiriwyd eisoes at aelwyd Nant-glas, cartref Charlmers Williams, ymwelydd a myfyriwr meddygol, tra oedd David Jones, swyddog etholiadol o Lansteffan a'i fab, Thomas Maddoc, clerc yn Swyddfa'r Post, Llan-non yn preswylio yn y Shop newydd. Nid oes amheuaeth na fyddai gwybodaeth o'r iaith Saesneg yn angenrheidiol ar gyfer swyddi o'r math hwn gan eu bod yn ymdrin â thrwch y boblogaeth gan gynnwys y lleiafrif uniaith Saesneg. Mae'n drawiadol bod Mary, chwaer Thomas Maddoc, a oedd yn ddisgybl-athrawes ac yn ddwyieithog yn byw ar yr un aelwyd. Yr oedd Mary yn un o bedair o ferched dwyieithog a gyflogid ym maes gwasanaethau cyhoeddus a phroffesiynol tra oedd y tair arall yn brifathrawesau. Hanai pob un o'r prifathrawesau o sir Gaerfyrddin, heblaw am Maud P. Thomas, a gofnodwyd fel ymwelydd o Risca, sir Fynwy. Dim ond Mary Griffiths, bydwraig o Lanelli, ac Emiah Maddox, post feistres o blwyf Llanarthne, oedd yn siaradwyr uniaith Gymraeg ac yr oedd y ddwy yn eu saithdegau.

Yn ôl Cyfrifiad 1891 yr oedd 42 o fasnachwyr ym mhlwyf Llan-non. Chwech yn unig o'r ugain o fasnachwyr a oedd yn ferched a

siaradai Saesneg a Chymraeg ac nid oedd yna siaradwyr uniaith
Saesneg. O'r chwech yr oedd pump yn gysylltiedig â'r fasnach fwyd
ac yr oedd Anne Jenkins yn cadw tŷ llety. Groseriaid oedd Emiah
Jones o Lan-non ac Emily Young o Saint George, ger Bryste; yr oedd
Louisa Richards yn werthwraig llysiau a ffrwythau a aned yn
Nhalacharn, tra oedd Edith ac Emily Walters, y ddwy o Gydweli ac yn
byw ym Maesderwen, yn brentisiaid. Yn byw ar aelwyd Maesderwen
hefyd yr oedd y penteulu, Thomas Greville, groser a dilledydd o
Langyndeyrn ac yr oedd yn un o un ar ddeg o ddynion dwyieithog a
fasnachai yn y plwyf. Unwaith eto, nid oedd yna fasnachwyr uniaith
Saesneg ac yr oedd hefyd un ar ddeg o siaradwyr uniaith Gymraeg.
O'r siaradwyr dwyieithog yr oedd pedwar yn ymwneud â'r fasnach
ddillad, chwech yn gysylltiedig â'r diwydiant bwyd ac un yn dafarnwr.
Cyfeiriwyd eisoes at Emily Young, a drigai yn Melbourne House ar
Heol Caerfyrddin ym mhentref Cross Hands, ac yr oedd ei gŵr,
William Henry o Portbury yn Lloegr, hefyd yn groser a siaradai
Gymraeg a Saesneg. Ar yr aelwyd, hefyd, yr oedd tri chynorthwy-ydd
dwyieithog, sef eu nai, Howard, a dau arall o blwyfi cyfagos
Llandybïe a Llanarthne. Yn wir, hanai pob un o'r masnachwyr
dwyieithog o sir Gaerfyrddin heblaw am William Henry Young.

Tafarnwr yn y Red Lion Inn, Llan-non a siaradai Gymraeg a
Saesneg oedd Thomas Thomas, yn wreiddiol o blwyf Llan-non. Yr
oedd y Red Lion Inn yn un o bum tafarn a gofnodir yn y sampl.
Tafarnwraig uniaith Gymraeg yn y Greyhound Inn yn yr un pentref
oedd Mary Anne Daniel ac yn yr un modd siaradwyr uniaith Gymraeg
a gadwai'r ddwy dafarn arall ym mhlwyf Llan-non yn 1891. Thomas
Jones o Lanelli oedd y tafarnwr yn y Tumble Inn, tra Thomas Jenkins,
yn enedigol o'r plwyf, a gadwai dafarn y Cross Hands. Yn ddi-os, y
dafarn oedd y ganolfan hynaf a'r unig fan cyhoeddus i gael pryd o
fwyd ac i aros dros nos. Yn ystod ei daith yn 1793 nododd Iolo
Morganwg yn ei ddyddiadur, 'Llannon. Cefais yma westy tan gamp.'
Mae'n debyg fod y Red Lion yn bod yr adeg honno, ynghyd â rhai
tafarnau eraill. Daeth yn fwy amlwg gyda chynnydd y Cymdeithasau
Cyfeillgar a fu'n cyfarfod yno.[11]

Profodd plwyf Llan-non, fel nifer o gymunedau eraill yn ne
Cymru, drawsnewidiad syfrdanol yn ystod ail hanner y bedwaredd
ganrif ar bymtheg. Datblygodd yr ardal a oedd yn amaethyddol i

raddau helaeth cyn 1850, yn ganolfan ddiwydiannol a gynigiai gyflogaeth i'r gweithlu lleol ynghyd â nifer o'r tu hwnt i ffiniau'r plwyf. Dengys tystiolaeth Cyfrifiad 1891 nad effeithiodd y newidiadau hyn yn ormodol ar Gymreictod yr ardal. Mae'n wir bod rhai a gyflogwyd yn y plwyf yn gallu siarad Saesneg ond nifer cymharol fychan oeddynt. Yn wir, dim ond 29 o unigolion, gan gynnwys dynion a merched, o gyfanswm y cyflogedig a gofnodwyd yn siaradwyr uniaith Saesneg. Yn ogystal, yr oedd y mwyafrif, sef 132 o'r rhai a gyflogwyd a siaradai Saesneg, hefyd yn siarad Cymraeg. Er y dysgid Saesneg yn yr ysgolion, ychydig iawn o blant a gofnodwyd yn siaradwyr Saesneg. Bu cryn fewnfudo i'r plwyf o blwyfi cyfagos yn sir Gaerfyrddin ynghyd ag ardaloedd ychydig ymhellach i'r gorllewin, a sicrhaodd hynny fod plwyf Llan-non, yn yr un modd â gweddill Cwm Gwendraeth, yn parhau yn un o gadarnleoedd y Gymraeg.

NODIADAU

[1]Lluniwyd y bennod hon ar sail ymchwil a wnaed yn y Ganolfan Uwchefrydiau Cymreig a Cheltaidd yn ystod y cyfnod Medi-Rhagfyr, 1998, yn sgîl sicrhau Ysgoloriaeth Syr Thomas Parry-Williams. Hoffwn ddiolch i'r Cyfarwyddwr, Yr Athro Geraint H. Jenkins, Dr Mari A. Williams a staff y Ganolfan, a hefyd fy nghyfarwyddwr ymchwil, Yr Athro Colin H. Williams, Adran y Gymraeg, Prifysgol Cymru, Caerdydd a staff Llyfrgell Genedlaethol Cymru am eu cymorth gwerthfawr.

[2]Cyflwynwyd gwybodaeth berthnasol gan Cefin Campbell, Cyfarwyddwr Mentrau Iaith Myrddin a staff Menter Cwm Gwendraeth.

[3]Geraint H. Jenkins, 'Na wadwch eich iaith: Y Cefndir Hanesyddol i Gyfrifiad 1891' yn Gwenfair Parry a Mari A. Williams, *Miliwn o Gymry Cymraeg* (Caerdydd, 1989), 1-20.

[4]John Davies, 'Y Gymraeg yn Nhreorci yn 1891' yn Hywel Teifi Edwards (gol.), *Cwm Rhondda* (Llandysul, 1985), 132.

[5]*Kelly's Directory of Monmouthshire and South Wales 1895* (Llundain), 452.

[6]Dot Jones, *Statistical Evidence Relating to the Welsh Language 1801-1911 / Tystiolaeth Ystadegol yn ymwneud â'r Iaith Gymraeg 1801-1911* (Caerdydd, 1998), 462-4.

[7]T.D. Gwynallt Pryce, *Tabor, Cross Hands, 1872-1972* (Llandysul, 1972), 27-30.

[8]James Morris, *Hanes Methodistiaeth Sir Gaerfyrddin* (Dolgellau, 1911), 97.

[9]ibid, 96.

[10]Eifion George, *Eglwys Annibynol Y Tabernacl, Cefneithin 1876-1976* (Llandysul, 1977), 51.

[11]Noel Gibbard, *Hanes Plwyf Llan-non* (Llandysul, 1984), 85.

'Neuadd y Cross'

Lyn T. Jones

Fe dybiwn i fod canran uchel iawn o ddarllenwyr 'Cyfres y Cymoedd' wedi teithio rywbryd trwy ardal y Mynydd Mawr a phentref Cross Hands. Yn 1696, cyfeiriodd Edward Lhuyd at 'Mynydd Mawr, ardal noeth a diffrwyth sy'n gomin o 6024 erw, ac oherwydd natur y tirwedd a'i sefyllfa eithriadol agored, nid yw yn atyniadol i ymfudwyr.' Yn yr ail ganrif ar bymtheg, defnyddid y tir comin gan ffermwyr i bori eu gwartheg arno ym misoedd yr haf, ac ymhen canrif arall, fel y prawf geiriau hanesydd lleol o'r enw Gladwin Henry, nid oedd fawr ddim wedi newid. Disgrifiodd 'a desolate uninviting common of gorse and moorland, devoid of human life except during the brief activities of the few seeking summer pasturage for their cattle, yet surrounded by prosperous farms with rich grazing fields and well tilled soil, where life moved on quietly through each succeeding year.'

Daearyddiaeth a daeareg a fu'n bennaf gyfrifol am ddatblygiad yr ardal. Fe'i trawsnewidiwyd pan ddechreuwyd cloddio calch – ac yn fwyaf arbennig, glo. Sylwodd John Leland ar gyfoeth glo'r Gwendraeth ar un o'i deithiau drwy'r ardal rhwng 1536-9, ac mae rhywfaint o dystiolaeth fod Iarll Carbery, o Gelli-aur, wedi dechrau mwyngloddio ym Mrynfuwch, ger Pen-y-groes, yn 1689. Gwaith tymor yr haf oedd twrio am lo, a hyd at ddiwedd y ddeunawfed ganrif fe ddenwyd llawer o ddieithriaid i'r ardal gan y gwaith tymhorol hwn. Dechreuodd nifer cynyddol ohonynt aros a chodi tai, ac mae storïau lawer am gweryla ac ymladd rhwng y brodorion a'r mewnfudwyr y tu allan i dafarn leol Cwm-y-glo.

Fel y dôi mwy a mwy o fewnfudwyr, tyfai'r gymuned gymysg o ffermwyr a glowyr o gwmpas y dafarn. Hyd yn oed y pryd hwnnw, arweiniai pedwar llwybr o Gwm-y-glo – un i'r gogledd-ddwyrain tua Llandeilo Fawr a Llandybïe, un i'r de-ddwyrain tuag at ddyffryn Llwchwr ac Abertawe, un i'r de-orllewin, o'r comin i gyfeiriad Llan-non a Llanelli, ac un i'r gogledd-orllewin drwy Borth-y-rhyd a Llanddarog i Gaerfyrddin. Oherwydd ei lleoliad ar y groesffordd, daeth y dafarn yn boblogaidd fel arhosfa i deithwyr gael newid ceffylau, gorffwys a bwyta, ond y mae rheswm amgenach sy'n esbonio pam y troes tafarn Cwm-y-glo yn Cross Hands Inn. Fe'i cofrestrwyd yn fan cyfnewid carcharorion a gâi eu cludo – a'u dwylo wedi eu croesi a'u clymu'n dynn – o garchar Caerfyrddin i garchar Abertawe a thu hwnt, a dyna ddwyn Cross Hands i arfer cyson. Ni chofrestrwyd Cwm-y-glo erioed yn enw ar y pentref, gan taw fel rhan o ardal y Mynydd Mawr yr adwaenid y lle cyn mabwysiadu'r enw, Cross Hands.

Ar ddechrau'r ugeinfed ganrif roedd sŵn dadeni crefyddol ym mrig y morwydd ac roedd y gofyn am ganolfan gymdeithasol i'r Mynydd Mawr wedi bod yn cyniwair ers tro. Roedd neuadd fechan eisoes wedi'i chodi yn Y Tymbl, ond gyda'r cynnydd ym mhoblogaeth y fro grymusodd yr ymgyrch dros gael canolfan yn Cross Hands yn sylweddol – yn wir, nid oedd ei chryfach ym maes glo de Cymru. Yn ystod ugain mlynedd cynta'r ganrif, lluosogodd sefydliadau'r gweithwyr nes bod 365 ohonynt i'w gweld ar hyd a lled y wlad. Daeth nifer ohonynt yn dra adnabyddus drwy Gymru gyfan ac roedd Neuadd Cross Hands yn un o'r rheini. Un arall oedd y 'Stiwt' yn Rhosllannerchrugog a roes lwyfan nodedig i'r ddrama a'r cyngerdd, ac sy'n dal i chwarae rhan bwysig yng ngweithgareddau diwylliannol gogledd-ddwyrain Cymru.

Yn 1904, fe ddaeth 'Diwygiad Evan Roberts' i Gwm Gwendraeth, fel i sawl ardal arall yng Nghymru, ac yn ddiddorol ddigon yn y flwyddyn honno yr aed ati i sefydlu neuadd gyhoeddus. Lluniwyd y gweithredoedd cyfreithiol i sefydlu 'Neuadd a Llyfrgell Gyhoeddus' gyntaf Cross Hands ar 10 Mehefin 1904, ac adlewyrchir natur y gymdeithas a oedd ohoni gan enwau a galwedigaethau'r unigolion a gymerodd y cam ffyddiog hwnnw. Dau ddoctor oedd Morgan Lloyd a David Henderson; siopwr yn y Garreg Hollt oedd Wiliam Greville; rheolwr pwll glo oedd David Farr-Davies; gwneuthurwr celfi oedd Evan Jones; dau atalbwyswr oedd David Roderick, Bridge Villa a David Jones, Gwili Villa; saer maen oedd John Mainwaring, Cross Hands Villa a naddwr cerrig oedd Griffith Mainwaring o Gors-las. Ac yr oedd saith arall yn lowyr, sef William Jones, Bancyffynnon; David Thomas, Brynteg; William Jones, Glanrhyd; Daniel Williams, Panteg; Rhys James, Brynawel; Levi Thomas, Coalbrook Villa a John Jones, Castell Holfen, Llanarthne.

Dyma'r ymddiriedolwyr a ddaeth yn berchnogion 'darn o dir yn mesur oddeutu pymtheg ar ugain o berciau, ym Mynydd Mawr ym mhlwyf Llannon ar y 14eg o Hydref 1904' ar gyfer codi neuadd gyhoeddus a llyfrgell yn yr ardal. Nodai'r gweithredoedd y dylid sefydlu pwyllgor rheoli o bymtheg, pob un ohonynt i gyfrannu punt tuag at y sefydliad yn ychwanegol at dâl aelodaeth o bum swllt y flwyddyn. Ysgrifenyddion cyntaf y pwyllgor rheoli oedd David Morgan Jenkins, Westlea, Cross Hands a William Lewis, Cefneithin, a'r trysorydd cyntaf oedd David Roderick. Cadeiriwyd y pwyllgorau cynnar gan David Farr-Davies, brodor o Ddowlais a ddechreuodd weithio dan-ddaear yn grwtyn ifanc iawn, cyn gwasanaethu fel swyddog pwll yn y Gelli yn y Rhondda Fawr. Daeth i Cross Hands yn 1899, ac fel rheolwr bu'n llwyddiant ysgubol, gan ennill parch mawr iddo'i hun gan y gweithwyr a phawb o'i gydnabod. Cafodd ei ddyrchafu fwy nag unwaith gan y perchnogion ac erbyn 1931 roedd yn gadeirydd y Monmouthshire and South Wales Coalowners' Association. Yn ŵr abl ac yn bersonoliaeth gref, roedd heb amheuaeth yn un o brif symbylwyr menter sefydlu neuadd gyhoeddus Cross Hands. Roedd ei frwdfrydedd dros ddiwylliant ac adloniant y trigolion yn tarddu o'i athroniaeth fel rheolwr a'r un oedd tarddiad ei gefnogaeth eithriadol i weithgareddau capeli ac eglwysi'r cylch.

I godi'r arian angenrheidiol i sefydlu'r Neuaddau Llesiant, y Neuaddau Coffa a Neuaddau'r Glowyr a sefydlwyd ar hyd a lled Cymru yn yr ugain mlynedd dilynol, cyfrannai'r gweithiwr arian i gronfa er mwyn y cynnal a'r cadw. Nid oedd y neuadd yn Cross Hands ronyn gwahanol. Cyfraniadau ariannol y glowyr – a pherchnogion y pyllau yn ogystal – a fu'n cynnal y Neuaddau Llesiant gyda'u llyfrgelloedd a'u cyfleusterau adloniant. Codwyd lefi o geiniog yr wythnos ar bob glöwr yng ngwaith Cross Hands, a rhwng y drifft a'r pwll fe olygai hynny o gwmpas mil o bobol. Dyna fil o geiniogau'r wythnos, oherwydd heb dalu'r lefi ni cheid gwaith yn y pwll na'r drifft. Roedd yn dipyn o gelc. Ac fe fu'n neuadd gyhoeddus go iawn. Bu pobol Cefneithin yn dadlau o'r dechrau'n deg taw yn y 'Cefen' y dylsid codi'r neuadd, a heb gefnogaeth trigolion Cefneithin fe fuasai'n llawer tlotach ar hyd y degawdau. O'r dechrau, yn ôl aelodau'r pwyllgor, byddai chwe deg y cant o gynulleidfaoedd y neuadd yn drigolion Cefneithin a'r Garreg Hollt. Mae'n wir dweud bod

Cefneithin, yn hanesyddol, yn Gymreiciach pentref na Cross Hands, ond cefnogwyd gweithgareddau'r neuadd ym mhob maes, boed ddrama, gyngerdd, eisteddfod neu gystadleuaeth darganfod talent.

Yn naturiol, roedd aelodau'r capeli lleol yn cyfrannu'n uniongyrchol i goffrau'r capeli, ond trwy eu hymwneud â gweithgareddau cerddorol a dramatig, roeddent ar yr un pryd yn cyfrannu at ac yn cyflenwi anghenion adloniadol y gymdeithas. Fe rôi hyn fwynhad nid yn unig i'r 'perfformwyr', ond i'r gymdeithas gyfan a fyddai wrth ei bodd yn mwynhau'r cynyrchiadau lliwgar, uchel eu safon, a lwyfennid yn y neuadd. Golygai hyn fod y capeli, hwythau, drwy weithgarwch eu haelodau, yn gwneud eu rhan i gadw drysau'r neuadd newydd ar agor ac yn ei defnyddio yn llwyfan i'w gweithgareddau hwy. Gwelodd yr Annibynwyr gyfle i fanteisio ar leoliad y neuadd mewn modd pur wahanol. Gan fod yna gryn bellter rhwng Bethania, Y Tymbl a'r Tabernacl yng Nghefneithin, gellid defnyddio'r neuadd newydd yn rheolaidd i ehangu neges 'Annibynia'. Sefydlwyd Ysgol Sul yno, a chynhaliwyd sawl gwasanaeth a chwrdd gweddi yno. Wedi'r cwbwl, onid oedd cysgod 'Diwygiad 1904' dros gyfnod sefydlu'r neuadd? O 1904 hyd at y Rhyfel Mawr, bu Bethania

'Neuadd y Cross'.

yn defnyddio'r lle yn gyson. Ac nid dim ond yr Annibynwyr a fanteisiodd arno. Pan ordeiniwyd gweinidog newydd ym Methel ym mis Hydref, 1909, cynhaliwyd y cyrddau ordeinio yn y neuadd, a pharatoi'r bwyd yn y capel rhwng cyrddau'r prynhawn a'r nos. Ac yn 1911 trefnodd Cymdeithas Lenyddol Bethel eisteddfod yn y neuadd o dan nawdd y capel am y tro cyntaf. Yn yr un flwyddyn fe'i defnyddiwyd i gynnal cyfarfodydd yr Henaduriaeth a oedd yn cwrdd yn Cross Hands am y tro cyntaf, ac fe gynhaliwyd 'Cyrddau Mawr' ynddi, droeon. Cyfeiriwyd droeon at bregethwyr Cymru yn troi'r pulpud yn llwyfan. Does dim cymaint o sôn amdanynt yn troi'r llwyfan yn bulpud!

Daeth y neuadd i fod yn lleoliad ac adnodd pwysig i bob capel ac eglwys leol, gan fod i bob un ei gwmni drama yn perfformio er mwyn codi arian. Roedd adnoddau'r neuadd yn berffaith i ddatblygu'r gweithgaredd hwnnw, ac i hwyluso codi safonau perfformio wrth i bob enwad gystadlu â'i gilydd ac ymroi i ragori. Am fod angen arian ar Bethel i godi adeilad newydd, cynhaliwyd eisteddfod arall ganddynt yn y neuadd yn 1916, a nodwyd bod swm o £11.7s 6c wedi ei gyflwyno i drysorydd cyffredinol y capel yn ei sgil. Roedd y neuadd yn gymaint rhan o fywyd y fro, fel i aelodau Bethel symud iddi yn gyfan gwbl am dri mis ar ddiwedd 1921 pan adeiladwyd estyniad i'r capel.

Ar lawer cyfrif, gellid honni taw'r ugain mlynedd rhwng y ddau Ryfel Byd oedd y cyfnod prysuraf a mwyaf toreithiog yn hanes y ddrama Gymraeg. Roedd llu o awduron yn ysgrifennu dramâu a lluoedd o gwmnïau yn eu perfformio. Mae John Ellis Williams yn cyfeirio at y cynhaeaf rhyfeddol yn ei atgofion, *Inc yn fy Ngwaed*: 'Cyn gynted ag y darfu'r Rhyfel Mawr Cyntaf ym 1918 ysgubodd y ddrama fel tân gwyllt drwy Gymru. Gwelodd yr eglwysi fod codi cwmni i berfformio drama yn costio llai ac yn gwneud mwy o elw na thalu i gantorion am gynnal cyngerdd.' Ym mis Chwefror, 1924, er enghraifft, llwyfannodd Cwmni Cymmrodorion Llanelli dair drama fer, sef *Dwywaith yn Blentyn* (R.G. Berry), *Gwraig o Wlad Us*, a *Moses Bach a'r Phrenologist*. Yn Lerpwl, mae sôn am naw ar hugain o gwmnïau drama Cymraeg wrthi ym mlynyddoedd canol yr 1920au. Yn Eisteddfod Genedlaethol Treorci, 1928, cynigiwyd £50 o wobr am ddrama wreiddiol Gymraeg – swm a fyddai erbyn heddiw yn cyfateb i rai miloedd – ac ymddangosodd tri ar ddeg o gwmnïau yn y brif gystadleuaeth chwarae drama. Yn ystod y cwta ugain mlynedd hyn, derbyniwyd 404 o ddramâu hir yng nghystadlaethau'r Eisteddfod Genedlaethol. Mor wahanol yw hi heddiw! Rhwng 1927 ac 1929 cyhoeddwyd y cylchgrawn *Llwyfan* gan Gynghrair y Ddrama Gymraeg gyda'r bwriad o hybu'r ddrama yng Nghymru a pharatoi'r ffordd ar gyfer sefydlu Theatr Genedlaethol, ac mewn erthygl yn y cylchgrawn hwnnw barnai D.R.Davies na fyddai codi arian yn broblem. Meddai: 'It does not have to mean a sumptuous addition to the amenities of Cathays Park . . . Why not the Miners' Welfare Fund? It spends One Million pounds a year on glorified billiard halls. Why not £10,000 on a National Theatre?'

O fesur eu gwerth o bellter y blynyddoedd, bu'r 'glorified billiard halls' hyn yn eu cyfnod yn fwy eu gwerth na'r un 'Theatr Genedlaethol'. Bu'r neuaddau hyn yn fodd i sbarduno cryn weithgarwch creadigol a rhoi llwyfan i rychwant o dalentau na chawsai gyfle onibai amdanynt. Doedd neuadd Cross Hands ddim gwahanol yn hyn o beth. Mewn ffordd, roedd y cannoedd neuaddau yn creu rhwydwaith o adnoddau a oedd yn cynnig posibiliadau math o theatr genedlaethol gwbwl wahanol i'r genedl. Mae'n werth nodi, hefyd, na chafodd Lloegr ei *'National Theatre'* am ddeugain mlynedd arall.

O ddyddiad ei hadeiladu yn 1904 hyd at 1926, ychwanegwyd sawl estyniad at 'Neuadd y Cross' ac mae'r *South Wales Press* yn cofnodi ar 9 Gorffennaf 1913 fod ystafelloedd darllen a phwyllgora, ynghyd â bwrdd biliards wedi eu hychwanegu yr haf hwnnw. Pan aed ati i adnewyddu yn 1992, fe sylweddolwyd fod un rhan sylweddol yng nghefn y neuadd, yn cynnwys y gegin a'r seler lle'r oedd y gwresogydd, yn dyddio o 1904, ond nid oedd modd ei arbed oherwydd bod y seiliau'n wantan, ac nid oedd unrhyw ffordd effeithiol i gadw'r lle'n gras. Penderfynwyd ailgodi'r rhan newydd yn ôl yr un cynllun â'r gwreiddiol, gyda gweddill y neuadd yn aros yn union fel yr oedd o 1926 ymlaen. Yn gynnar yn 1926, fel yr oedd yr adnewyddu yn mynd rhagddo, digwyddodd gŵr o Abertawe sylwi ar y gwaith wrth fynd heibio i'r lleoliad, ac fe gysylltodd â'r pwyllgor a chynnig gwelliannau i'r ffenestri a'r to. Derbyniwyd y gwelliannau hynny, a gosodwyd ffenestri a tho unigryw yn, ac ar, yr adeilad. Yn ôl

'Neuadd y Cross'.

a ddeellir, yn yr 1920au roedd yna ffasiwn neu ysgol adeiladu newydd yn Ffrainc, ac roedd y gŵr o Abertawe wedi cael ei swyno gan y bersaernïaeth honno. Y canlyniad oedd bod ffenestri a tho 'Neuadd y Cross' yn unigryw o ran adeiladau yng Nghymru. Pan aed ati i adnewyddu yn ddiweddar, llwyddwyd i gadw'n glòs iawn at y cynllun gwreiddiol, ond newidiwyd yr hen ffenestri metel, rhydlyd am ffenestri cyfoes a diddos.

Tra bu mewn bod, bu'r neuadd yn ddibynnol ar y diwydiant a'i cododd, a diddorol yw nodi effaith Streic Fawr 1926 ar y gymuned a'i sefydliadau, pan fu'r gweithiau glo yn segur am saith mis, a phan gynhaliwyd sawl cyfarfod undeb yn y capeli a'r neuadd 'to seek from the Lord a compromise between Masters and workers during the crisis of the strike'. Ym mis Mai, 1927, daeth cynifer o bobol i'r 'Cyrddau Mawr' ym Methel yn y prynhawn, fel y bu'n rhaid iddynt symud y cwrdd nos i'r neuadd i glywed y Parchg. W.J.Lunt. Ym mis Tachwedd yr un flwyddyn, digwyddodd yr un peth eto pan ddaeth y Parchg. D. Teifi Davies, Hirwaun yno i bregethu. Ac at hynny, fe barhâi'r capeli i ddefnyddio'r neuadd yn gyson pan fyddai drama i'w hactio neu gyngerdd i'w gynnal er mwyn clirio dyledion. Pwysai'r dyledion yn drwm ar ysgwyddau swyddogion Bethel, ac yn ymateb i hyn aeth Capten A.E.Edwards ati i sefydlu Cwmni Drama Bethel, yn benodol i godi arian. *Yr Oruchwyliaeth Newydd* (Ieuan Griffiths) oedd y cynhyrchiad cyntaf, ac fe lanwyd y neuadd yn ogystal â festrïoedd capeli a neuaddau pentrefi ledled gorllewin Cymru. Yn wir, cafodd y cwmni yr ail wobr yng nghystadleuaeth actio drama hir yn Eisteddfod Genedlaethol Dinbych, 1939.

Wedi bwlch yng ngweithgareddau'r cwmni drama dros gyfnod y rhyfel, fe'i ailffurfiwyd yn 1946, a'r Capten bellach yn Uwchgapten Edwards. Y tro hwn llwyfannwyd y gomedi, *Dwy Frân Ddu* (Eynon Evans), yn llwyddiannus yn y neuadd ac ar daith, a chodwyd arian sylweddol. Bu'r cwmni hefyd yn gyfrifol am gynyrchiadau lliwgar o weithiau megis *Holiday on the Sands, Agatha,* ac *Ymgom yr Adar* (Joseph Parry) ar lwyfan Neuadd Cross Hands, o dan arweiniad ac ysbrydoliaeth cynhyrchwyr fel T. Morgan Evans a David Bevan Owen. Sefydlwyd cwmni drama Saesneg o dan arweiniad yr Uwchgapten Edwards hefyd ac yn sgil ei lwyddiant cynhaliwyd nifer o wyliau drama poblogaidd yn 'Neuadd y Cross'.

Ar hyd y blynyddoedd, o'r ugeiniau tan y chwedegau, bu llif cyson o gwmnïau amatur Cymraeg da yn ymweld yn rheolaidd â'r neuadd. Yn flynyddol, roedd dyddiadau penodol yn y calendr ar gyfer Cwmni Dan Matthews o Bontarddulais – a gafodd lwyddiant ysgubol yn chwarae drama orau D.T. Davies, *Ephraim Harris*, mor gynnar ag 1921 yn Eisteddfod Genedlaethol Caernarfon – Cwmni Pont-henri, Cwmni'r Cawdor o'r Garnant, Cwmni 'Twm Mercury' o Lanelli, a Chwmni Edna Bonnell o'r Pwll. Yn wir, bu gweld actio *Cyfrinach y Fasged Frwyn* (D. Gwernydd Morgan) gan Gwmni Dan Matthews yn 1937 yn rhyw fath ar droedigaeth gelfyddydol i fachgen ifanc lleol o'r enw Brin Davies, gan taw dyna'r sbardun a ddihunodd ei ddiddordeb mawr yn y ddrama, y theatr a'r llwyfan. Mae'r ysfa honno wedi parhau ar hyd y blynyddoedd – bu Brin yn actio a chynhyrchu dramâu yn gyson yn ystod ei yrfa fel athro a phrifathro yn Cross Hands – ac mae'n dal i gynhyrchu i Gwmni Cross Hands ym mlwyddyn gynta'r mileniwm, dros hanner canrif yn ddiweddarach!

Pennod fywiog yn hanes 'Neuadd y Cross' yw'r cyfnod yn yr 1930au pan gynhelid nosweithiau 'Go as you please' – nosweithiau darganfod doniau newydd. Deuent o bob cwr o'r wlad, yn denoriaid,

Brin Davies.

yn sopranos, yn grwpiau siop barbwr, a hyd yn oed grwpiau acordion! Denai'r nosweithiau hyn gystadleuwyr a chefnogwyr, yn ogystal â rheolwyr theatrau yn Abertawe a Chaerdydd, a chynrychiolwyr y BBC. Ym mlynyddoedd ola'r tridegau, ffurfiwyd y Mynydd Mawr Council for the Arts. Dyma ragflaenydd y Cymdeithasau Celfyddyd Rhanbarthol mae'n siŵr, a ffurfiwyd y corff gan Gyngor Celfyddydau Prydain. Y bwriad oedd hybu diwylliant ac adloniant o fewn ardaloedd ar hyd a lled Prydain, a dyma'r cyfnod a welodd drefnu teithiau drama cenedlaethol yng Nghymru am y tro cyntaf. Tom James, y Siop Gerdd, a'i feibion, Emlyn a Cis,oedd yn bennaf gyfrifol am y fenter yn ardal Cross Hands. Yn naturiol, cerddoriaeth oedd prif ddiddordeb y teulu, ac un o'u cyfraniadau mawr oedd ffurfio côr lleol er mwyn llwyfannu operâu yn y neuadd. Yr opera gyntaf a gynhyrchwyd ynddi oedd *Hansel and Gretel* (Humperdinck) ar ddechrau'r 1940au. Dyna'r llwyfaniad amatur cyntaf o'r opera a chafwyd caniatâd arbennig i'w llwyfannu oherwydd bod y Council for the Arts yn talu ffi i gynhyrchydd proffesiynol – Thomas Taig o Goleg Bryste yn yr achos hwn. Trefor James, gŵr lleol ac athro celf yn Ysgol Ramadeg y Gwendraeth, oedd yn cynllunio ac adeiladu'r set, a byddai pob cynhyrchiad yn llanw'r neuadd am wythnos a

Perfformio *Samson a Delilah* yn 'Neuadd y Cross' ar ddiwedd y 1940au.

hanner. Perfformiwyd cyfres o operâu ar lwyfan y neuadd hyd at ddechrau'r pumdegau, gan gynnwys *Cavalleria Rusticana* (Mascagni), *La Vida Breve* a *Samson and Delilah* (Saint-Saëns). Cantorion lleol fyddai'n cymryd y prif rannau lleisiol yn aml, ynghyd â chorws lleol a cherddorfa lawn leol yn cyfeilio.

Yn ogystal â threfnu perfformio opera ac operâu ysgafn, bu'r Mynydd Mawr Council for the Arts yn gyfrifol am wahodd cerddorfeydd adnabyddus o bedwar ban byd, gan gynnwys rhai o Awstralia a'r Unol Daleithiau, ac ym maes y ddrama croesawyd teithiau cynnar Cyngor Celfyddydau Prydain yn ogystal â chynyrchiadau gan gwmnïau lleol o ddramâu poblogaidd fel *Corn Beca* (Gwynne D. Evans) ac *Y Ffordd* (T. Rowland Hughes). Roedd yn dipyn o fenter i ardal gymharol brin ei phoblogaeth. Mae'n werth cyfeirio at un cyngerdd penodol yn ystod ail hanner y 1940au am ei fod dipyn gwahanol i'r rhai arferol yn y neuadd. Yn Llanddarog, rhyw bedair milltir i ffwrdd, roedd gwersyll i garcharorion o'r Eidal, i ddechrau, ac yna i Almaenwyr. Ffurfiwyd cerddorfa fechan gan y carcharorion Almaenig a rhoddwyd sawl perfformiad gan yr 'ensemble' ar hyd a lled gorllewin Cymru, gan gynnwys Neuadd Cross Hands.

Ystyrid 'Neuadd y Cross' yn ganolfan berfformio o'r radd flaenaf yn y cyfnod o boptu'r Ail Ryfel Byd, ac fe gafwyd grant sylweddol drwy gefnogaeth y Mynydd Mawr Council for the Arts i brynu system oleuo soffistigedig iawn a fyddai'n gallu troi'r llwyfan yn lle hud a lledrith ac a fyddai'n ddigon hwylus i'w ddwyn i neuaddau eraill i gyflawni'r un wyrth. Mae hanesyn am Aneurin Bowen, trydanwr i'r Bwrdd Glo a goleuwr Theatr Fach Cross Hands yn ei amser sbâr, yn defnyddio'r system newydd ar daith am y tro cyntaf yn Neuadd Clunderwen, ac am chwarter wedi saith yn llwyddo i ddiffodd holl oleuadau'r pentref. I arbenigwr ar oleuo'r twneli cul yng nghrombil y pwll glo, doedd ailgysylltu pobol Clunderwen â'u trydan fawr o broblem, a llwyddwyd i ddechrau'r perfformiad am hanner awr wedi saith. Tyfodd sawl chwedl lên gwerin am ddefnyddio naill ai stribed o bapur arian bar siocoled, neu'r leinin i becyn ffags! 'Sneb yn gweud!

Yn 1946 ailglymwyd y cwlwm rhwng y capeli a'r neuadd pan ailsefydlwyd Cwmni Drama Bethel gan yr Uwchgapten Edwards. Ar ôl dau berfformiad cyflwynwyd siec o £100 i'r achos gan aelodau'r cwmni. Yn yr un cyfnod, daeth dau golier lleol i amlygrwydd ar lwyfan 'Neuadd y Cross' – Shoni a Iori – cyn i'w talent ymledu yn y pumdegau ymhell tu hwnt i ffiniau'r Mynydd Mawr. (Iori oedd tad y diweddar sgriptiwr a diddanwr, Ronnie Williams). Tyfodd poblogrwydd cyngherddau corawl a chyngherddau ysgafn, hefyd, ac allan o'r poblogrwydd corawl daeth dau enw arall i'r amlwg, enwau a ddaeth yn gyfarwydd i'r genedl mewn amser byr iawn – sef Jac a Wil. Mae'r storïau am y modd y darganfuwyd Jac a Wil bron mor niferus â'r recordiau a werthwyd ganddynt. Am gyfnod nid oedd deuawd hafal iddynt yng ngolwg y werin. Roedd gwerthiant eu recordiau sentimental-grefyddol yn wyrth a bu'r ddau, ynghyd ag eraill o sêr radio'r cyfnod, megis Triawd y Coleg, yn fodd i greu marchnad i recordiau ysgafn Cymraeg am y tro cyntaf yn hanes y diwydiant adloniant. Pan chwalwyd stiwdio'r BBC yn Abertawe gan fomiau'r Lufftwaffe yn 1941, symudwyd i stiwdio fach yng Nghaerfyrddin, ac addaswyd 'Neuadd y Cross' yn stiwdio fawr ar gyfer cyngherddau o bob math. Ar un wedd, parhaodd y traddodiad hwnnw hyd heddiw, gan fod cyfresi o nosweithiau llawen a dramâu yn denu'r tyrfaoedd i'r neuadd.

Yn ddiddorol, pan aed ati i adnewyddu'r neuadd yn 1992, roedd y gwifrau a osodwyd ar gyfer darlledu a chysylltu'r neuadd â chanolfan y BBC yn Park Place yn dal yno. Dangosodd y BBC flaengaredd rhyfeddol drwy ddefnyddio brwdfrydedd trefnwyr lleol Cross Hands i greu cynulleidfaoedd a hybu talentau ar gyfer y Welsh Home Service, a'r neuadd yn aml iawn yn lleoliad i nifer o raglenni Cymraeg y gwasanaeth. Tyfodd rhaglenni megis *Raligamps* dan arweiniad Alun Williams, ac *Aelwyd y Gân* o dan lywio medrus Morfudd Mason Lewis ac Emrys Cleaver, yn rhan annatod o'r diwylliant radio am flynyddoedd. Roedd cysylltiad Emrys Cleaver â 'Neuadd y Cross' yn mynd nôl flynyddoedd cyn hynny, oherwydd cyfeiriodd at weld chwarae dramâu ar ei llwyfan fel y sbardun a'i symbylodd i fynd ati i gyfarwyddo. Meddai yn 1974 wrth hel atgofion am ei arddegau: 'Bûm yn gweld dramâu pan yn ifanc yn Neuadd Gyhoeddus Cross Hands – tair neu bedair milltir o gerdded . . . dramâu mawr cyffrous yr adeg honno, megis *Maesymeillion* ac *Aeres Maesyfelin* (Rhys Evans). Efallai mai hynny oedd yr ysbrydoliaeth fwyaf. Fodd bynnag, gwnaethant argraff ddofn ar y pryd . . . a gwnaeth Neuadd Cross Hands gyfraniad helaeth iawn ym myd y ddrama a meysydd eraill y diwylliant Cymreig. Yn y blynyddoedd hyn roedd drama bron bob nos Sadwrn yn Neuadd Cross Hands. Yma y gwelsom gynta Gwmni Dan Mathews, Cwmni Eddie Parry, a Chwmni Derwenydd Morgan yn llwyfannu *Ephraim Harris* a *Cyfrinach y Fasged Frwyn* ac ar ddiwedd y tridegau cofiaf wefr dramâu fel *Tân yr Hydref* a *Dros y Gorwel*, *Cyfrinach y Môr* ac wrth gwrs *Pobol yr Ymylon* . . .' Dyna dystiolaeth glir am gyffro'r ddrama ar lwyfan 'Neuadd y Cross'.

Gyda'r angen am lo wedi cynyddu drwy'r tridegau a dechrau'r pedwardegau, a ffyrdd newydd o'i gloddio yn cael eu mabwysiadu, roedd disgwyl i Cross Hands wynebu cyfnod euraid – ond nid felly y bu. Wedi canrif o gloddio am lo, caewyd pwll Cross Hands yn 1949, er bod miloedd ar filoedd o dunelli o lo o'r safon orau yn dal ar ôl yng nghrombil y ddaear. O edrych yn ôl, y mae'n bosibl gweld patrwm o gau'r pyllau yn datblygu er 1903, yn rhannol oherwydd problemau daearegol dybryd a oedd yn gwthio'r gwythiennau glo yn ddyfnach ac yn ddyfnach i grombil y ddaear. Am gyfnod yn nechrau'r pumdegau, edrychai fel pe gallai pentre Cross Hands droi yn ddiffeithwch llwyr, yn gragen wag. Ond rhywfodd, llwyddodd nifer o'r cyn-lowyr i gael gwaith mewn diwydiannau ysgafn newydd, tra oedd eraill yn cael eu cludo i'r fenter gloddio newydd yng Nghynheidre, rhyw saith milltir i

'Neuadd y Cross'.

lawr y cwm tuag at y môr. Bellach, yr unig dystion i'r ffrwydriad diwydiannol gynt yw olion hen drac y rheilffordd, adfeilion hen bontydd lein y 'Llanelly and Mynydd Mawr Railway' a sefydlwyd yn wythdegau'r bedwaredd ganrif ar bymtheg, ac ambell ddarn o dir y mae llwch y glo caled yn drwch ar ei wyneb ar ôl gwastatáu'r pyramidiau duon a arferai sefyll uwch llawr y fro. Does fawr ddim olion bellach i ddynodi hyd yn oed ble'r oedd Cynheidre chwaith – difodwyd ffordd o fyw'r ardal yn llwyr. O fod yn bentref o bron pedair mil o drigolion ar ddiwedd y tridegau, erbyn 1949 dim ond ychydig dros ddeunaw cant oedd yn aros yn Cross Hands. Yn rhyfeddol, erbyn 1965 rhifai'r boblogaeth eto 3857, ac ar ddechrau'r trydydd mileniwm y mae dipyn dros 5000. Y pris i'w dalu am hyn oedd twf diwydiannau ysgafn a olygai fod Cross Hands yn fwy o 'ganolfan fusnes' nag o bentref. Awgrymodd un brodor taw'r rheswm bod cynifer yn dod i Cross Hands yw bod yno'r fath ddewis o ffyrdd i fynd oddi yno!

　　Ar ddechrau'r pumdegau roedd gwyliau drama yn boblogaidd ac o gofio'r traddodiad yn Cross Hands digon naturiol oedd gweld pwyllgor y neuadd, gyda chymorth brwd yr Uwchgapten Edwards, yn trefnu gŵyl ddrama a fyddai'n denu cwmnïau o bell ac agos. Dros gyfnod o bum mlynedd gwelwyd actio da gan y Tenby Players a enillodd y llawryf fwy nag unwaith wrth berfformio dramâu megis *The Glass Menagerie* (Tennessee Williams); Chwaraewyr y Castell, Pen-y-bont ar Ogwr a fu'n actio *Johnny Belinda* (Elmer Harris), dyma'r cwmni yr ymunodd Huw Ceredig ag ef yn ddiweddarach; a chwmnïau eraill dawnus megis yr ARP Players o Abertawe, Cwmni Tredegar a Chwmni Theatr Fach Llandrindod. Roeddent bob un yn gystadleuwyr brwd iawn, yn teithio o ŵyl i ŵyl wedi paratoi dwy neu dair drama, gan ddewis y ddrama briodol i'w hactio ar ôl dwys ystyried gofynion tebygol y beirniad a chwaeth debygol y gynulleidfa. Roedd perthynas waed rhwng yr ŵyl ddrama a'r eisteddfod heb os!

Yn gymdeithasol, canolwyd gweithgareddau'r pentref ar y capeli a'r neuadd, ond gyda'r cwymp ym mhoblogrwydd crefydd, tyfodd poblogrwydd y clwb cymdeithasol. Mae tri chlwb yn yr ardal – Clwb y Gweithwyr, Clwb y Lleng Brydeinig a Chlwb y Cefen (Cefneithin), ac mae'r tri yn cynnig eu mathau gwahanol o adloniant. Er gwaetha'r gystadleuaeth hon, llwyddodd 'Neuadd y Cross' i chwarae rhan bwysig drwy gynnal yr ochor ddiwylliannol. Bu'n llwyfan i gynyrchiadau a fu'n fodd i feithrin talentau perfformio o fewn yr ardal ac yn y pumdegau rhoes lwyfan i un o ysgrifenwyr mwyaf diwyd bro'r Mynydd Mawr, sef Gwynne D. Evans a ddaeth adref o'r fyddin yn 1947 i godi'r llen ar gyfnod heulog yn hanes y ddrama leol. Ymunodd gyda'r Jamesiaid ac eraill o dan ymbarél y 'Council for the Arts', a bu'r criw yn llwyddiannus dros ben yn denu grantiau a chefnogaeth ymarferol i'r Cwmni Drama.

Llwyfan 'Neuadd y Cross' a roddodd amlygrwydd cenedlaethol i Gwynne D. Evans yn y pumdegau, ond ni fyddai neb yn gwadu iddo

Gwynne D. Evans

yntau greu sôn amdani hi fel cartref i'r ddrama lwyfan Gymraeg ar ôl llanastr yr Ail Ryfel Byd. Rhoes ei ddramâu hwb i'r theatr Gymraeg yn ei ddydd ac mae pori yng nghyfrolau *Cyfansoddiadau a Beirniadaethau* yr Eisteddfod Genedlaethol yn y pumdegau yn brawf o'i ymroddiad. Ystyrier ei lwyddiannau:

i) *Brwydrau Cudd*. Drama hir fuddugol Eisteddfod Genedlaethol Aberystwyth, 1952. Drama wedi'i lleoli mewn seler a oedd yn brif swyddfa i'r Fyddin Gudd ar ôl i'r gelyn goncro Cymru. Fe'i cyhoeddwyd gan Wasg Aberystwyth yn 1955.

ii) *Glo Caled*. Drama hir fuddugol Eisteddfod Genedlaethol Y Rhyl, 1953. Drama am effeithiau dwst y garreg ar y glowyr ac effaith damwain dan-ddaear ar gymuned gyfan.

iii) *Lili'r Gwendraeth*. Drama hir i ieuenctid a ddyfarnwyd yn orau yn Eisteddfod Genedlaethol Ystradgynlais, 1954.

iv) *Corn Beca*. Drama hir fuddugol yn Eisteddfod Genedlaethol Pwllheli, 1955. Drama am 'Helynt y Beca' yn adlewyrchu pennod yn hanes bro'r dramodydd. Fe'i cyhoeddwyd gan Wasg Aberystwyth yn 1961.

v) *Glo i'r Marwor*. Drama hir fuddugol yn Eisteddfod Genedlaethol Llangefni, 1957. Drama am ddarganfod glo ar Waun y Ffrwd, am wrthdaro rhwng gweithiwr a pherchennog, am dwf undebaeth – mewn pentref dychmygol o'r enw Cwmderi!

Y mae ei gyfraniad, yn wir, yn haeddu ei gofio.

Fe fu'r sbardun eisteddfodol yn bwysig i Gwynne D.Evans heb os. Manteisiai weithiau ar farn y cwmni lleol ar ei ddrama cyn ei hanfon i gystadleuaeth; bryd arall fe âi ati i'w chymhwyso ar ôl cael y feirniadaeth swyddogol. Bu'r degawd yn un ffrwythlon iddo ef a chwmni Theatr Fach Cross Hands, ac un o'r dramâu cyntaf iddo'i chyfarwyddo ei hun oedd *Lili'r Gwendraeth*. Trevor James, yr athro celf, fyddai fel arfer yn cynllunio'r set yn Ysgol Ramadeg y Gwendraeth a byddai Brin Davies ac eraill yn ei helpu i'w hadeiladu a'i phaentio. Ar gyfer yr ymarfer olaf, rhaid oedd dod â'r set o'r ysgol i'r neuadd yn lori Eddie Morfa. Gŵr tra gofalus o'r enw Dai James oedd gofalwr y neuadd ar y pryd ac mae Brin Davies yn cofio'r noson yn glir pan ddaliai'r drws ar agor er mwyn iddynt ddod â'r set i mewn. Ar ôl cario cyson am ryw ugain munud, dyma Aneurin Bowen, y dyn goleuo, yn awgrymu'n garedig:

'Dai, pam na nei di roi bricen i ddala'r drws ar agor, fydd dim ishe i ti sefyll fanna wedyn?'

'Bachan yffarn, ma rhaid i fi watsho na fydd 'run ohonoch chi'n marco'r drws ma.'

Hanner awr yn ddiweddarach, a Brin Davies yn dal i gario:

'Bachan yffarn, Brin, beth sy mlân da ti ma te? Pan ma Dan Matthews yn dod ma bachan, ma fe'n cario ford a pheder cader miwn, a ma da ni ddrama i ga'l. Beth yffarn ti'n meddwl sda ti fan hyn? Brin bach, allet ti gario miwn ma am wthnos gyfan, a fydde da ti ddim drama i ga'l hyd no'd wedyn!'

Wedi cyfnod o lawnder, yn nechrau'r chwedegau fe ddaeth cyfnod o dlodi, a chynnal clinig dyddiol gan ddoctoriaid lleol yn ystafelloedd cefn y neuadd fu unig achubiaeth 'Neuadd y Cross'. Y rhent o'r clinig dyddiol hwn oedd unig incwm y neuadd bron, ac eithrio ambell sioe lwyfan gan rai o sêr mwyaf adnabyddus Cymru'r cyfnod, ambell Eisteddfod Ffermwyr Ifanc, a dawnsfeydd nos Sadwrn a ddeuai â'u problemau cymdeithasol eu hunain! Am weddill yr wythnos, Bingo oedd yn frenin, yn creu elw sylweddol i'r trefnwyr, ond heb roi'r un geiniog o incwm i bwyllgor y neuadd. Pan adeiladwyd Canolfan Feddygol newydd a symud y clinig allan o'r neuadd, roedd yn ergyd a oedd i bob golwg yn ergyd farwol.

Ym mlynyddoedd ola'r chwedegau, roedd perchen Cwmni Recordiau Cambrian, Jo Jones, yn gweithredu fel 'entrepreneur' i'r farchnad adloniant Gymreig newydd-anedig. Roedd y farchnad, o dan ddylanwad cynnar y teledu, yn brwydro i dorri'n rhydd o lyffethair yr hen noson lawen draddodiadol i anturio i fyd y Paladiwm neu'r Grand. Sêr Jo Cambrian oedd Ryan a Ronnie, Tony ac Aloma, yr Hennessys, Bryn Williams, Janice Thomas a Margaret Williams ac roeddent yn torri tir newydd trwy ddefnyddio cerddorion proffesiynol i gyfeilio iddynt. Cam mawr ymlaen oedd cyfnewid cyfeiliant piano (ansicr ei dôn weithiau!) am gyfeiliant triawd o biano (Benny Lichfield neu Ted Boyce), drymiau (John Tyler) a gitar fas (Roger Gape neu'r diweddar Derek Boote.) Roedd y defnydd a wnaed o Bedwarawd Ralph Edwards ar y rhaglen radio 'Raligamps' wedi

Ryan a Ronnie yn paratoi i berfformio.

dangos y ffordd ymlaen. Trefnodd Jo y nosweithiau hyn yn 'Neuadd y Cross', yn bennaf er mwyn hybu'r artistiaid a oedd yn recordio i Cambrian, o dan arweiniad y bytholwyrdd Alun Williams, neu gywion diddanwyr megis Glan Davies, Alun Lloyd a Hywel Gwynfryn, ac roedd yn ddigon amlwg ei fod yn ateb galw cynyddol gan fod y neuadd yn llawn dop bob tro. Roedd yr ochor hon o'r gweithgareddau yn hollbwysig i ffyniant y neuadd, ac erbyn troad y degawd roedd 'Neuadd y Cross' yn llawn difyrrwch, diddanwch a diwylliant. Mae'r traddodiad wedi para'n fyw hyd heddiw, diolch i Ifan Davies (Ifan JCB fel y'i hadwaenir gan wylwyr S4C) sy'n trefnu nosweithiau'n rheolaidd i godi arian i elusennau, a phob un ohonynt yn 'llanw'r tŷ' gan ddenu cefnogwyr i'r gynulleidfa o mor bell i ffwrdd â Hwlffordd ac Aberhonddu.

Ar ddechrau'r saithdegau derbyniwyd y siec olaf gan y diwydiant glo – siec am £3-50 nad oedd yn ddigon i dalu am ddefnydd glanhau'r ffenestri! Ond roedd cyfnod arall o ddadeni wedi gwawrio yn 1964 pan sefydlwyd y Welsh Theatre Company/Cwmni Theatr Cymru. Cwmni oedd hwn a ddechreuodd gynhyrchu dramâu Saesneg yn broffesiynol i'w teithio ar hyd a lled Cymru, ac o dan ei aden y llwyfannwyd rhai o'r cynyrchiadau proffesiynol cyntaf yn y Gymraeg. Erbyn 1967 roedd y perfformiadau Cymraeg yn tyfu yn eu poblogrwydd. Y flwyddyn honno, yn Eisteddfod Genedlaethol Y Bala, sefydlwyd Cymdeithas Theatr Cymru ac ymunodd 2500 o aelodau yn ystod y flwyddyn gyntaf. Pan sylweddolwyd fod arian aelodau'r Gymdeithas wedi ei lyncu i dalu dyledion y cwmni Saesneg, cymerwyd y cam a newidiodd lwybr y theatr Gymraeg yn llwyr – ffurfiwyd Cwmni Theatr Cymru yn gwmni Cymraeg annibynnol. Blwyddyn ar ôl ei sefydlu yn gwmni llawn-amser, gyda Gaynor Morgan Rees, Beryl Williams a John Ogwen yn gnewyllyn iddo, ymwelodd yn swyddogol am y tro cyntaf â 'Neuadd y Cross' pan berfformiwyd *Dawn Dweud* yng ngwanwyn 1969. Ar 9 Ionawr 1970 daeth Cwmni Opera Cenedlaethol Cymru i agor y ddegawd newydd trwy berfformio opereta Johann Strauss, *Die Fledermaus*. Roedd gan y neuadd bwyllgor brwdfrydig o dan arweiniad cryf y prifathro lleol, Brin Davies, a oedd wastad yn barod i fentro, ac fe osodwyd seiliau cadarn a sicrhaodd lwyddiant ysgubol am ddegawd cyfan. Yn ystod 1972 llwyfannwyd dau gynhyrchiad newydd gan Gwmni Theatr Cymru yn 'Neuadd y Cross' a phob sedd yn llawn. Ar 19 Hydref, profwyd y wefr o weld y diweddar Charles Williams, y diweddar Barchedig Elfed Lewis – un o blant Cefneithin – ac Elen Rogers Jones yn cyflwyno *Twm o'r Nant*, a mis yn ddiweddarach, ar 24 Tachwedd, goleuwyd y llwyfan gan berfformiadau grymus Nesta Harris, Olwen Rees, Frank Lincoln a Gwyn Parry yn *Pethau Brau*, addasiad Emyr Edwards o *The Glass Menagerie* (Tennessee Williams). Dyna ddechrau degawd a welodd ymweliadau cyson gan Gwmni Theatr Cymru.

Yn ystod y cyfnod hwn, hefyd, ymgymerodd Cwmni Theatr Fach Cross Hands â'r cyfrifoldeb o ddechrau'r gyfres o berfformiadau o *Under Milk Wood* (Dylan Thomas) mewn pabell fawr yn Nhalacharn bob haf. Esgorodd y perfformiadau llwyddiannus hynny yn eu tro ar gyfieithiad arobryn T. James Jones, *Dan y Wenallt*, gwaith sy'n gampwaith creadigol yn ei hawl ei hun. Dan ysgogiad y cynyrchiadau a'r profiadau hyn y tynnodd T.James Jones y talentau at ei gilydd i lwyfannu – gyda chefnogaeth dechnegol Cwmni Theatr Cymru – y sioe lwyfan uchelgeisiol, *Dewin y Daran*, ym Mhafiliwn Eisteddfod Genedlaethol Caerfyrddin yn 1974.

Wilbert Lloyd Roberts oedd symbylydd Cwmni Theatr Cymru a'r gŵr a gynlluniodd yr aden farchnata unigryw drwy sefydlu Cymdeithas Theatr Cymru a'i rhwydwaith o gynrychiolwyr ar hyd a lled Cymru. Yn Cross Hands, yr un a oedd yn bennaf gyfrifol am werthu tocynnau a lledaenu gwybodaeth am gynyrchiadau'r cwmni oedd Mrs Irene Bromley James, Ffordd Llandeilo, ac fe gâi gymorth gan bobol fel Brin Davies ac Ernest Evans a ddaeth yn 'seren' fel y Sarjant gwreiddiol yn y gyfres *Pobol y Cwm*. Wedi sefydlu'r Gymdeithas fe wireddodd Wilbert freuddwyd arall pan lansiodd fenter o stabl Cwmni Theatr Cymru a ddatblygodd yn ddigwyddiad blynyddol hynod o boblogaidd – y pantomeim Cymraeg. Bu'r 'panto' yn llenwi neuaddau ledled Cymru, gan gynnwys 'Neuadd y Cross', am y rhan orau o ddegawd, ac mae cenhedlaeth gyfan o blant – a rhai hŷn o lawer – yn dal i gofio *Mawredd Mawr*, *Gweld Sêr*, *Dan y Don*, *Pwyll Gwyllt*, *Madog*, ac *Afagddu*. Mater syml o deithio oedd hi i ddechrau – un perfformiad neu dri ar y mwyaf mewn neuaddau gorlawn – a symud ymlaen. Ond bu'n rhaid ymestyn y tymor perfformio yn flynyddol nes i gynyrchiadau ola'r pantomeim redeg yn 'Neuadd y Cross' am ugain a mwy o berfformiadau. Dôi bysiau o bell ac agos, o sir Benfro a sir Frycheiniog, o Forgannwg a hyd yn oed o Lundain, nes y daeth Neuadd Cross Hands rhwng 1971 ac 1977, fel Theatr Gwynedd ym Mangor, yn fath o ddrych i ddiwylliant Cymru. Llwyfannwyd dramâu Saesneg a Chymraeg ynddi, a llanwyd y neuadd gan chwerthin wrth wrando a gwylio *Ryan a Ronnie* a sêr y byd adloniant Cymraeg yn torri tir newydd. Ac at hynny, gwelwyd ynddi hefyd filoedd o ieuenctid y fro yn cystadlu yn eisteddfodau'r Urdd ac eisteddfodau Clybiau'r Ffermwyr Ifanc bob blwyddyn.

Tyfodd Cross Hands a bro'r Mynydd Mawr o'r 'barren moorland' a ddisgrifiwyd yn yr ail ganrif ar bymtheg. Peidiodd cwm y glo â bod, ond llwyddodd Cwm Gwendraeth i gadw ei Gymreictod tra oedd ardaloedd diwydiannol eraill Cymru yn colli eu traddodiadau a'u hiaith. Yn 1921 roedd 92 y cant o'r trigolion yn siarad Cymraeg, ac yn 1981 roedd 81 y cant ohonynt yn dal i wneud. Bu 'Neuadd y Cross' yn ganolfan i'r gymuned drwy'r blynyddoedd, ond yn 1984 fe'i caewyd. Gwnaed penderfyniad hollol fwriadol i'w gadael i waethygu i'r fath raddau fel nad oedd dewis ond ei chau ar dir diogelwch. Ar hyd y blynyddoedd, bu'r awdurdod lleol yn cynnig symiau o arian – mil nawr ac yn y man – i wneud y mân drwsio a mymryn o gynnal a chadw, ond bellach roedd strwythur y neuadd yn gwaethygu'n ofnadwy. Ni fyddai gwariant o fil yn medru gwneud dim i wella'r sefyllfa. Ni fyddai pum gwaith hynny yn ddigonol i baentio'r neuadd heb sôn am lwyddo i drwsio ac ailwneud yr hyn oedd ei angen. Roedd gofyn am chwistrelliad sylweddol o arian i weddnewid y sefyllfa.

Yng nghanol y to, roedd canopi o gopor unigryw wedi'i osod gan y cynllunydd gwreiddiol, ac o anlwc daeth rhywfaint o lwc un noson pan gododd storom gythreulig. Chwythwyd y canopi i'r awyr, a disgynnodd nôl ar y to gan greu twll sylweddol. Roedd y to yn gollwng cyn hyn, ond nawr rhaeadrai'r glaw i mewn ar hyd y waliau – doedd dim dewis ond gwario, a gwario'n sylweddol – neu ddymchwel y neuadd. Roedd i 'Neuadd y Cross' ryfeddod o nenfwd o alabastr cerfiedig a fu'n un o'i hatyniadau mawr ers yr 1920au o leiaf. Hon, hefyd, oedd yr unig neuadd gyhoeddus yn y cwmwd i gyd. Neuaddau Llesiant oedd yn Y Tymbl, Rhydaman, Gwauncaegurwen a Brynaman; Neuadd Goffa oedd ym Mhontyberem a Neuadd y Glowyr oedd yn Y Garnant.

Bu'r awdurdod lleol yn ddigon parod i wneud y lle yn ddiogel a rhwystro'r glaw rhag dod i mewn – ond dim mwy. Aeth 'Neuadd y Cross' yn 'dywyll', ac erbyn 1989 fe ddaeth yn amlwg taw un o ddau ddewis oedd yn bosibl bellach: naill ai ei hadnewyddu neu ei dymchwel. Gwnaed cais am grant datblygu gwledig, fe'i gwrthodwyd. Edrychai'r neuadd yn druenus o drist, a gofid mawr y trigolion lleol oedd na ellid gobeithio ei hadfer i'w stad gwreiddiol. Du iawn oedd y dyfodol i gefnogwyr 'Neuadd y Cross', tan i un enw digon cyfarwydd ddod i'r amlwg unwaith yn rhagor. Yn 1990 fe wnaed Brin Davies yn ddirprwy faer bwrdeistref Llanelli, a chafodd tre'r Sosban brif weithredwr newydd ym mherson Bryn Parri Jones. Ym mis Mai, 1991, pan oedd cyfnod Brin yn ddirprwy faer yn dod i ben, derbyniodd alwad gan y prif weithredwr, ac yn y cyfarfod dilynol cafodd wybod bod pob maer a dirprwy yn cael cynnig prosiect penodol i'w hardaloedd, yn gydnabyddiaeth am eu cyfraniadau cyhoeddus dros y blynyddoedd. I Brin Davies, nid oedd prosiect mwy teilwng nag adnewyddiad 'Neuadd y Cross', a gyda chydweithrediad Cyngor Dosbarth Sir Gaerfyrddin fe gyflwynwyd cais am grant i'w hadfer. Yn dilyn cyfres o gyfarfodydd gyda'r adran gynllunio a'r uwch-swyddogion, fe baratowyd cynllun adnewyddu cadarn ac yn 1992 sicrhawyd bron £500,000 gan y Swyddfa Gymreig, a bron £70,000 yr un gan Fwrdeistref Llanelli a Chyngor Dosbarth Sir Gaerfyrddin. Dechreuwyd ar y gwaith, ac ar ôl dwy flynedd o adnewyddu a thrwsio fe ailagorwyd y neuadd wedi deng mlynedd dywyll.

Bellach, y mae lle yng nghefn y neuadd i'r gwasanaethau cymdeithasol, ac y mae rhent y rheini bron yn ddigon i gynnal yr adeilad. Mae pob punt arall a ddaw o osod y neuadd, cynnal cyngherddau a rhedeg y sinema, yn sicrhau bod yna gyfalaf diogel yn cael ei roi o'r neilltu ar gyfer cynnal a chadw. Fe fyddai adfer y nenfwd i'w gyflwr gwreiddiol wedi costio £65,000 – arian nad oedd ar gael i'r pwyllgor na'r 'noddwyr', ac felly bu'n rhaid penderfynu hepgor yr elfen honno o'r gwaith. Cael neuadd addas oedd y prif nod, a chan fod y glaw a'r gwlybaniaeth wedi difrodi darn helaeth o'r nenfwd, doedd dim amdani ond gwneud y gorau o'r gwaethaf. Nid yw'r freuddwyd o adnewyddu'r nenfwd gwreiddiol wedi cilio'n llwyr, gan fod cwmni arbenigol o Abertawe wedi cadw darnau ohono'n ddiogel, ac os, neu pan, ddaw arian digonol i goffrau'r pwyllgor – boed rodd neu grant – hwyrach bryd hynny y bydd modd dwyn yr hen ysblander yn ôl.

Er i'r cwmni drama lleol fod yn dawel am gyfnod hir (ers canol y chwedegau), mae Theatr Fach/Little Theatre Cross Hands yn dal i anadlu ac yn paratoi i gystadlu yn Eisteddfod Genedlaethol Llanelli yn y flwyddyn 2000. Ond y mae 'Neuadd y Cross', fel neuaddau ledled Prydain heddiw, yn dibynnu mwy am ei pharhad ar ddangos ffilmiau na llwyfannu dramâu. Am y tair blynedd ddiwethaf, nid pantomeim sydd wedi denu miloedd o blant i'r neuadd yn yr wythnosau cyn y Nadolig, ond ffilmiau – yn enwedig ffilmiau Walt Disney. Y mae 2,500 o blant yn werth £3,500 i'r neuadd, a gan mai'r pwyllgor sy'n trefnu'r rhaglen a thri gwirfoddolwr sy'n dangos y ffilmiau, nid oes costau gorben gwerth sôn amdanynt. Mae 'Neuadd y Cross' yn adlewyrchu'r adfywiad byd-eang ym myd y ffilm ac y mae'n siŵr fod gan Gymru gyfraniad i'w wneud yn y byd hwn yn y ganrif newydd hon, fel y gwnaeth ym myd y ddrama yn yr ugeinfed ganrif.

Y Neuadd heddiw.

Er nad oes adfywiad yng nghelfyddyd y ddrama a'r theatr i'w weld yn amlwg ar y foment, y mae coffrau'r neuadd yn gysurus lawn a gellir wynebu'r dyfodol mewn ffordd sy'n deilwng o weledigaeth a brwdfrydedd y llond dwrn a welodd bosibiliadau Neuadd Cross Hands yn 1904. Nid oes gwadu gwerth y cyfraniad y mae eisoes wedi'i wneud i fywyd diwylliannol Cwm Gwendraeth; hir y parhao i symbylu doniau creadigol.

Cofio Cerddor:
Albert Haydn Jones, M.Mus. (1892-1974)

Lyn Davies

Yn ei gyfrol ar hanes sir Gaerfyrddin, *Secret Sins: Sex, Violence and Society in Carmarthenshire 1870-1920*, dywed fy mrawd, Russell Davies:

> '... I was born and raised in the county of Carmarthenshire. The people we will encounter in this book, saints and sinners, are my people. I can think of no better birthplace for a Welsh social historian than the terraced house into which I was born in Pen-y-groes. Outside our front door stretched the beauty of rural Wales. At the back door lurked one of the most poignant symbols of modern Wales – an abandoned coal mine. Our road, Norton Road, could be regarded as a dividing line, it separated industrial and rural Wales, the natural world from the man-made, the fragrant and the foul . . .'[1]

Wrth edrych yn ôl, yr wyf innau hefyd yn ymwybodol o'r un ffiniau, ac yn ymfalchïo yn yr un fagwraeth glòs, gymunedol, gapelog. Ond roedd ffiniau eraill yn ein bywydau – i'r cerddor ifanc, y ffin rhwng cerddoriaeth ysgafn y dydd (boed yn Ddafydd Iwan neu'n Pink Floyd) a'r gerddoriaeth Anghydffurfiol, yr emyn-donau a'r anthemau, heb sôn am y bandiau pres a'r corau meibion a'r unawdau 'Cymreig' poblogaidd a genid yn gyson ar yr aelwyd gan fy nhad a'i gyfoedion. Roedd ein cartref yn lle da i sylwi ar y gwahaniaethau enwadol – yr Annibynwyr yn cerdded i'r dwyrain i gyfeiriad Capel y Sgwâr neu tuag at y capel sblit ym Mynydd Seion (capel ein teulu ni), neu tuag at gapel y Bedyddwyr, Calfaria, tra byddai'r Methodistiaid a'r Eglwyswyr yn pasio'r tŷ i'r gorllewin ar eu ffordd i gapel Jeriwsalem (a'r Eglwyswyr yn cerdded ymhellach i Gors-las, y pentref agosaf). Ymhlith y Methodistiaid, y mae gennyf gof byw iawn am un yn arbennig, un wedi ymgolli mewn byd arall wrth gerdded heibio, ei ben moel a'i gorn gwddf yn siglo i fît cyfriniol, mewnol, ac yn cau allan unrhyw sŵn o'i gwmpas. Y gŵr hynod hwnnw oedd Albert

Haydn Jones. Fel crwt, ni feddyliais erioed mai'r gŵr hwn fyddai'r dylanwad mwyaf arnaf fel cerddor, ac i raddau helaeth, fel Cymro hefyd. I mi, bu'n arwr, yn ymgorfforiad o'r gorau mewn bywyd a gwaith.

Pan anwyd Haydn Jones yn 1892, megis cychwyn yr oedd y diwydiant glo yn y pentref, ond buan iawn y tyfodd yr alwad am yr aur du ac yn y man adeiladwyd tai a daeth masnachwyr i gyflenwi'r galw am wasanaethau lleol.[2] Pentref gwledig oedd Pen-y-groes yn ystod rhan helaethaf y bedwaredd ganrif ar bymtheg, ac yn raddol iawn y tyfodd y strydoedd o amgylch y sgwâr. Siopwr ar stryd Norton, y stryd sy'n cysylltu'r pentref â Cross Hands, oedd Rhys Jones, tad Haydn Jones. Gwerthai nwyddau amrywiol yn cynnwys melysion a losin. Buan iawn y sylweddolwyd fod gan y crwt ddawn gerddorol eithriadol a danfonwyd ef yn ifanc i eistedd wrth draed David Vaughan Thomas ym Mhontarddulais ac yn ddiweddarach yn Abertawe.[3] Manteisiodd yn gynnar ar soffistigeiddrwydd rhyngwladol ac ymwybyddiaeth ddofn Vaughan Thomas o ddiwylliant Cymru, yn

Glofa'r Emlyn a phentref Pen-y-groes yn yr 1930au.

D. Vaughan Thomas.

ogystal â'i ymwybyddiaeth drwyadl o gerddoriaeth y byd. Disgrifiodd Jones y wers gyntaf a gafodd ganddo yn ei ragarweiniad i lyfr Emrys Cleaver ar Vaughan Thomas,[4] a'r crwt yn ymgolli'n llwyr wrth i'w athro godi cyfrol, *48 Preliwd a Ffiwg* gan J.S. Bach, a chwarae drwyddi gan gychwyn gyda'r cyntaf a gweithio o C fwyaf i B feddalnod gan sylwi'n fanwl ar bob darn yn ei dro. (Cefais innau'r un math o brofiad wrth wrando droeon ar Jones, ac yntau'n ŵr dros ei bedwar ugain oed, yn dal i fedru chwarae Bach, Grieg, a Beethoven fel un hanner ei oedran). Gwnaeth Vaughan Thomas argraff ddofn arno, nid yn unig oherwydd ei ddawn ddigymar fel cyfansoddwr a phianydd, ond hefyd oherwydd ei ymwybod â'i gefndir Cymreig, – hanes Cymru, ei diwylliant ac yn anad dim, ei llenyddiaeth gynnar. Nid gormod dweud fod Thomas wedi troi Jones yn genedlgarwr tawel ond tanbaid. Bu'n fyfyriwr iddo yn ystod y blynyddoedd cyn y Rhyfel Mawr, ac wedi i mi etifeddu llawer o lyfrgell Haydn Jones yn dilyn ei farwolaeth yn 1974 pan oeddwn yn fyfyriwr blwyddyn gyntaf yn y 'Coleg ger y Lli' yn Aberystwyth, deuthum i sylweddoli pa mor ffodus y bu yn yr athro a ddewisodd, os dewis hefyd o gofio mor hawdd oedd teithio i Bontarddulais am wersi, heb sôn am safle

Thomas fel prif gerddor Cymru y pryd hwnnw. Gofalodd fod Jones wedi ei drwytho yn y clasuron – simffonïau a phedwarawdau llinynnol y meistri mawr – a hefyd yng ngweithiau Strauss (modernydd mawr y cyfnod), Schoenberg, Reger, Parry, Stanford, Brahms ac yn annisgwyl, Janacek, nad oedd ar y pryd ond megis cychwyn ar ei daith i ennill bri rhyngwladol.[5] Wedi cyfnod o weithio yn siop y teulu, ymunodd Jones â'r lluoedd arfog ac wedi ymladd yn ffosydd Ffrainc bu'n un o'r milwyr tra ffodus hynny a ddychwelodd yn fyw ac iach o Ypres a Mons. Cefais fy syfrdanu droeon pan adroddai ambell hanesyn am fynd 'dros y top' gyda chatrawd y 'Welch'. Ni fu yn hoff o sylw erioed, ac wedi pori'n ddyfal yn y wasg gyfnodol y sylwais ar y ffaith ei fod yn un o'r ychydig filwyr i wrthod cyngerdd 'welcome home' mawreddog wedi'r ymladd. Ni cheir unrhyw gyfeiriad ato yn yr *Amman Valley Chronicle,* er enghraifft, yn ystod y blynyddoedd cythryblus hyn. Yr un mor ffodus iddo oedd bod

Haydn Jones
adeg y Rhyfel Mawr.

cerddor o bwysau Walford Davies wedi sylwi ar ei ddawn fel pianydd pan oedd yn y fyddin, a llwyddwyd i berswadio'r awdurdodau i ganiatáu iddo ddiddanu'r milwyr yn ystod blwyddyn olaf y rhyfel.

O 1919 tan 1925 bu Haydn Jones yn efrydydd ac yn hwyrach yn bianydd-ddarlithydd dros-dro yn Adran Gerdd Coleg Prifysgol Aberystwyth o dan gyfarwyddyd Walford Davies a David de Lloyd. Y mae amryw o'n haneswyr cerdd wedi croniclo sut y penodwyd Walford Davies, yn hytrach na'r Cymro, Vaughan Thomas, i Gadair Gregynog y Coleg yn Aberystwyth a sut y bu i'w benodiad achosi drwg deimlad ymhlith cerddorion yng Nghymru am flynyddoedd.[6] Disgrifiwyd cerddorion Aberystwyth yn y cyfnod hwn gan Iorweth C. Peate yn ei gyfrol o atgofion, *Personau*:

> Dyma gyfnod Albert Haydn Jones, a enillodd ei M.Mus, Tom Pickering, John Hughes, y brodyr Harding a llawer eraill. Yr oedd gan John (Hughes) felly ddau Athro, sef T. Gwynn Jones a Walford Davies ac yr oedd y berthynas â'r naill yn dra gwahanol i'w berthynas â'r llall. Carai a pharchai, ac yn wir addolai ei Athro Cymraeg ond, a defnyddio ymadrodd Saesneg, love/hate oedd natur ei berthynas â Walford Davies. Mawrygai John Hughes waith Walford Davies yn lledu ein gorwelion . . . ac yn agor ffenestri ar gyfoeth cerddoriaeth y byd. Ond ffieiddiai John wrth-Gymreigrwydd Walford Davies a'i ddiffyg cydymdeimlad, hyd y gwelem, â'r mudiad astudio a chasglu ceinciau gwerin Cymru gan ddwyn nodweddion traddodiadol newydd i gerddoriaeth newydd Cymru. Nid rhyfedd na ddaeth Ralph Vaughan Williams, apostol mawr y mudiad ceinciau gwerin, erioed i Aberystwyth yn ystod teyrnasiad Walford Davies. Ac nid rhyfedd chwaith fod Walford Davies wedi anwybyddu D. Vaughan Thomas, arloeswr y canu Cymreig newydd, pryd y dylai fel Cyfarwyddwr Cerdd y Brifysgol, fod wedi mynnu cael Vaughan Thomas yn ôl i Gymru yn Athro Cerddoriaeth yn y Coleg Prifysgol newydd yn Abertawe.[7]

Croniclwyd hanes y berthynas rhwng y ddau gerddor mewn sawl man arall cyn hyn[8] a daeth y cyfan yn rhan o chwedloniaeth hanes cerddoriaeth Cymru. Wrth drafod y cyfan gyda Haydn Jones, fel y gwneuthum droeon, cefais yr argraff mai siomiant naturiol Thomas oedd wrth wraidd y sefyllfa. Gwyddom erbyn hyn fod Walford Davies wedi ymweld droeon ag ef yn Abertawe i ymbil arno i ymuno

â'r staff yn Aberystwyth fel darlithydd, ond nid oedd Thomas yn
barod i gydsynio. Yn ôl Jones, petasai wedi gwneud, byddai cwrs
cerddoriaeth yng Nghymru wedi datblygu'n dra gwahanol. Wedi'r
cyfan, nid arhosodd Walford Davies yn Aberystwyth mor hir â hynny,
ac fe fuasai Thomas, ac yna de Lloyd ar ei ôl, wedi camu i'r Gadair a
chyfeirio cerddoriaeth Gymreig at ymwybyddiaeth ddyfnach o'r
etifeddiaeth genedlaethol, fel y digwyddasai mewn cynifer o wledydd
bychain yn Ewrop. Ond roedd gan Haydn Jones (a chofier ei fod
gyda'r gorau o ddisgyblion T. Gwynn Jones) y parch mwyaf at
Walford Davies y cerddor, a chofiaf yn dda y modd y medrai efelychu
'touch' Walford Davies y pianydd, yn ei farn ef ,'Y mwyaf sensitif a
glywais erioed – gwell na Cortot', a'r modd y clodforai ei allu hefyd i
gyfathrebu mor naturiol, 'Fe fydde'n gallu gwerthu tywod i'r Arab!'
A'r cyfathrebu cyfareddol hwnnw oedd cyfrinach ei lwyddiant mawr
fel cerddor cyhoeddus. Fe swynodd chwiorydd Gregynog a Downing
Street fel ei gilydd. Yn syml, fe welodd Haydn Jones y gwirionedd y
tu ôl i'r 'hype'. Nid oedd gan Vaughan Thomas obaith wyneb yn
wyneb â gŵr mor bwerus ei gysylltiadau, pa mor annheg bynnag oedd
hynny, yn arbennig o ystyried gallu cymharol y ddau. Ac fe
sylweddolodd Haydn Jones fod Walford Davies, er gwaetha'i
wendidau yntau hefyd, wedi cyflwyno i Gymru weithiau rhai o
fawrion y byd cerdd am y tro cyntaf.

Cofiaf iddo sôn wrthyf hefyd am ymweliad y pianydd a'r
cyfansoddwr, Bela Bartok, â Chymru. Yr oedd Bartok yn ymwelydd
pur anghyffredin o sylwi ar natur geidwadol cynifer o raglenni'r
cyngherddau yn Aberystwyth ar y pryd.[9] Yr oedd gan Jones barch
aruthrol at ddawn y pianydd a'r organydd, Charles Clements, a
Clements a ddywedodd yn ei ffordd ddoniol-ddeifiol ei hun am
Bartok, 'I didn't think much of his playing, but he thought quite a lot
of mine!'. I Haydn Jones, braidd yn 'galed' oedd arddull chwarae y
gŵr o Hwngari, ond edmygai yn fawr iawn y modd y glynodd y
cyfansoddwr wrth y traddodiad gwerinol a'r parch a ddangosodd at
werin bobl canol Ewrop. Y gwir yw fod Jones yn medru gweld
cryfder a gwendid Vaughan Thomas a Walford Davies fel ei gilydd.
Eto, tybiaf iddo , yng nghefn ei feddwl, gredu'n gryf mai Thomas a
haeddai'r clod mewn gwirionedd, yn fwy felly na Walford Davies.
Cafodd gyfle i gyfarfod ag Elgar, Henry Wood, Holst ac yn

ddiweddarach, Vaughan Williams, tra bu'n fyfyriwr yn Aberystwyth, heb sôn am glywed perfformwyr o statws rhyngwladol, fel y feiolinydd Jelly D'Ariani, ac eraill. Bu hefyd yn gyfeilydd cyson i berfformiadau'r myfyrwyr, megis eu perfformiad o gantawd J. Lloyd Williams a Llew Tegid, *Aelwyd Angharad neu Hwyrnos Lawen Llwyngwern*. Cafodd yrfa golegol ddisglair gan raddio'n Mus. Bac. yn 1922, yn y cyfnod pan oedd methu â sicrhau gradd mewn cerddoriaeth yn weddol gyffredin, ac yna'n M.Mus. yn 1924 pan raddiodd yr un pryd â Joseph Morgan, gŵr a ddaeth ymhen amser yn Athro Cerddoriaeth Coleg Prifysgol Cymru, Caerdydd. Gwnaeth ei ran droeon fel pianydd mewn gweithgareddau adrannol, a pherfformiwyd amryw o'i drefniannau cerddorfaol (e.e. o *Hen Wlad fy Nhadau*) yn y Gwyliau Cerdd mawr a drefnwyd gan Walford Davies yn Aberystwyth bob haf.[10]

Fel ei gyfoeswr Charles Clements, i raddau, roedd Haydn Jones yn boenus o swil. Yn wir, byddai gwybod fod unrhyw un yn ysgrifennu erthygl fel hon amdano yn achos 'embaras' mawr iddo. Y swildod hwn oedd ei gryfder – a'i wendid. Dylai fod wedi ceisio am swydd academaidd. Yr oedd ganddo'r cymwysterau priodol, yn arbennig o gofio mor anghyffredin oedd ennill gradd M.Mus. y pryd hwnnw. Yr oedd gan yr arholwr allanol feddwl uchel iawn ohono,[11] a'r cyntaf i'w longyfarch ar ennill y radd oedd Gustav Holst, mewn gwesty ar y 'prom' yn Aberystwyth. Ac roedd Holst yn llawn canmoliaeth i'w *Agorawd i Gerddorfa yn y dull Clasurol*, y gwaith a enillodd y radd iddo. Ond ymhen dim o amser, dychwelodd i'w bentref genedigol a bu'n cadw golwg ar siop y teulu am flynyddoedd wedi hynny. Yn ôl pob sôn, siopwr pur anarferol ydoedd. Nid oedd ganddo'r un syniad am elw, a byddai plant y pentref yn manteisio ar ei haelioni ac ar y losin rhad ac am ddim yr oedd byth a hefyd yn eu dosbarthu yn eu plith. Yn dilyn marwolaeth ei rieni, cafodd waith yn ddarlithydd i'r Cyngor Cerdd Cenedlaethol a bu'n trampo siroedd Caerfyrddin a Cheredigion am flynyddoedd yn diwtor dosbarthiadau nos. Dengys nodiadau'i ddarlithiau iddo fod wrth ei waith ym Mhontyberem, Pont-iets, Pont-henri, Cross Hands, Pen-y-groes, Rhydaman, Llanbedr Pont Steffan, Cribyn, Crwbin a sawl pentref arall, gan ddibynnu'n llwyr ar drafnidiaeth gyhoeddus (ni ddysgodd yrru car erioed), a chan gludo'i ffonograff a'i recordiau '78' gydag ef i bob man. Daeth yn ffigwr adnabyddus ar fysiau bach y wlad. Wedi hynny, bu'n bennaeth adran gerdd Ysgol Ramadeg y Bechgyn, Llanelli, lle bu'n cydweithio'n gytûn â Frank Phillips a lle bu'n dysgu cerddorion, megis y tenor byd-enwog, Kenneth Bowen, John Glynne Evans, a ddaeth yn uwch-ddarlithydd yn Adran Gerdd Coleg Prifysgol Aberystwyth, ac A.J. Heward Rees, a fu'n gyfrifol am Ganolfan Hysbysrwydd Cerddoriaeth Cymru. Ei lysenw yn yr ysgol oedd 'Bola' – arwydd o'r modd y 'prifiodd' dros y blynyddoedd! Priododd Sarah Rees pan oedd yn tynnu 'mlaen, ac yn dilyn ei ymddeoliad o'r ysgol ar ddiwedd y pumdegau, bu'r ddau yn byw yn ddedwydd dawel yn eu cartref yn Heol y Gât, Pen-y-groes, gan bara i fynychu Gŵyl y Tri Chôr bob haf am flynyddoedd lawer. Yr oedd yn wrandawr cyson ar wasanaethau'r BBC, yn arbennig felly Radio Tri, a'i feddwl beirniadol yn fyw i'r diwedd.

Er yn swil o ran ei natur, roedd yn boblogaidd yn y cylch fel arweinydd cymanfaoedd canu, fawr a mân, ac fe arweiniodd ymhob capel bron yn y cylch a thu hwnt ar hyd a lled Cymru. Does ond dychmygu'r boen fyddai gorfod ymddangos yn gyhoeddus yn achosi iddo. Ond os oedd beirniadu neu arwain yn straen ar ei nerfau, nid oedd cyfathrebu ar draws tonfeddi'r radio o'r ochr arall i'r meicroffon yn broblem, a daeth Haydn Jones yn ddarlledwr cyson, safonol a phoblogaidd. Yn ystod 1937-42 cyfrannodd droeon fel cyflwynydd radio i'r BBC, gan amlaf o orsaf Abertawe. Bu'n gyfrifol am sgriptio nifer o gyfresi ar y meistri cerdd trwy gyfrwng y Gymraeg, ac roedd gyda'r cyntaf i wneud hynny, y mae'n debyg. Dengys y sgriptiau hyn ei gynefindra â'r cefndir hanesyddol, ynghyd â'i wybodaeth am y datblygiadau miwsigolegol diweddaraf. Cyflwynodd gyfresi ar Beethoven a Bach, heb sôn am ei hoff Handel, mewn Cymraeg graenus a oedd yn hollol ddealladwy. Yn wir, y mae darllen ei sgriptiau flynyddoedd yn ddiweddarach yn fy atgoffa o'r profiad o wrando ar Radio Tri ddeng mlynedd a mwy yn ôl; rhôi'r pwyslais ar safon a gwirioneddau hanesyddol, yn hytrach nag ar yr hyn a ystyrid yn ffasiynol. Darlledodd nifer o raglenni ar ganu gwerin Cymru, ynghyd â'r traddodiad emynyddol yng Nghymru a'r Almaen. Wedi'r cyfan, roedd Haydn Jones mewn safle perffaith i sôn am y dull o ganu emyn a'r modd roedd y dull hwnnw wedi newid yn ystod ei fywyd hir. Etholwyd ef yn 1905 yn organydd Jeriwsalem, capel y

Methodistiaid Calfinaidd, a bu yn y swydd honno am saith deg o flynyddoedd tan ei farw yn 1974. Ymgymrodd â'r gwaith yng nghanol gwres Diwygiad 1904-5, y diwygiad canu yr oedd Joseph Parry ac eraill wedi'i rag-weld a'r diwygiad a ddylanwadodd yn drwm ar drigolion bro'r Mynydd Mawr. Fe'i cofiaf yn disgrifio dull 'Negroaidd' y canu, y pwyslais ar emosiwn a'r 'slyrio' o un nodyn i'r llall, yr ailadrodd bwriadol ar ddiwedd pennill a'r pwyslais ar yr hunan, 'Fi, fi, i gofio amdanaf fi . . .' Yn wir, roedd ei ddisgrifiadau o wres y cyfnod yn hynod debyg i ddisgrifiadau Alan Lomax o ganu'r dyn du yn Unol Daleithiau America yn ystod y 1930au, ond testun arall yw hwnnw. Agwedd arall ar ei waith fel organydd oedd ei allu fel chwaraewr ar y pryd. Oes, y mae elfen o baratoi ymenyddol i unrhyw chwarae ar y pryd, ond er mor syml-Handelaidd yr ymddangosai llawer o'i chwarae 'extempore', deuthum i sylweddoli ei fod yn medru gwau canonau cymhleth i'r lleisiau mewnol ac amrywio'r harmonïau syml a'u gwneud yn symlach, gwir brawf ar ddawn unrhyw gerddor, dawn debyg i ddawn ei gyfaill yn Aberystwyth, Charles Clements.

Fel un a dreuliodd flynyddoedd hir a dedwydd yn addysgwr oedolion, mewn cyfnod pan oedd addysg ryddfrydig i oedolion yn fantra, ac nid yn felltith, y mae gennyf ddiddordeb naturiol yn ei gyfraniad nid bychan yn y maes hwn. Mewn gwirionedd, ymestyniad ydoedd o'i frawdgarwch a'i frogarwch naturiol. Nid oedd dim yn ormod o drafferth iddo. Os oedd plant yn y pentref yn sefyll arholiadau cerdd, ar ba bynnag lefel, byddai'n talu am docyn bỳs iddynt i'r ganolfan arholiadau er nad oeddynt yn ddisgyblion iddo ef. Oherwydd ei gysylltiadau â'r Cyngor Cerdd Cenedlaethol, daeth â nifer o gantorion amlwg i'r pentref ac i'w gapel er mwyn cynnal 'dosbarthiadau meistr' i'r cantorion amatur – unigolion fel Dale Smith, Tom Williams, Towyn Harris ac eraill. Gan ei fod yn gyfeilydd ac yn bianydd heb ei ail, ef oedd yn chwarae i'r 'meistri' yn y dosbarthiadau hyn. Bu hefyd yn gyfaill mynwesol i nifer o gantorion lleol, megis Wiliam 'Dynfant' Davies, gŵr a ddaeth i'r pentref o Ddynfant, ger Abertawe, er mwyn gweithio yn y ffas ond a oedd hefyd yn gantwr medrus. Bob haf, byddai Haydn Jones yn tywys nifer o'r cyfoedion hyn i'r Ysgol Haf a gynhelid yng Ngholeg Harlech, lle caent gyfle i wrando ar fawrion y byd cerdd.

Yn anad un peth arall, dyn ei gapel ydoedd. Bu'n athro Ysgol Sul diwyd am gyfnod o dros hanner canrif. Yr oedd ganddo ddiddordeb brwd mewn diwinyddiaeth ac athroniaeth (yr oedd gyda'r cyntaf i danysgrifo i gylchgrawn *Efrydiau Athronyddol* y Brifysgol), heb sôn am lenyddiaeth Gymraeg, a bu'n gefnogwr selog i lyfrgell y glowyr yn y pentref. Er hynny, ni choleddai gredoau sosialaidd cynifer o'i gyd-bentrefwyr. Cenedlaetholwr ydoedd, un tawel ei argyhoeddiad, ond pendant iawn ei gred. Nid oedd ganddo lawer o barch at y teulu brenhinol chwaith, a chwith iawn ganddo ef oedd clywed unrhyw un yn canu neu'n chwarae'r dôn 'Crimond' oherwydd, yn ei dyb ef, daethai'r dôn yn boblogaidd wedi priodas y Dywysoges Margaret ! Ac roedd yr un peth yn wir am y *Toccata* enwog gan Widor i'r organ. Yn ffodus iddo ef, nid oedd organ 'Compton' capel Jeriwsalem yn addas ar gyfer y darn corawl adnabyddus hwn !

Fel pawb ohonom, y mae'n debyg, rwyf innau'n cofio un athro yn fy hanes yn anad neb arall. Haydn Jones yw hwnnw. Mewn ardaloedd fel Cwm Gwendraeth neu'r Mynydd Mawr, nid oedd athrawon pwnc gwych yn fodau prin. Yn fy achos i, nid pennaeth adran mewn ysgol oedd Haydn Jones. Damweiniol hollol fu'r cysylltiad rhyngom. Wedi dilyn cwrs cerddoriaeth hyd at Lefel 'O' yn llwyddiannus, penderfynais ddilyn cwrs safon uwch, ac wedi cyfarfod ag ef ar y stryd, – roedd Haydn yn hen ffrind i'r teulu – bûm yn cael gwersi ffurfiol ganddo am ymron dair blynedd. Lwc pur i mi oedd cael eistedd wrth draed un mor eithriadol wybodus, gwybodaeth a drosglwyddodd yn rhad ac am ddim trwy gydol y cyfnod y bûm yn astudio gydag ef, a phob gwers yn para yn aml am oriau maith sawl gwaith yr wythnos. Aethpwyd ati i astudio elfennau'r cwrs, ac o fewn dim fe'm tywysodd ymhell y tu hwnt i ofynion yr arholiad. Yn wir, wedi cyrraedd Aberystwyth, sylweddolais fy mod wedi astudio'n fanwl ofynion dwy, onid tair blynedd golegol, mewn ambell agwedd ar y pwnc. Bu bron iddo ddifetha'r cwrs gradd i mi yn gyfan gwbl! Roedd ei bwyslais bob amser ar y glust: 'Fe wedodd Sais call – mae ambell un i gael, ti'n gwbod – mai cerddor yw'r dyn sy'n medru gweld â'i glust a chlywed â'i lyged!' Ac ar fater defnyddio nodau yn gynnil a chywir : 'Os oes un nodyn yn neud y tro, pam defnyddio mwy nag un?'

Yr oedd ganddo ei hoff, a'i gas bethau. Parchai Britten yn enfawr, ond nid felly Tippett; fel arall y gwelwn ac y gwelaf i bethau. Darluniai bob gwers ag esiamplau ar y piano a rhyfeddais fwy nag unwaith at ei allu i gofio 'repertoire' a fyddai'n aml yn anghyfarwydd. Meddai ar ddoniau dadansoddi rhagorol ond tueddai i foddi'r elfen greadigol mewn gorfeirniadaeth. Roedd gofyn cymeriad cryf i wrthsefyll hynny. Yn wir, adlais o'i hunanfeirniadaeth fel cyfansoddwr oedd hyn, mi dybiaf. Lluniodd donau cynulleidfaol cynnil, hyfryd, megis *Afallon, Maes-y-bryn* a *Mae'r nos yn ddu;* yr anthem, *Mor ddedwydd yw y rhai trwy ffydd;* darnau piano salon megis *Valse Triste* ac *Arabesque* a gyhoeddwyd gan Tom James, Cross Hands; heb anghofio, hefyd, ei drefniannau o alawon gan Handel ar gyfer ysgolion a gyhoeddwyd gan y Cyngor Cerdd Cenedlaethol, na'i amrywiadau ar y dôn, 'Caerllyngoed.' Efallai ei fod yn ymwybodol o wendid (neu o wendidau posibl) heb sylweddoli fod yn rhaid i'r cyfansoddwr go iawn wneud ambell gamgymeriad, neu o leiaf beidio â bod ag ofn ymateb yn reddfol mewn sain i ambell sefyllfa.

Beth bynnag am hynny, cefais athrawon gwych yng Ngholeg Prifysgol Aberystwyth ac astudiais ymhellach gyda Syr Lennox Berkley, Syr Peter Maxwell Davies, a Robert Sherlaw Johnson yn Rhydychen ac wedi hynny gyda Penderecki, Schaffer ac eraill yng Ngwlad Pwyl, heb sôn am 'ddosbarth meistr' hynod gofiadwy gan Nadia Boulanger. Ni chefais yn neb arall yr un cywirdeb cymeriad, yr un pwyslais ar adnabod testun yn drylwyr, yr un amgyffred o werthoedd nac, ychwaith, yr un pwyslais ar drylwyredd a phurdeb mewn techneg. Ac yn anad dim byd arall, y pwyslais cyson ar fro a brawdgarwch a dystiai i'w ddyled bersonol ef i Britten a Vaughan Williams. Braint oedd cael eistedd wrth draed y Cristion cywir, y Cymro da, y cerddor gwych a'r cymwynaswr parod hwn. Roedd yn hwyr bryd rhoi'r atgofion hyn amdano ar gof a chadw.

NODIADAU

[1] *Secret Sins* . . . (UWP, Cardiff, 1996), ix.

[2] Nid oes un gyfrol ar hanes y pentref hyd yn hyn ond ceir llawer o wybodaeth am y cyfnod cynnar mewn traethodau eisteddfodol buddugol e.e. traethawd John Williams yn 1912 ar hanes Pen-y-groes.

[3] Ceir gwybodaeth am D.Vaughan Thomas yn fy mhennod yn John Harper a Wyn Thomas, goln., *Hanes Cerddoriaeth Cymru, 1* (Caerdydd , 1996).

[4] Emrys Cleaver, *D.Vaughan Thomas* (Llyfrau'r Dryw, Llandybïe, 1964).

[5] Yn llyfrgell Haydn Jones cafwyd nifer helaeth o sgorau cerddorfaol ac operatig gan Janacek wedi eu marcio'n gyson mewn pensil, ynghyd â holl gyhoeddiadau Eulenberg hyd at 1914. Mae'n llyfrgell nodedig, nid yn unig oherwydd niferoedd y darnau ond oherwydd natur esoterig llawer o'r sgorau cerdd.

[6] Gweler cyfrol D.Allsobrook, *Music for Wales* (UWP, Cardiff, 1991).

[7] Iorweth C. Peate, *Personau*, (Dinbych, 1982), 26-30.

[8] E.e., Arwel Hughes yn *Tir Newydd*, Rhifyn Coffa D.Vaughan Thomas, 1936.

[9] Nid yw'r cyfan o'r rhain yn y Llyfrgell Genedlaethol yn Aberystwyth ac eithrio'r hyn sydd yn archif Charles Clements. Etifeddais y cyfan o rediad 1919-26 yn llyfrgell Haydn Jones. Diddorol nodi nad oedd Charles Clements yn perfformio llawer o Ravel a Debussy yng nghyfnod Walford Davies, er iddo gael clod am ei berfformiadau o weithiau'r cyfansoddwyr argraffiadol. Y mae'n debyg nad oedd gan Walford Davies lawer o ddiddordeb yn y 'repertoire' hwn. Ceir hanes ymweliad Bartok yn, e.e., Ian Parrott, *The Spiritual Pilgrims* (Tenby, 1967).

[10] Rhaglen Gŵyl Aberystwyth 1922.

[11] Charles Wood, Caergrawnt oedd yr arholwr allanol.

Dai Culpitt ac Ifor Kelly

Hywel Teifi Edwards ac Irene Williams

O fis Hydref 1965 hyd at ddiwedd yr 1980au, fe fyddai twr o drigolion Cwm Gwendraeth – ac ambell fewnfudwr yn eu plith – yn ymgynnull am ugain nos Wener bob gaeaf yn ddosbarth i astudio llên Cymru yn Ysgol Ramadeg y Gwendraeth (ac ambell fan arall yn ysbeidiol) yn Nre-fach. O gofio am eu brwdfrydedd, eu cwmnïaeth dda a'u diwylliant, nid twr yw'r enw torfol sy'n gweddu iddynt. Llawer mwy priodol yw dweud mai ysgogiad o ddiddordebau a doniau oeddent a gyfoethogodd fywyd un o diwtoriaid addysg oedolion Prifysgol Cymru. Roedd hynny, wrth gwrs, cyn briwsioni dysg yn fodiwlau a diraenu addysg yn enw asesu a gwerthuso. Roedd hynny pan oedd bri ar ddarllen a thrafod llyfrau, cyn dyfod y penwendid cyfrifiadurol i droi myfyrwyr yn llygotwyr hysbysrwydd.

Dau o selogion y dosbarth hwnnw oedd Dai Culpitt ac Ifor Kelly, dau – fel nifer o'u cydaelodau y gallwn eu henwi – a ymgorfforai'r diléit mewn ymddiwyllio a riniodd fywyd cynifer o'r werin, amaethyddol a diwydiannol, a ddaeth i'w hoed yn y cyfwng blin rhwng Rhyfeloedd Byd pan wadodd amgylchiadau iddynt eu hawl i ysgol uwch a choleg. Fe'u difreiniwyd ond yn iawn am hynny tarddodd ynddynt ddiléit mewn llyfr a llun, cerdd a chân, celf a chrefft a oedd i bara am oes. Yn grwtyn eiddil fe aeth Dai dan-ddaear am dymor byr, cyn dod lan i hel siwrin a barddoni am weddill ei ddyddiau. Aeth yntau Ifor i bwll Pentre-mawr pan fu'n rhaid iddo adael Ysgol Ramadeg Caerfyrddin ar ôl cwta dymor i ateb angen y cartref wedi marw ei dad, ac yno y bu'n löwr, yn undebwr ac yn gasglwr profiadau am wyth mlynedd a deugain.

Fe fyddai'n gas ganddynt feddwl eu bod yn cael eu cofio fel petaent yn fodau totemig, ac ni raid iddynt wrth bedestal na brws rhamant. Yn syml, roeddent yn bod; roedd eu diléit yn ddilys, eu daliadau'n gadarn a'u brogarwch yn gynhaliaeth iddynt. Wynebodd Dai afiechyd ac adfyd colli ei briod, Hilda, i'r salwch meddwl a'i caethiwodd am flynyddoedd diadnabod lawer, heb ildio tan ei farw ar ddydd Calan, 1982, yn 72 oed. Goroesodd Ifor ymron hanner canrif dan-ddaear mewn rhan o'r maes glo lle roedd dwst y garreg yn lladdwr didostur, a phan gafodd strôc, wedi rhoi'r gorau iddi, roedd ganddo'r nerth ewyllys i wrthweithio'i heffeithiau a mynnu ailafael yn ei fywyd tan i'r ail drawiad ei lorio yn 1995 pan oedd yn 83 oed.

Dai Culpitt.

Cocni a ddaethai i'r cwm oedd tad Dai ac etifeddodd ef gyfran helaeth o anian heriol, ddrygionus y brid hwnnw. Roedd yn fater o falchder iddo i'w dad dyfu'n ddigon o Gymro i gyfeirio at y Saeson fel 'nhw' – 'Rhaid i ni bido rhoi mewn iddyn nhw!' – ac roedd hi'n hawdd clywed y Cocni yn Dai pan adroddai'i storïau anfarwol biws. Ysgrifennai benillion i blant y 'Cefen' eu hadrodd a deuent ato 'am bractis' cyn mentro ar lwyfan eisteddfod. Yn union draddodiad y bardd gwlad fe ganai i fyd a bywyd ei bentref, gan fydryddu ei ymateb danjerus i ryw helynt neu dro trwstan a'i gogleisiodd. Cyfansoddodd benillion a throsodd benillion Saesneg i Jac a Wil eu canu a'u recordio; porthai'r noson lawen leol pob cyfle a gâi. Fe gystadlodd mewn ugeiniau o fân eisteddfodau ac o bryd i'w gilydd ymddangosai cân neu ysgrif ganddo yn *Y Genhinen*, *Y Faner*, *Y Cymro*, *Y Tyst*, a'i bapur bro – *Papur y Cwm*. Addolai – yn gwestiyngar – gyda'r Annibynwyr yn y Tabernacl a phleidiai achos Plaid Cymru heb fyth anghofio mai'r ILP a'i dysgodd i wrthsefyll gormes a sefyll dros hawliau'r gweithwyr. Fe fu ei Gymreictod yn fwyd iddo trwy gydol oes a fu ar adegau yn ddolurus ddigon.

Cymry Sir Gâr oedd rhieni Ifor Kelly. Fe'i ganed yn Nhŷ'r Ffynnon, Crwbin a'i fagu yn Myrtle Hill, Bancffosfelen cyn dychwelyd, ar ôl priodi, i dreulio gweddill ei ddyddiau yn Nhŷ'r Steps, Crwbin. Nid gŵr llafar mohono mewn dosbarth, ond yr oedd iddo ruddin digamsyniol o ddiwylliant ac egwyddor. Gŵr stans oedd Ifor Kelly – glöwr ac undebwr stans, sosialydd o Gristion stans a fu'n ddiacon, yn ysgrifennydd ariannol ac athro Ysgol Sul yng nghapel Ebeneser, Crwbin am lawer blwyddyn, a Chymro stans y byddai stori'r Gymraeg yng nghymoedd y de wedi bod yn dra gwahanol petasai'r Blaid Lafur ond wedi dysgu ganddo ef a'i debyg.

Ifor Kelly yn ei gartref, Tŷ'r Steps. Sylwer ar lampau Eisteddfod y Glowyr.

Yn naturiol, roedd Jim Griffiths ac Aneurin Bevan yn arwyr ganddo ac yn löwr ifanc dysgodd edmygu unplygrwydd a thaerineb yr arweinwyr lleol, sosialwyr Cristnogol a chynhalwyr diwylliant bro, gwŷr megis D.B. Lewis ym mhwll Cross Hands, Willie Rees ym

Mlaenhirwaun, Gibbin Davies ym Mynydd Mawr, Rhys Morgan yn New Dynant, Joseph Roberts a David John Jones yng Nglynhebog, Dafydd New Lodge a Jac yr Hendy ym Mhentre-mawr, a Gwilym Aneurin Jones ym Mhont-henri. 'Bois capel' i gyd, chwedl Ifor, gan ychwanegu fod 'dyled ardal y Mynydd Mawr yn aruthrol i'r gwerinwyr diwylliedig yma am iddynt ymladd yn ddewr, yn ddygn ac yn lân am gyfiawnder i wŷr y graith mewn cyfnod pan oedd holl rym cyfalafiaeth y cwmnïau pwerus a'r llywodraethau gwrth-sosialaidd yn eu herbyn.' Am werth eu hymdrech hwy, a rhai fel Johnny Davies yng Ngharwe a Gwyn Charles yng Nghynheidre a'u dilynodd, y siaradai Ifor pan geisiai berswadio'r 'trainees' dan ei ofal i seilio'u bywydau ar sicrwydd egwyddor.

Y gwir yw fod Ifor Kelly ei hun yn ddigon o batrwm i unrhyw 'trainee' elwa o'i ddilyn. Fe'i disgrifiwyd fel 'esiampl wych o'r hen golier ar ei orau', ac nid oedd dim a wnelai'r hen â'i oedran. Cyfeirio y mae'r ansoddair at ei synnwyr cyfrifoldeb fel gweithiwr, ei ymroddiad a'i unplygrwydd. Nid geiriau oedd ei egwyddorion ond gweithredoedd. Cyn bod sôn am Ail Ryfel Byd yr oedd yn heddychwr pybyr, yn gynnyrch yr argyhoeddiadau a gafodd dir ffrwythlon yn ardaloedd Pontyberem, Bancffosfelen a Chrwbin, diolch yn bennaf i weinidogion o swmp y Parchedigion R.J. Jones a D.E. Williams yng Nghaersalem (A), a W.M. Rees yn Y Tabernacl (B), Pontyberem; H.R. Morgan yn Ebenezer (A), Crwbin a Huw Edwards yn Soar, Crwbin. Yr oedd eu pregethu hwy, wrth gwrs, yn cydgordio â thystiolaeth y Prifathro Thomas Rees, prifathro digymrodedd Coleg Bala-Bangor a golygydd *Y Deyrnas* (1916-19), ac â gwaith Cymdeithas y Cymod a dosbarthiadau nos darlithwyr dylanwadol megis y Dr Tom Hughes Griffiths, cefnder Jim Griffiths, a'r Parchg. Ddr W. Lewis Evans, heb anghofio cyfarfodydd y 'Men's Fellowship' a gynhelid yn wythnosol ar bnawn Sul bob gaeaf rhwng 1921 ac 1963 yng nghapel y Tabernacl, Caerfyrddin – cyfarfodydd a ddaeth â siaradwyr o'r radd flaenaf i drafod 'materion o dragwyddol bwys.' Dan ddylanwadau o'r fath y moldiwyd heddychiaeth Ifor Kelly, yr heddychiaeth y bu'n rhaid iddo fynd gerbron tribiwnlys yng Nghaerdydd i'w 'chyfiawnhau' a chael fod y Parchg. R.J. Jones, llywydd Cymdeithas y Cymod yn y ddinas ar y pryd, wedi dod yno i siarad drosto. Fe'i 'rhyddhawyd' – ar yr amod ei fod yn dychwelyd i'r pwll i weithio!

A chyn lleied wedi'i ysgrifennu yn Gymraeg am fywyd y glöwr gan lowyr, y mae'n golled wironeddol na adawodd Ifor Kelly hunangofiant ar ei ôl. Amheuai ei allu i lunio dim o'r fath, ond nid oedd eisiau iddo. Roedd ganddo stôr o brofiadau, meddwl bachog, synnwyr digrifwch parod, hoffter mawr o lyfrau a chwant ysgrifennu. Fe gâi flas ar ddarllen barddoniaeth ond nid bardd mohono; yr ysgrif oedd ei hoff gyfrwng ac enillodd ddigon o lampau yn Eisteddfod y Glowyr ym Mhorthcawl i wneud i ystafell fyw Tŷ'r Steps ymdebygu i 'lamp room' gwaith Pentre-mawr.

Yn Eisteddfod Genedlaethol Llanelli, 1962, enillodd £20 am draethawd ar un o'r testunau a osodwyd yn yr adran Fwyngloddiaeth: 'Un o anawsterau'r diwydiant glo heddiw yw denu a chadw digon o weithwyr cymwys. Trafodwch fesurau i ddelio â'r broblem.' Gwaetha'r modd, y mae'r traethawd a'r feirniadaeth fel ei gilydd wedi diflannu ond mae'n ddiogel dweud y byddai Ifor wedi trin y pwnc fel un ag awdurdod ganddo. Ac y mae'r 'Atgofion' a gyhoeddodd yn *Lleufer*, 2/3 (1975-6), yn profi fod ynddo ddefnyddiau cyfrol hunangofiannol broffidiol ac enillgar – petai ond wedi credu ei dystiolaeth ei hun.

Ifor Kelly (ar y chwith) yn Eisteddfod Genedlaethol Llanelli, 1962, gyda'r Fonesig Megan Lloyd George a Jim Griffiths AS.

Llyfrau a dosbarthiadau nos, trwy'r rheini yn bennaf yr ymddiwylliodd Dai Culpitt ac Ifor Kelly dros y blynyddoedd. Ni fu difyrru'r amser erioed yn broblem iddynt. Roedd ganddynt eu hoffterau a'u harwyr. Traethai Dai am 'ddarganfod' Jack London a chael ei feddiannu gan lyfr Robert Tressell, *The Ragged Trousered Philanthropist* (1914), heb sôn am ddotio at W.H. Davies, A.E. Houseman, Elfed, Crwys, Dewi Emrys, I.D. Hooson, Cynan a Niclas y Glais. Tegla oedd hoff awdur Cymraeg Ifor ac roedd Mazzini, Tolstoi a Gandhi yn drindod o lewion y byddai'n anodd dweud pa un ohonynt oedd fwyaf yn ei bantheon ef. Ac nid oedd ball ar eu hedmygedd o'r tiwtoriaid – diwallwyr o fri'r Athro J. Morgan Jones, y Dr Tom Hughes Griffiths a'r Dr Lewis Evans – a ddeuai i gylch y Mynydd Mawr yn enw Cymdeithas Addysg y Gweithwyr neu Adrannau Efrydiau Allanol Prifysgol Cymru, i rannu gwybodaeth, bywiogi meddyliau a bwydo'r myfyriwr rhwystredig ynddynt hwy a'u tebyg. Tystiai Dai yn 1970 iddo fod yn fyfyriwr dosbarth nos am 35 o flynyddoedd, ac yr oedd gwrando arno ef a'i bartner mawr, Wil Rees, yn clodfori dysg y cyfnod hwnnw, yn peri sylweddoli fod llawer mwy i addysg nag addysg ffurfiol. Ni raid rhamantu am Dai Culpitt ac Ifor Kelly; ni raid ond croniclo rhai ffeithiau. Buont yn gynheiliaid yn eu dydd i gymdeithas y daw ei gwerth dynol yn fwyfwy amlwg wrth inni sadio ffocws ein golwg arni.

Barnai Dai Culpitt yn 1970 iddo ennill rhyw 300 o wobrau eisteddfodol gan gynnwys deuddeg cadair, a chyn ei farw yn 1982 roedd wedi cyhoeddi pedair cyfrol o gerddi – *Heulwen tan Gwmwl* (1960), *Dyrnaid o Siprys* (1968), *O'r Gadair Freichiau* (1976) ac *Awelon Hydref* (1979). Ymddangosodd *Yr Elfen Ysgafn* hefyd yn 1979, sef llyfryn o adroddiadau i blant ynghyd â dyrnaid o limrigau a cherddi. Byddai'n synnu o feddwl fod neb erioed wedi credu fod ei benillion, fel y dywedai, yn werth eu cyhoeddi ac ni fu'r un prifardd erioed yn falchach o'i gamp na Dai pan welodd ei soned i 'Hen Efail Thomas Lewis, Talyllychau' wedi'i chynnwys yn *Cerddi Diweddar Cymru* (1962) – yr antholeg a olygwyd gan H. Meurig Evans. Ac os rhywbeth, yr oedd hyd yn oed yn falchach pan osodwyd dau o'i ddarnau adrodd i blant, – 'Y Crwydryn' a 'Twm a'r Penwaig' – yn ddarnau prawf yn Eisteddfodau Cenedlaethol yr Urdd yn Llanelli, 1975, a Llanelwedd, 1978.

Roedd yn berffaith hapus i'w gydnabod ei hun yn rhigymwr a roesai'i goes dde, fel y dywedai, am gael bod yn fardd go iawn. Dotiai at y gynghanedd a galarai am nad oedd 'yn ddigon o fistir' ar y Gymraeg i lunio englyn a chywydd. Nid oedd bob amser yn siŵr o'i hoff fesurau – y soned yn arbennig felly – ac roedd yn hael ei ddiolch i'r Dr Lewis Evans a Carwyn James am 'gywiro Nghymrâg i' droeon. Ond bendith arnynt, roeddent yn ddigon effro i natur diléit Dai Culpitt mewn geiriau i beidio â'i gloffi â gofynion orgraff a chystrawen gyfewin. Gwnaent gymwynas fwy o lawer ag ef wrth roi hwb i'w galon a'i gymell i ganu o hyd, ac os oedd y canu hwnnw'n fynych yn rhwydd iawn ei blethiad ac yn orgyfarwydd ei dinc, yr oedd yn dwyn nodau diléit digamsyniol Dai Culpitt. Ar daflen gwasanaeth ei gladdu, ar ei gais ef ei hun, rhoed y geiriau, 'Carodd symlrwydd bywyd, ymhyfrydodd yn y pethau bach,' ac roeddent yn dweud y gwir amdano. Syml, yn wir, yw'r pleser a geir o ddarllen ei benillion heddiw fel erioed, ond y mae'n bleser cynhesol.

Tynnai at yr un testunau o hyd – treigl amser, tro'r tymhorau, hyfrydwch natur, llawenydd plentyndod, brogarwch, ei arwyr – bach a mawr. Profodd ddigon o ddolur yn ystod ei fywyd i'w gynysgaeddu â mater 'canu trwm', fel y dywedai, ond roedd ei reddf yn ddigon sicr i'w gadw rhag ymddwysáu. Canodd soned i Hilda yn *Heulwen tan Gwmwl* a thawodd wedyn.

Canodd i D.J. Williams (a chydolygodd gasgliad o gerddi iddo, sef *Y Cawr o Rydcymerau* [1970]), canodd i Gwynfor Evans, i'r Dr Lewis Evans, i Niclas y Glais, i'w weinidog, y Parchg. Morley Lewis, i Carwyn James a Barry John, i Jac a Wil, i'w dri chyfaill, Wil, Ja a Twm Daniel, i'w gymdogion, i'w berthnasau – canu edmygol, gwerthfawrogol. A chanodd i'w dad:

> Crwydraist o'th frodir yn y bore cynnar
> A'th waed yn llifo yn anniddig ffrwd,
> Nid eiddot ti oedd trwst y ddinas anwar,
> Ei strydoedd drewllyd a'i thrafnidiaeth frwd.
> Dysgaist ein hiaith a pharchu ei hadnoddau,
> Gan godi llais pan welet ambell fai;
> Ni chwenychaist olud, na'i fân ddeniadau
> Dy bennaf cysur oedd dy bibell glai.

Hyfrydwch iti ydoedd lled gerddetan
A chrwydro dros hen lwybrau ar dy rawd,
Galw a sgwrsio gyda theulu diddan
Neu fynd am dro i weled câr neu frawd.
Ond cludwyd di un nawnddydd dros y ddôl,
Ar hyd y llwybyr hwn – ni ddest yn ôl.

Y mae'n siŵr i'w iechyd bregus dros y blynyddoedd beri i Dai
ymholi am hyd y daith a thro'r tymhorau. Ymatebai i 'bruddglwyf
pêr' y telynegwyr hoff a ymdeimlai â chwrs amser – W.H. Davies,
Houseman, Crwys, Hooson a R. Williams Parry. Roedd 'hyfryd' yn
ansoddair blaen tafod iddo ac ni raid gofyn pa leisiau a glywai'n
gyson wedi darllen telyneg sy'n nodweddiadol o'i ddawn, megis
'Sŵn yr Hydref':

Mae'r gwynt rhwng brigau'r poplys,
A'r haul yn wan a dof,
A chlywir clec y gneuen
Rhwng dannedd Eli'r Gof.

Mae Rhys y Wern yn dyrnu,
Gan lanw'r fro â'i sŵn,
A'r gwas yn casglu'r defaid
Ynghanol miri'r cŵn.

Fe geisiodd hithau'r frongoch
Am gardod wrth fy nhŷ,
A'r nant yn fwy siaradus,
Yn wallgof braidd, a hy'.

Chwibanodd rhywun neithiwr
Yn hir yn nhwll y clo,
Gan edliw'n haerllug ddigon
Mai'r Hydref biau'r fro.

Dim ond rhyw shifft neu ddwy a weithiodd Dai Culpitt dan-ddaear
ond y mae oes gyfan o werthfawrogiad yn ei gerddi i'r glöwr – a
gwraig y glöwr hithau. Fe'i gorseddodd hi:

Ni wn pa Dduw a'th greodd,
Nac ar ba ddiwrnod 'chwaith;
Ond gwn ei fod ym mhopeth
Yn eithaf siŵr o'i waith:
Rhoes ynot ddeunydd druta'r nef,
A gwydnwch heb ei hafal ef.

A phan yw'n canu i lowyr ei fro nid yw ei gyffyrddiad fyth yn sicrach
na phan yw'n gwneud hynny yn eu priod dafodiaith. Fe ddylai fod
wedi gwneud llawer mwy o ddefnydd ohoni gan ei fod mewn cystal
cytgord â hi mewn cerddi megis 'Dwylo' ac 'Y Shifft Ola'':

Welest ti ddilo fe druan?
O nhw'n grithe glas i gyd,
Mae'r stori, ti'n gweld, yn amlwg
Na fu'n rhy esmwth i fyd.

Se ti'n gweld e'n trafod bwell
Wrth naddu pâr bach o go'd,
A'u dodi nhw lan i sefyll
Fel te nhw yno erio'd.

'R'odd ôl i ddilo ym mhobman,
Ac yntau yn grefftwr hael;
'Odd tân yn mynd trwy'i esgyrn
Pan welai ryw jobin gwael.

Na, chei di ddim dynion heddi',
Â dilo yn debyg trwy'r cwm;
A phan fo'i siort e'n madel –
Mae'r ardal i gyd yn llwm.

Beth allai fod yn symlach ac yn gywirach ei thôn na theyrnged o'r
fath? Y mae'n deimladwy heb fod yn deimladus, ac yn ddigamsyniol
ddiffuant. Roedd Dai Culpitt wrth ei fodd yn taro'r nodyn yna:

Newn ni ddim llawer ma heddi',
Dim ond cymoni y lle;
Rhoi cogyn yn y llaw ucha'
A geren yn y llaw dde.

Rhaid ca'l y lle 'ma yn didi
Erbyn daw Shoni o'r sgip;
I'r ddram â'r rhaw a'r hen fandrel
Gad iddo nhw fyn' sha'r tip.

Aeth hanner can mlynedd hibo
'Ddar citshes i yn y ffas;
Ces ddisen o fân ddamweine
Mae nghorff i yn grithe glas.

Ond diolch am weld y shifft ola',
Mae'r baich yn drwm ar fy ngwar;
Fe gasglwn y tŵls yn gynnar,
A'u cloi nhw i gyd ar y bar.

Yn ei ragair i *Heulwen tan Gwmwl*, da y sylwodd y Dr Lewis Evans mai tynnwr lluniau o fardd oedd Dai Culpitt ac mai 'gweithredoedd yw gwaelod ei gerddi' gan mwyaf. A da y cyfeiriodd at ei ddireidi a barai fod ei ffrindiau o'r farn mai 'Culprit' ddylasai ei gyfenw fod. Bu ei ddireidi a'i barodrwydd i ymlonni yn nigrifwch eraill yn foddion i gynnal ei ysbryd. Petai wedi'i eni yn yr Oesoedd Canol buasai'n gryn gaffaeliad i'r glêr ac yn wir, o gofio'i grwydro fel dyn hel siwrin, ei byncio rhwydd a'i aml stori froc, y mae'n hawdd synio amdano fel yr olaf o'r 'Clerici Vagantes' ym mro'r Mynydd Mawr. Câi flas anghyffredin ar ddyfynnu cerddi dwli Anellyn – bardd y Felin Wen – a lwyddai i odli 'i r'feddu' a 'didy' waeth beth fyddai mater ei gân, a thrysorai Dai ei gopi treuliedig o *Y Bellen Fraith* fel petai lawysgrif hafal i Lyfr Coch Hergest. Roedd gwrando arno'n adrodd ac yna'n dehongli mawredd 'englynion' buddugol Anellyn i 'Cofgolofn Picton' mewn eisteddfod yng Nghaerfyrddin yn 1896 yn gordial o brofiad:

Dyma 'fonument' pert i'w r'feddu
Wedi ei 'fuildio' yn 'didy',
Gwaith meiswniaid goreu Cymru,
Nid oes neb eto wedi eu maeddu!
Yr oedd General Picton yn rhyfelwr da i'w r'feddu,
Wedi ymladd llawer brwydr gyda hyny;
Yn Waterloo y bu'n ymdrechu
I ladd dynion gwyn a dynion du.

Fe dynnai Dai ar wybodaethau pur esoterig wrth 'brofi' fod mawl Anellyn yn 'estyniad' ar fawl Taliesin gynfardd. Lle dedwydd iawn i fod ynddo oedd tafarn Yr Hydd Gwyn yn Llanddarog pan oedd telyn Dai Culpitt mewn hwyl.

Priodol yw rhoi'r gair olaf amdano y tro hwn i'r Dr Lewis Evans a galonogodd y bardd ynddo trwy roi clust barod i'w ganu. Gwyddai'r tiwtor yn dda am dreialon ei ddisgybl, am y brwydro blynyddol yn erbyn afiechyd a gwendid, a thraethodd ganol y gwir amdano pan ddywedodd: 'Gwelsom ef yn mynd i'r frwydr bron bob gaeaf, eithr cadwai'i olwg ar yr haf pan oedd boetha'r ymdrech. Gwelodd falurio'r gymdeithas o'i gylch, gan drai a llanw diwydiant. Hebryngodd dorf o gyfeillion i'w gwelyau'n gynnar dan ormes "dwst y garreg". Rhoes hyn haearn yn ei waed, ond daliodd i ganu yn unigedd y chwalu.'

*   *   *

Yn yr ychydig ysgrifau sy'n tystio i awydd Ifor Kelly i ysgrifennu – awydd y gwnâi ei orau i'w gadw ynghudd – cawn olwg ar ŵr dyfal a bodlon yn ei waith a'i gymdeithas. Yr oedd yn frogarwr sylwgar bob modfedd ohono a bu cwmni'r pererinion wrth ei fodd fel y prawf ei barodrwydd i storïa amdanynt. Teirblwydd oed ydoedd pan symudodd y teulu o Grwbin i Fancffosfelen – dwy filltir oedd oddi yno i bwll Pentre-mawr lle gweithiai ei dad, roedd pedair o Grwbin, ac roedd y gwahaniaeth yn cyfrif pan 'gerddai pob glowr i'r lofa ar las y wawr, a cherdded nôl ar ddiwedd shifft a'i gam rywfaint yn fyrrach.'

Saith oed ydoedd pan gludwyd ei dad adref o'r gwaith mewn ambiwlans cyntefig a fu bron â throi'r 'simple fracture' i'w glun yn 'compound fracture', ac fe gafodd y crwtyn fodd i fyw o gael aros yn y gegin i glywed ffraethebion ffrindiau'i dad pan alwent i brysuro'i wellhad. Ffrindiau y gellid tybio yn ôl eu henwau – Ianto King, Shoni Cwme, Dai Nymbar 9, Wil Llety, Shoni Kitty, Twm Cilog a Twm Talog – iddynt ddianc o un o ddramâu J.O. Francis. Dim ond Dici Bach Dwl oedd yn eisiau! Fe fu'r profiad cynnar hwn o gwmnïaeth glowyr a chael mynd wedyn â thamaid o fwyd i'w dad pan oedd yn 'gwitho mlân' yn y 'Crusher' ar ôl gwella digon i wneud gwaith llai streifus nag a wnâi yn y ffas, yn dipyn o gynnwrf yng ngwaed y crwtyn. Er mai prin y gallai weld ei dad a'i bartner, Albert Fisk, 'oblegid y cymylau o ddwst glo oedd yn cordeddu o'u hamgylch, a'r sŵn yn fyddarol a 'nhad hefo mandrel a Fisk â'i ordd yn chwalu'r cnape mawr', eto i gyd ymddangosai'r lofa iddo 'yn fyd llawn rhamant' ar y pryd, 'a disgwyliwn yn eiddgar am bob cyfle i fynd â bwyd i 'nhad adeg gwitho mlân.'

Fe fu'n ddigon hir yn golier 'i weld cynhaeaf ar ôl cynhaeaf o lowyr ifainc a chanol-oed yn nychu a marw o ddolur dwst y garreg'; i weld 'glowyr Glynhebog yn dod lan o dan-ddaear fel "Swlws" yn dod allan o goedwigoedd Affrica a rhigolau chwys wedi torri cwysi gwynion ar inc yr wynebau llychlyd, wedi bod ym mherfeddion "Tipperary" a "Larry" i weithio'n borcyn yn y ffas' – hynny yw, yn borcyn ar wahân i '"nics" ffwtbol, "knee-pads" a phâr o glocs'; ac i weld glowyr yn cael mynd gerbron Dr Harper (Meddyg y Dwst) yn Rhydaman a'r 'Board' yn Abertawe cyn cael 'eu troi allan o gymrodoriaeth y lofa ynghanol eu dyddiau i bori ar gomin y byd.' Yn blentyn, yn grwt ysgol ac yn löwr profiadol, dysgodd am bris y glo 'pan gludwyd y lladdedigion o'r glofeydd i barlwr eu bythynnod', a bu 'mewn amryw o'u hangladdau yn un o'r fintai fawr o fowleri duon yn nadreddu ei ffordd tua mynwent y llan.'

Cynnil gyflawn yw gwerthfawrogiad Ifor Kelly o wir werth bywydau ei gydweithwyr. Cofnododd dranc David John Marks (Marcs bach) a Twm Preis, y naill yn cael ei ladd gan garreg fawr a ddisgynnodd arno pan ffrwydrodd y nwy yng ngwythïen y Braslyd ym Mhentre-mawr, a'r llall yn cael ei ddagu gan y nwy ar ôl mynd nôl i geisio achub ei bartner. Pymtheg ar hugain oed oedd Marcs, un bychan o ran corff, 'dyn sgwâr, bywiog, ei wreiddiau yn Llansaint, ond wedi byw yn ddigon hir i gael ei "dderbyn" ar y Banc ac wedi bwrw ei hunan i ganol y gymdeithas glòs agos-atoch-chi oedd yn ffynnu yn y pentre o "withwrs" glo.' Roedd yn gerddor, yn gapelwr ymroddgar ac yn weithiwr da, a chafodd Ifor Kelly gan ei weddw gopi o *The Art of Mining*, 'ac ysgrifen Marcs fel "copper-plate" ar ei glawr.' Hen lanc oedd Twm Preis, yn lletya gyda Lisa Jenkins yn High Street, Tymbl, 'ac roedd yn ddiacon poblogaidd yn y Tymbl Hotel.' Claddwyd Marcs bach yn Llangyndeyrn ar ôl gwasanaeth teimladwy yng nghapel Bethel a chôr meibion y Bont yn canu 'O fryniau Caersalem' uwch ei fedd. Claddwyd Twm ym mynwent

Y Tymbl Hotel yn yr 1920au.

gyhoeddus Mynydd Mawr ac roedd 'hanner milltir o "fowler hats"'
yn dilyn ei arch a gludwyd gan 'dri o Bentre-mawr a thri o fois y
dablen.' Cofiai Ifor i'r offeiriad 'drotian' trwy'r gwasanaeth heb
gyfeirio at aberth Twm, ond i Dduw wneud iawn am hynny 'drwy
fwrw enfys o fynwent y Mynydd Mawr i fynwent Bethel,
Llangyndeyrn yn symbol o'r gadwyn aur oedd yn cydio'r ddau löwr i
beidio gwahanu mwy.'

Y mae storïau Ifor am ei gydweithwyr yn siarad cyfrolau am ei
ddynoliaeth braf – ei hiwmor, ei edmygedd o wytnwch corff ac
ysbryd y glöwr, ei oddefgarwch, a'r gwerth a rôi ar gwmnïaeth dda.
Twm Cilog (Thomas Bowen) a orfodwyd i roi'r gorau i bwll Pentre-
mawr yn 70 oed – 'opening bat' disymud i dîm criced Pontyberem a
phrop rhyfelgar i'r tîm rygbi, prin iawn ei Saesneg a mawr ei syched.
Mr Falcon ddi-Gymraeg yn ei gael yn gweithio ar ei ben ei hun yn y
ffas: 'Where is your butty Tom?' 'O, he has had a kill.' 'Good God!
Killed you said?' 'O no, a small kill.' Roedd ei bartner wedi mynd i
gael triniaeth ar ôl damwain fechan. Ar ddiwedd pob shifft byddai ef a
Bristol bach yn brasgamu i'r Pelican am bobo ddau beint cyn mynd
adref i'r twba ymolch o flaen y tân. Byddai Mrs Walters, y dafarnreg,

yn sialco sgôr peints Twm tan nos Wener pae pan fyddai gofyn iddo dalu, yr hyn na wnâi heb brotestio. 'Sawl peint sydd arna' i Mrs Walters?' 'Deuddeg', fyddai'r ateb, a sylw Twm bob nos Wener fyddai, 'Diawl fenyw, a beth ŷch chi'n sgori, rhaca?' Twm Cilog a gollodd ei bartner, Guto Tŷ'r Clai, ar y ffordd allan o Sain Helen ar ôl bod yn gweld Cymru yn chwarae yn erbyn Ffrainc, a gofynnodd i blismon a oedd wedi'i weld: 'What? Guto, no.' 'Wel, myn diawl 'ma beth yw bobi, ddim yn nabod Guto Tŷ'r Clai, ma pawb yn nabod Guto.' Does ryfedd i Ifor ddiolch i Twm 'am adael ôl dy droed yn nhywod amser yng nghwm Gwendraeth.'

Ac y mae sawl un arall. Jaci Carregeidion y rhoes dwst y garreg stop ar ei weithio cyn ei fod yn hanner cant oed. Ceisiai gymorth pan oedd eisiau eglurhad ynglŷn â'i hawl i lo tân neu iawndal, a phan alwai Ifor 'yno byddai Jaci yn baladr o ddyn yn eistedd ar y sgiw, ei wên groesawgar yn goleuo cegin fach Carregeidion. Nid oedd yno na theledu, na radio, na thrydan ond drwy ryw ryfedd wyrth roedd Jaci â'i fys yn ddiogel ar byls y byd a'r betws.' Roedd yn ffrind, hefyd, i'w weinidog yng nghapel Ebeneser, y Parchg. H.R. Morgan, ac roedd ganddo ffordd odidog o ddangos hynny. Pan ddychwelai o ambell siwrne-torri-syched i Gaerfyrddin, fe âi'n 'wylaidd ansefydlog' at Ifor i fynnu ffafr ganddo. Tynnai rywbeth wedi'i lapio mewn papur dyddiol o'i boced a gorchymyn, gyda gwên foddhaus, 'Rho'r sgadenyn ma o farced Caerfyrddin i H.R.' A 'byddai'r Parchg. yn chwerthin nes bod ei fola'n siglo wrth dderbyn offrwm Jaci.'

Wil Six (William Jones) yn gweddïo ar eu sefyll 'yn null y Pharisead' gan fynd o'r 'bottom gear' i'r top yn ddiffael. Gwyddai enw pob capel yng Nghymru gyfan! Bu'n 'ddeligêt' Band Crwbin am flynyddoedd a'i adroddiad i'r pwyllgor yn gyson gymwys ac yn gorffen yn ddieithriad â'r frawddeg berffaith: 'And we all ran to catch the bus.' Daniel Meredith yn dad i lond tŷ o blant ym Mhontyberem ac yn gweithio ym mhwll Coalbrook. Roedd ei fywyd – yn dŷ a bwyd a dillad – ar drugaredd y cwmni a'i talai am lanw glo glân. Ar ôl bod wrthi'n slafo am bythefnos i glirio 'cwmp' ar ei dalcen, dyma dderbyn papur pae pythefnos ac arno'n unig £0.0.0. Ymateb Daniel oedd mynd yn syth at y manijer a gofyn: 'Shwd mae'n dishgwl am un whîl arall i fi gâl neud cart bach i'r plant co?' Jerry'r Painter, a drigai yn y tŷ pen mewn stryd o ugain o dai a godwyd gan berchennog y gwaith ger pwll Pentre-mawr. Didynnid y rhent o'i gyflog yn wythnosol ond gweithiwr anwadal oedd Jerry nad enillai ddigon i dalu'r rhent yn gyson. Un prynhawn Gwener fe'i taflwyd ef a'i deulu lluosog a'r celfi allan i'r stryd yn ddiseremoni: 'Bore trannoeth pan oedd y postmon yn pasio dyma Jerry yn gwthio ei ben allan o ganol y celfi ac yn gofyn – "Have you anything for No. 21 today, sir?"' Er gwaetha'i anwadalwch rhaid oedd cydnabod 'ysbryd' Jerry.

Ac nac anghofier Sam Llansaint (Sam Evans) a oedd yn un o gedyrn cyfrinfa pwll Pentre-mawr, gwichlyd ei lais 'a'i ben ar dro a'i lygaid yn wincio oherwydd clefyd y llygaid – *miners' nystagmus*.' Yng nghwmni Sam, Jac yr Hendy a Jacob Powell y tyfodd Ifor Kelly yn undebwr effeithiol: 'Cyfarfod mewn sied ar ben gwaith bob nos Lun am dri o'r gloch yn ein dillad gwaith, gorffen am bump a dringo llwybr Cwmheidre yn flinedig i'r Banc i afael pryd da o fwyd a'r twba crwn o flaen tanllwyth o dân. Tri swllt o dâl am bob cyfarfod, ond cefais gyfoeth na fedraf ei bwyso yng nghloriannau'r byd hwn wrth wrando, yn fwy na chyfrannu, i ymdrechion y glewion digoleg hynny dros gael mesur o gyfiawnder i'w cymrodyr.'

Sam Llansaint, y motorbeiciwr adeiniog a fyddai weithiau'n cael ambell godwm ar ei ffordd adref ar ôl galw yn y Pelican, a'r Star a'r New Inn, a fu'n achos codwm cofiadwy i'r Tori, Syr Alfred Stephens, pan ddaeth o'i blasty, Broomhill, yng Nghydweli i hel pleidleisiau'n nawddoglyd yn ei bentref genedigol. Fe ddaethai, meddai, o ran cwrteisi i'w cyfarch: 'I know that you all will vote for me, as I am after all a son of Llansaint – I remember when as a child in the village I used to ride the donkeys.' A dyma wich hyglyw o ddirmyg gan Sam: 'Yes, myn uffarn i, and you are still riding them!' Roedd Sam yn sosialydd pan oedd bri ar sosialaeth, pan fyddai Wil John Bowen yn sicr o gefnogaeth gyffredinol mewn cyfarfodydd cyhoeddus ar wladoli'r diwydiant glo dim ond iddo saethu'i gwestiwn disgwyliedig at bob gwrthsosialydd, 'What about the Sankey Commission?', a phan oedd Ianto Cwme a Wil Trallwm yn 'gwbod eu pethe' am wladoli 'the means of production and distribution.' Cawsant fyw i weld bore 1 Ionawr 1947, bore codi baner y NCB, ac i glywed gof y gwaith, Wynford y sbaddwr, yn dweud wrth Mr Niclas y manijer pan sicrhâi ef hwy mai'r glowyr, bellach, oedd piau pob pwll – 'Os felly, fydd dim gwaith i ti 'ma fory.' Mae storïau Ifor Kelly yn pelydru'n gymwys yn ei ysgrifau fel lampau'i gydweithwyr dan-ddaear. Yn eu goleuni fe welwn i bwy y mae'n perthyn, i bwy ac i beth y mae ei deyrngarwch.

Pe na bai wedi gorfod ymroi'n llwyr i wella ar ôl y trawiad cyntaf hwnnw, y mae'n debygol y byddai Ifor wedi derbyn yr her i lunio hunangofiant ac o gofio'r mwynhad a oedd i'r glöwr praff hwn mewn cynifer o feysydd – y capel a'r undeb, yr eisteddfod a'r ddrama, y cae rygbi a'r cae criced – fe gawsem ganddo i'w ddarllen stori-dal-sylw o bwys hanesyddol. Roedd gan Ifor gof gafaelgar ac o safbwynt ysgrifennu gafaelgar roedd ganddo'r ddawn i ddewis y manylion sy'n cyfrif nes creu cymeriad a llunio golygfa a chonsurio naws y gallai dyn dyngu eu bod yn amgylchynol a chyffyrddadwy. O'r ychydig ddarnau o'i waith a oroesoddd y mae'r atgof (atgof crwt ifanc) am dîm criced enwog Pontyberem ar awr ei fachlud ac, yn ddiweddarach, o'r nos Sadwrn (pob nos Sadwrn) yn y Pelican pan fyddai Twm Cilog a'i gyfeillion yn dathlu, yn hawlio'u dyfynnu yma yn rhinwedd eu camp.

Noddid y tîm criced gan Mr Seymour, manijer y gwaith glo. Roedd brêc a cheffylau'r gwaith at wasanaeth y tîm, ambell swllt ychwanegol o dâl am bob gêm a enillid a hanner coron am drechu Coleg Llanymddyfri!:

> Arwr y tîm yn ddiamheuol oedd Shoni Crab (Jac Davies) y ffast bowlyr. 'Slashyn' tal chwe throedfedd, chwe modfedd gyda mwstas fel 'handlebars' beic. Nid yn unig yr oedd Shoni yn bwrw'r wiced i lawr ond yr oedd yn ei thorri yn y bôn. Dyna Ifor Tynycwm wedyn, 'slow left arm'; cawod ysgafn o law ac roedd hwn yn beryglus.
>
> Yna y bat cynta a'r ail fat, Dafydd Esther a Joe Esther, dau frawd, dau i ladd yr 'attack' gorau yn y wlad. Sgoriodd ddim un o'r ddau rif dwbwl mewn chwarter canrif o griced ond fe fu'r ddau yn foddion i ladd lleng o fowlwyr addawol. Yna Wil y Pelican a'r brodyr Wil a Dic Wilkins, batwyr neilltuol gydag Elis Tynycwm i gymryd at y gynffon pan fyddai'r bowlio yn dechrau colli stêm. Dyma pryd y byddai Elis yn bwrw pob 'loose ball' i ben 'tip y Syrffa'. Pan oedd Dafydd Esther a Joe ei frawd yn cerdded mâs i agor yr 'innings' yr oedd pob llymeitiwr yn cymryd llwybr tarw am y 'Pelican', y 'New Inn', neu'r 'Star', gan fod yn berffaith siŵr mai ar stop fyddai'r sgôr am awr o leiaf, tra fyddai'r brodyr yn tynnu min y bowlwyr ffres. Pe bai'r ddau yma yn chwarae heddiw byddent yn siŵr o gael naw mis o garchar.

A phwy wedi profi hyfrydwch cwmnïaeth nos Sadwrn mewn tafarn gymdogol gydnaws nad ameniai'n ddibetrus wedi darllen y disgrifiad hwn o'r Pelican ym Mhontyberem ers talwm:

Bois y pensil glas yn trin a thrafod helyntion y lofa, menywod, a gwleidyddiaeth cyn eistedd nôl rhwng naw a hanner awr wedi deg i wledda ar eu cyngerdd Sadyrnol. Shoni Kitty, 'Paderewski' y Bont wrth y piano, a peint ffrothog wastad yn barod i wlychu whisl Shoni gan ei edmygwyr. Wynff y sbaddwr yn agor gyda 'Brad Dynrafon' a 'Friend of Mine fel encor – unawd sy'n sôn am ddewrder y glöwr a'r morwr. Yna, Glan Ben, yn canu 'Cloch y Llan' nes tynnu deigryn o lygad Twm. Geraint yn tynnu sawl 'short' am ddisgleirio ar y solo tenor enwog, 'Arafa Don', a Wil Lletywhilws yn adrodd 'Gweddi Wil Bach' yn nhafodiaith y Rhondda a chael clap ecstra ar ei gefen gan Dai Maer o Flaenllechau, colier ym Mhentre-mawr. Fel y codai y gwres yn y 'Long Rŵm', llifai nodau sawl emyn cyfarwydd yn debyg i gôr Parc yr Arfau adeg gemâu rhyngwladol a dôi'r noson i ben yn sŵn 'Stop Tap' Mrs Walters, 'Sosban Fach' a 'Calon Lân'. Twm, Bristol Bach a Guto yn croesi'r Parc tuag adre yn igam ogam, ac yn shiglo llaw cyn ymadael fel pe baent heb weld ei gilydd ers blynyddoedd.

Dyna'n gymwys fel roedd hi. Ac onid ydym yn gwybod ei bod yn ddiwrnod mawr pan agorodd Jac yr Hendy ddrws y baddonau am y tro cyntaf am i ni glywed ' y canu dan y gawod yn gyfareddol a'r sbri wrth weld Harri Fochriw a'i gap gwaith ar ei ben o dan y gawod a ffrydiau duon yn boddi ei drwyn coch.' Rydym yno, yn y fan a'r lle, diolch i Ifor Kelly.

Bu byw yn ddigon hir i weld cau'r Neuaddau Llesiant lle'r oedd darluniau'r arweinwyr lleol ochr yn ochr â phwysigion y cwmnïau glo ar eu parwydydd, ac i glywed y tawelwch pan dawodd corau Olifer Thomas, Jac yr Hendy, Mr Mainwaring, Dafydd Harries, Lloyd Asa Williams, Wil John a'i frawd, Dan Jones, a Jacob Powell. Bu byw i weld 'dynion mawr yn codi pan oedd hi yn faterol dlawd yn y Mynydd Mawr' a 'dynionach bach yn cerdded yn hy' lwybrau'r Mynydd Mawr pan oedd y llanw materol yn uchel.' Gwyddai fod dirywiad ar gerdded yn y tir ac nid ofnai fwrw bai: 'Y mae bechgyn y llanw wedi difwyno yr hen ffrydiau ac wedi chwerwi dyfroedd grisial y ffynhonnau. Mae'r capeli yn gwacáu, y Neuaddau Llesiant yn weddw, y clybiau dan sang, a'r Bingo a'r Bandit Unfraich yn gweithio oriau llawn.' Bu byw i weld diflaniad y pyllau glo ac ymddatodiad y gymdeithas gron y cwynodd Gerallt Lloyd Owen ei cholli:

> Dros nos fe aeth drws nesa' – yn ddiarth
> Ac yn ddifenthyca;
> Ac aeth oes cymdogaeth dda
> Yn oes nad yw'n busnesa.

Er gwaethaf hyn, pe cawsai Ifor Kelly ddewis bro yng Nghymru i dreulio'i oes ynddi, bro'r Mynydd Mawr yng Nghwm Gwendraeth fyddai honno, ac y mae'r pennill a ddyfynnodd i gloi un o'i ysgrifau yn mynegi i'r dim ei ymlyniad ef a Dai Culpitt wrthi:

> Goleuaist ti holl erwau fy mhlentyndod,
> Lliwiaist fy nyddiau chwim â'th araf hud,
> Llenwaist gilfachau 'nghof ag amal syndod,
> Lluniaist fel dewin ddeunydd fy holl fyd.

'Yr afon sy'n canu yn y cwm'
Y Fonesig Amy Parry-Williams (1910-1988)

Bethan Mair Matthews

Rydym wedi hen arfer â chlywed y dywediad y ceir y tu cefn i bob dyn mawr wraig dda, a does ond angen meddwl am rai o arweinwyr gwleidyddol ein cyfnod ni, yn Lloegr ac yn America, i weld bod gwraig ddeallus, rymus yn gallu bod yn gaffaeliad mawr i'w gŵr. 'I am my husband's legs' meddai Eleanor Roosevelt, wrth ymweld â phyllau glo'r Unol Daleithiau ar ran ei gŵr, yr arlywydd anabl. Fel gwraig dda y cofir yn bennaf heddiw am Amy Thomas o Bontyberem, neu'r Fonesig Parry-Williams, fel yr oedd yn fwy adnabyddus i Gymry diwylliedig ac Eisteddfodol yr ugeinfed ganrif, ond fel y gobeithiaf ddangos, y mae mwy na digon o gyfiawnhad dros gofio Amy Parry-Williams y tu hwnt i'r ffaith iddi wneud priodas dda.

Ganed Amy ym Mhontyberem yn y Gwendraeth Fawr, yn un o dri o blant, ac yn ôl tystiolaeth Hywel D. Roberts,

> Man diwylliedig, – cerddorol a llenyddol – oedd y cartre ym Mhontyberem, a Lewis Thomas, yr hynaf o saith o blant, wedi trosglwyddo egywddorion y sol-ffa, canu gwerin, a'r gynghanedd i'r brodyr, fel ag y gwnaeth i Amy, Mary a Madoc, ei blant ei hun.

Mae portreadwr di-enw a ysgrifennodd amdani yn y *Faner*, ym mis Tachwedd 1956 yn nodi mai

> Plentyn ei hardal yw Amy Parry-Williams. Yn ei thoriad bonheddig ceir elfen o falchder ei henfro. Yn ei siarad a'i cherdded, yn ei holl osgo y mae arwyddion annibynniaeth. Ni chaniataodd i lawer o neb ddyfod yn nes ati nag o hyd braich – a honno, fel y mae'n digwydd, beth yn hirach na'r fraich gyffredin.

Dyma gyfuno urddas, annibynniaeth a hyder naturiol, a phriodoli'r cyfan i'w magwraeth gadarn ym Mhontyberem. Arferid dweud ar lafar yn ardal Pontarddulais, ardal sy'n ffinio â'r glo carreg, fod y bobl sy'n byw ar ben y glo carreg yn bobl wahanol – bod yn perthyn i'w cymeriad rai o nodweddion y glo ei hunan, sef caledwch anghyffredin, arafwch i danio, a'r gallu i losgi'n gryf a hir unwaith y cynheuir ef. Dyma nodweddion y gall ffrindiau eu gwethfawrogi, a gelynion eu hofni! Efallai mai ychydig o'r un sentiment a ddisgrifir gan y portreadwr am gymeriad Amy, yr enigma ddeallus, ddawnus, hardd.

Athrawes oedd mam Amy, gwraig barablus, frwd, a fu'n dysgu, â chryn lwyddiant yn ôl pob sôn, yn ysgol Llwynhendy, ac roedd dylanwad ei rhieni yn amlwg ar yr Amy ifanc ddawnus. Er mai dyn swil oedd ei thad, roedd ei mam yn wraig a ymfalchïai mewn gwasanaethu'r gymuned, ac etifeddodd Amy ddoniau gan y ddau. Byddai'n cael ei chymell i gystadlu mewn eisteddfodau lleol a chenedlaethol, ac er mai ei thad a'i dysgai i adrodd a chanu, gan gynnwys crefft a oedd yn gymharol brin yn y De bryd hynny, sef canu cerdd-dant, yng nghwmni ei mam yr âi i'r gwyliau hyn. Yn ei deyrnged arbennig iddi yng nghylchgrawn Cymdeithas Cyn-fyfyrwyr Coleg Prifysgol Aberystwyth, 1989, noda Hywel D. Roberts iddo ei chyfarfod gyntaf mewn Eisteddfod gynnar a gynhaliwyd gan yr Urdd yng Nghaernarfon, gan y byddai'n arfer gan Tegwen Clee, athrawes Gymraeg Ysgol Ramadeg Llanelli ddod ag adran o'r ysgol i'r Eisteddfodau cynnar i gystadlu,

> '. . . ac ymysg fy nhrysorau sentimental y mae darlun o Amy'n ferch ysgol dal, hardd, a'i dwy blethen olau ar ei chefn, yn gorymdeithio drwy'r dref gyda merched eraill yr ysgol.'

Yn sicr roedd yn ferch drawiadol o hardd, yn osgeiddig a deallus, ac ni cheir yn un man onid canmol iddi. Roedd yn adnabyddus, fel y bydd ambell un ymhob cenhedlaeth, i gylch eang o bobl, a hynny yn gymaint am ei dawn ag am ei harddwch. Enillodd y wobr gyntaf i rai o dan ddeunaw oed ar ganu gwerin yn Eisteddfod Genedlaethol yr Wyddgrug, er enghraifft, a hithau ond yn dair ar ddeg oed, ac ym maes canu traddodiadol y bu ei bryd gydol ei hoes. Tarddai'r diddordeb hwn yn y canu traddodiadol o'i magwraeth, oherwydd yr oedd wedi ennill llu o gwpanau ar ganu ac adrodd cyn iddi fynd i'r Ysgol Ramadeg yn Llanelli. Dylanwad ei thad a gaiff y clod am blannu'r hedyn o ddiddordeb hwn ynddi, diddordeb a dyfodd yn ganolbwynt iddi yn ddiweddarach yn ei bywyd.

Aeth o Ysgol Ramadeg Llanelli i'r Brifysgol yn Aberystwyth, gan raddio â gradd yn y dosbarth cyntaf mewn Cymraeg. Un o'i darlithwyr yno oedd yr un a ddoi'n ŵr iddi, T. H. Parry-Williams, ac er mai cymysg yw'r adroddiadau ynghylch y cyfnod hwnnw, nid yw'n debyg y bu dim rhyngddynt yn ystod y cyfnod y bu'n astudio. Yn wir yr oedd ymhlith cnwd o fyfyrwyr deallus ac abl a ddaeth yn eu tro i ddylanwadu ar eu cenedl, dosbarth a oedd yn cynnwys Hywel D. Roberts, Thomas Jones, Cissie Griffiths (mam Dafydd Iwan a Huw Ceredig) a Mair Rees (Mair Kitchener Davies yn ddiweddarach, a mam Manon Rhys). Yn ôl tystiolaeth bersonol ambell un, roedd yn amlwg bod Amy wedi rhoi ei bryd ar ddal calon ei hathro bryd hynny, ond yn ôl R. Gerallt Jones yn ei gyfrol awdurdodol ar T. H. Parry-Williams,

> Er bod Amy Thomas wedi bod yn aelod o'i ddosbarth ar ddiwedd y 1920au a dechrau'r 1930au, nid oes unrhyw dystiolaeth fod cyswllt o unrhyw fath wedi bod rhyngddynt yr adeg honno nac am flynyddoedd wedyn. Erbyn dechrau'r rhyfel, yr oedd Miss Thomas yn ddarlithydd yn y Gymraeg yng Ngholeg Hyfforddi y Barri, ac yr oedd yr Athro o Aberystwyth yn ymweld â'r coleg hwnnw'n gyson fel arholwr. Y tebyg yw mai trwy gyswllt felly y dechreuodd y berthynas rhwng y ddau . . .

Anodd gan Hywel D. Roberts hefyd ddychmygu nad wedi'r cyfnod colegol y datblygodd y berthynas rhwng Amy a'i darlithydd:

> '. . . gwrando ar Syr Thomas yn ein harwain drwy'r Mabinogion a'r Elfen Ladin a gramadeg Gymraeg, heb ddychmygu y pryd hwnnw y deuai Amy yn Lady Parry-Williams maes o law . . .'

Mae'n cydnabod, serch hynny, bod gan Amy ddoniau a fyddai'n dal llygad. Roedd hi'n actores naturiol a dawnus a chymerai ran mewn cynyrchiadau yn y coleg, megis pan gafodd lwyddiant ym mhrif ran yr operetta , **Rhosyn y Coleg**. Yn ôl Roberts,

> Ysgrifennwyd hi gan Gwenallt, ond Idwal Jones yn cynrhychu a Dr Matthew Williams yn cynorthwyo – ef yn edmygydd mawr o Amy. Hi oedd rhosyn y Coleg, a'i harddwch a'i hurddas yn syfrdanol. Athro bach dibwys yn y Coleg oeddwn i yn y chwarae. Yn wir dibwys oedd y cast i gyd yn ymyl personoliaeth fawr y brif actores.'

Y Fonesig Amy Parry-Williams yn ei helfen, yn feirniad alawon gwerin,
Eisteddfod Glynebwy, 1958.

Roedd y math hwn o berfformio'n taro yn ôl i'r brentisiaeth a gafodd mewn eisteddfodau mawr a bach, a byddai'n baratoad ar gyfer gyrfa ddiweddarach fel cyflwynwraig ar raglenni teledu cynnar TWW, yn arbennig 'Pnawn Da Blant', yr oedd yn gyd-gyflwynydd arno gyda Shan Emlyn. Beth bynnag am y dyfodol hwnnw, wedi iddi raddio o Aberystwyth, aeth yn athrawes i Ysgol Ramadeg y Merched, Caerfyrddin, ac oddi yno i Goleg Hyfforddi'r Barri yn ddarlithydd, fel y soniwyd yn barod. Cymraeg oedd ei phwnc, ond sicrhaodd yn y ddau le bod sylw dyladwy yn cael ei roi yn ei gwersi i ganu gwerin a cherdd dant. Yn ôl y portreadwr di-enw yn *Y Faner*:

> dysgodd Gymraeg i'r merched nid fel pwnc ond fel diwylliant. Ehedai'r gwersi yn sŵn hwiangerddi, dramâu, alawon gwerin a hen chwedlau.

Roedd wedi ymroi i ddod yn arbenigwraig yn y maes, a hynny, yn ôl awdur y portread yn *Y Faner*, oherwydd mai prin oedd y rheiny o'r de a ymddiddorai mewn cerdd dant a chanu gwerin. Daeth ymhen blynyddoedd yn Llywydd y Gymdeithas Gerdd Dant, a Chymdeithas Alawon Gwerin Cymru, ble roedd yn uchel iawn ei pharch gan ei chyd-aelodau, ac yn ôl Roy Saer,

> 'Person cynnil oedd hi, meddylgar, pwyllog, parod i wrando, ond byddai ganddi gyfraniad pan oedd angen un, – a chyfraniad oedd bob amser yn adeiladol, ac ambell dro'n annisgwyl o wreiddiol, gan amlygu'r annibynniaeth meddwl a barn oedd yn perthyn iddi.

Adlewyrchir hyn mewn dau fan nodedig, sef mewn erthygl a gyhoewddwyd ganddi yng nghylchgrawn y Gymdeithas Alawon Gwerin yn Ebrill 1963 o dan y teitl 'Geiriau ein Caneuon Gwerin', ac yn ei chyfraniad i gyfres deledu a ddarlledwyd yn ystod y gaeaf 1971-72, o dan y teitl 'Canu'r Bobl', Roedd bob amser yn pwysleisio pwysigrwydd geiriau, cefndir a tharddiad caneuon gwerin a'u hamrywiaethau, ac hefyd pwysigrwydd y briodas rhwng geiriau ac alaw. Nodwyd ei chyfraniad i'r gyfres deledu fel un 'ysgolheigaidd'.

Nid oes amheuaeth felly ei bod yn wraig arbennig iawn, a phan briododd â T. H. Parry-Williams ym mis Awst 1942, yn Eglwys

Tremarchog, sir Benfro, lle roedd ei brawd, Madoc yn offeiriad, crewyd rhyngddynt bartneriaeth rymus a thrawiadol. Roedd Amy yn 32, a'i gŵr newydd yn 56 mlwydd oed. O'r holl adroddiadau a welir am eu perthynas, nodir i Amy wneud byd o les i'w gŵr, a defnyddir y gair 'gwrthglawdd' i esbonio hanfod ei berthnas ef â hi yng nghyd-destun gweddill y byd. Nid yw'n ormod dweud mai hi oedd yr un a ddylanwadodd arno ef i symud yn fwy i fywyd cyhoeddus, ond hi hefyd a sicrhaodd bod myth T. H. Parry-Williams mor rymus a diogel ag yr oedd – ac y mae o hyd.

Ceir nifer o frawddegau annisgwyl yn y portread a gyhoeddwyd o Amy yn y *Faner* yn 1956. Mae'n sôn amdani, wrth gwrs fel gwraig boblogaidd, gyhoeddus, ac un a lwyddodd i dynnu ei gŵr i fywyd cyhoeddus yn gynyddol o ddiwedd yr Ail Ryfel Byd ymlaen, ond gwelir bod ynddi hithau elfennau cymhleth:

> Ynghanol ei phoblogrwydd, a'i gyrfa gyhoeddus yr un mor ddisglair, ni all y sawl sy'n edrych arni o bell lai na theimlo ei bod yn enaid unig. Mor unig â'r ddraenen sy'n blodeuo: mor unig â'r afon sy'n canu yn y cwm.

Gwraig annibynnol, gytbwys, ond unig felly. Un a gafodd yrfa lwyddiannus, ond a roddodd hon heibio (yn null y cyfnod, wrth gwrs) wrth briodi. Un a oedd yn adnabyddus i lawer ac yn ffigur amlwg yn genedlaethol ond a arhosai rywsut ar wahan. Gwraig, ond nid mam. Wedi iddi briodi, ei gyrfa oedd bywyd Cymru, a bywyd ei gŵr, a'r ddau beth yn anorfod ynghlwm wrth ei gilydd.

Roedd ochr arall i'w chreadigrwydd, a hynny fel awdur storïau byrion. Mae'n ddiddorol nodi iddi gyfrannu stori i'r gyfrol arloesol a olygwyd gan T. H. Parry-Williams, sef *Ystorïau Heddiw* a gyhoeddwyd mor gynnar â 1938. Roedd y gyfrol yn cynnwys 33 o storïau, gwaith gan awduron profiadol megis Kate Roberts, Tegla Davies a D. J. Williams yn ogystal ag ambell gyfraniad gan rai y disgrifir hwy fel 'dechreuwyr'. Yn y fan honno, ymysg enwau annnisgwyl fel Waldo Williams, ac ambell enw a aeth yn angof erbyn heddiw, y gwelir y stori 'Henrietta' gan Amy Thomas. Aeth ymlaen i gyhoeddi tair cyfrol arall, sef *Deg o Storïau* (1950), *Y Plat Piwtar a Storïau Eraill* (1962) a *Dyddiadur Jane Parry* (1965). Nid oes darllen ar y cyfrolau hyn bellach, ac ni welwyd yn dda crybwyll cyfraniad llenyddol Amy, hyd yn oed yng nghyd-destun ei gŵr, yn y *Cydymaith i Lenyddiaeth Cymru*. Yn wir, ni chydnabyddir mohoni o gwbl yn y gyfrol ddylanwadol honno, ac mae'n fwlch anodd ei gyfiawnhau.

Nid fel llenor y cofir amdani heddiw, felly, ond yn hytrach fel arbenigwraig ar y traddodiad gwerin cerddorol, yn ganu gwerin a cherdd-dant, fel cymwynaswraig ym mywyd cyhoeddus Cymru, ac fel gwraig ffyddlon a chefnogol un o brif wŷr llên Cymru.Y mae'n ddiddorol nodi yma sut y disgrifir hi gan bortreadydd y Faner:

> Daeth yn boblogaidd dros ben a chadwodd ei phoblogrwydd heb liniaru dim ar ei siarad plaen. Nid ofnodd erioed ddweud ei meddwl yn glir a di-dderbyn wyneb. Ond er mor bendant yw ei barn ar bethau nid â hi byth i eithafion. Gwraig gymhedrol ei hargyhoeddiadau ydyw – yn enwedig yn ei hymwneud â materion crefydd, cymdeithas a gwleidyddiaeth.

Cyd-weithiodd yn gyson gyda'i gŵr ar baratoi geiriau i ganeuon (ac yr oedd ef yn gyfieithydd geiriau penigamp, wrth gwrs), ac nid oes amheuaeth na fanteisiodd ef yn helaeth ar ei gwybodaeth hi o gerddoriaeth wrth gyfansoddi geiriau Cymraeg i ddarnau mor amrywiol â *Carmen* Bizet, *Sain Nicholas* Benjamin Britten a *Meseia* Handel. Nodir ei chyfraniad fel cyd-gyfansoddwr, yn 1963, y geiriau i'r alaw werin a gofnodwyd yng nghasgliad Castell Harlech o'r ddeunawfed ganrif, cân a ddaeth yn adnabyddus a phoblogaidd o dan y teitl 'Beth yw'r haf i mi?', ei chyfraniad arhosol yn ôl rhai. Peth anarferol ar ryw agwedd oedd bod merch o Bontyberem yn ymserchu gymaint yn y canu traddodiadol. ond o gofio dylanwad ei thad arni, a chofio hefyd am waith rhai eraill o ardal Llanelli, ac efallai yn arbennig y Dr Haydn Morris yn hyn o beth, nid yw'n gymaint o syndod iddi ddod yn Llywydd Cymdeithas Cerdd Dant Cymru ym 1949 ac yn Llywydd Cymdeithas Alawon Gwerin Cymru ym 1986. Cafodd gyfle pellach i fod yn ddylanwadol mewn safle gweithredol ym myd cerdd dant yn ei rôl fel aelod o Banel Cerdd Dant Llys yr Eisteddfod Genedlaethol. Yn ehangach rhoddodd ei gwasanaeth i gyrff cyhoeddus Cymru yn ffurf gwasanaethu ar Gyngor a Llys

Syr Thomas a'r Fonesig Amy Parry-Williams y tu allan i'w cartref, 'Y Wern', Ffordd y Gogledd, Aberystwyth, c.1944

Coleg Prifysgol Cymru, Aberystwyth, Cyngor a Llys yr Eisteddfod Genedlaethol, a Llys y Llyfrgell Genedlaethol. Er mai mewn ffurfiau ar y diwylliant traddodiadol yr ymddiddorai'n bennaf, gwleir ei natur flaengar yn ei hymwneud â dyddiau darlledu cynnar. Soniwyd eisoes am ei phrofiad fel cyflwynydd a chyfrannwr i raglenni teledu cynnar TWW, ac mae'n werth nodi mai hi oedd y wraig gyntaf i fod ar fwrdd cyfarwyddwyr Teledu Harlech.

Dylid cyplysu ei holl wasanaeth cyhoeddus hi â'r ffaith y derbynnir yn gyffredinol gan y rhai a oedd yn gyfarwydd ag Amy a'i gŵr, mai hi yn anad neb oedd yn gyfrifol am greu'r amglychiadau a barodd fod T. H. Parry-Williams, y darlithydd swil a'r bardd sensitif, yn dod yn Syr Tomos y marchog a'r llais adnabyddus. Yn ôl R. Gerallt Jones yn ei gyfrol am y llenor,

> . . . nid oes unrhyw amheuaeth na roddodd ei briodas iddo sicrwydd a diogelwch nad oedd wedi ei brofi ers iddo adael Rhyd-ddu am Borthmadog [yn ddeuddeg oed]. Y mae'n ddigon posibl fod ei briodas yn cyfamseru â chyfnod pryd yr oedd, beth bynnag, yn dechraudod i delerau â llawer o'r ellyllon a'i poenai, ond fe fyddai'n agored i'w glwyfo gan saethau'r byd tra byddai, ac mae'n sicr na fyddai wedi llwyddo i gyflawni'r hyn a wnaeth yn gyhoeddus a diwylliadol rhwng 1942 a'i ddyddiau olaf heb gymorth grymus gwraig go arbennig.

A gellir ychwanegu sylw J. E. Caerwyn Williams at y darlun pan nododd:

> I may be wrong but I do not think that T. H. would have become President of the Honourable Society of Cymmrodorion and President of the Council of the National Eisteddfod without his wife's support and encouragement.

Wrth ystyried y nodweddion hynny o berthynas y ddau sy'n amlwg, mae'n debyg y datgelir i ni ryw gymaint am ein gwrthrych wrth wneud hynny. Roedd yn wraig a ymglywai â chyfrifoldeb cymdeithasol, ac a roddai'n rhydd o'i doniau a'i hamser i gyflawni'r cyfrifoldeb hwn. Roedd yn wraig ofalus o'i gŵr, gan ei hyrwyddo mewn dull y byddai arbeingwyr *spin* ein dyddiau ni yn eu hedmygu'n fawr, er mwyn creu'r ddelwedd sydd mor adnabyddus o T. H. Parry-Williams, tra'n gwarchod y bardd sensitif rhag rhai o hyrddiadau cryfaf gwyntoedd llym Cymru ym mlynyddoedd canol y ganrif ddiwethaf. Awgrymwyd mai un a ymdebygai o ran ei gymeriad i'w thad oedd T. H. Parry-Williams, ei swildod diarhebol yn adlewyrchu natur gyndyn Lewis Thomas, Pontyberem, ac wrth gwrs, roedd ystod oedran rhyngddynt a olygai bod ei gŵr yn agosach at oedran ei thad nag ydoedd ati hi. Nid yw'n debygol, serch hynny, fod y wraig gadarn yn chwilio'n ymwybodol am ffigur tadol, ac nid oes awgrym yn eu perthynas mai dyma fel yr oedd hi. Cyflwyno wyneb urddasol a pharod at wasanaeth i'r cyhoedd, ond cadw'n ddirgel y pethau hynny a oedd o bwys personol: dyna ddull Amy a'i chymar. Mewn ysgrif goffa iddi, canmolodd J. E. Caerwyn Williams Amy gan ddweud '. . . Amy Parry-Williams was one of those women who are born and not made ladies.' Mae'n sicr i'w magwraeth yng Nghwm Gwenraeth ar yr aelwyd ddiwylliedig, frwd, lunio ei phersonoliaeth gadarn a gwreiddiedig, a dyna sy'n gwneud pobl urddasol, mae'n debyg, sef eu bod yn ffyddiog yn eu hymddygiad, ac yn eu hunan-ymwybod.

'Beth a dâl gwraig rinweddol?' medd yr adnod. Yn ein cyfnod ôl-ffeministaidd ni, anodd dychmygu y byddai gwraig mor ddawnus a disglair ag Amy Parry-Williams yn bodloni ar gael ei chofio yng nghysgod ei gŵr enwocach. I'r gwrthwyneb wrth gwrs y mae'r gwir. Y mae'n werth cofio am Amy Parry-Williams, Amy Thomas o Bontyberem, Ledi Amy, beth bynnag yr enw a roddwch arni. Os y cofir hi am gynnal T. H. Parry-Williams a gadael iddo wneud ei gyfraniad yntau i fywyd Cymru, da hynny. O leiaf fe gofir amdani. Ni allwn ond gobeithio y bydd cenedlaethau newydd yn dod i wybod amdani yn sgil ei gŵr, ond y byddant yn dymuno, wedi codi cwr y llen ar ei chyfraniad, ddysgu mwy amdani hi a'i dylanwad personol enfawr, hi'r enigma o Gwm Gwendraeth.

Cyfarwydd Carwe:
Bernard Evans, Mapiwr Cynefin

Robert Rhys

Mor braf yw medru sôn o'r diwedd am yr ugeinfed ganrif, yr hen ganrif rodresgar hunandybus honno, fel 'y ganrif ddiwethaf', y term a ddefnyddiwyd mewn modd mor ddilornus gan gynifer o'i gwŷr llên wrth gyfeirio at y bedwaredd ganrif ar bymtheg. Perthyn i'r ganrif ddiwethaf bellach, gobeithio, y mae'r math o ragdybiaethau beirniadol deddfol a dychmygwag a rwystrodd feirniaid y Fedal Ryddiaith yng Nghwm Rhymni yn 1990 rhag gwobrwyo llenor disgleiriaf y gystadleuaeth, Bernard Evans, am y storïau a gyhoeddwyd wedyn yn y gyfrol *Glaw Tyfiant*, a hynny am nad oedd pob un o'r storïau yn 'stori fer' a hyn er iddynt gydnabod yn hael ddawn ddiamheuol eu hawdur.[1] Mor bell yn ôl yr ymddengys hyn i gyd ar ôl degawd pan sylweddolwyd nad oedd Einion Offeiriad wedi cynnwys y stori fer yn fesur caeth rhwng ei dawddgyrch cadwynog a'i gyrch-a-chwta wedi'r cwbl, a phan ddisgleiriodd afiaith Robin Llywelyn, Mihangel Morgan ac eraill.Yn wir mae lle gyda ni i ystyried gwyro tawel a chymedrol Bernard Evans oddi ar lwybr y prennaidd gonfensiynol yn 1990 yn rhagargoel calonogol o'r anniddigrwydd deallus a fyddai'n cyniwair yn rhengoedd ein hawduron rhyddiaith weddill y ganrif.

Bu farw Bernard Evans yn 1991. Tuag at ddiwedd ei oes y defnyddiodd y doniau llenyddol y bu'n eu hymarfer ers blynyddoedd fel cynhyrchydd gyda'r B.B.C. ac fel awdur nofelau i bobl ifanc i fyfyrio ar orffennol a phresennol y gymdeithas y magwyd ef ynddi yng Ngharwe, Cwm Gwendraeth, sir Gaerfyrddin. Trwy gadwyn o straeon byrion yn *Glaw Tyfiant* (1990), ac yna trwy'r cronicl dychmygus, *Y Meini'n Siarad*, a gyhoeddwyd ar ôl ei farw yn 1992, y gwnaeth hyn. (Perthyn i'r un byd y mae'r stori 'Sgidiau Wncwl John' (*Taliesin* 66) ac fe gynhwysodd beth o ddeunydd *Glaw Tyfiant*, fe ymddengys, yn rhan o nofel, 'Yr Arwr', a anfonodd i gystadleuaeth Gwobr Goffa Daniel Owen yn 1990 dan y ffugenw 'Lasarus'.[2] Mae

Bernard Evans.

pob bro yn haeddu ei chyfarwydd, ac yn disgwyl amdano, y gŵr neu'r
wraig sy'n defnyddio cynhysgaeth gynefin yn gefnlen i'w myfyrdod
ar y byd a'u bywyd, ac yn cynhyrchu llenyddiaeth o'r fath
arwyddocâd a graen nes gwneud y cynefin personol yn rhan o'r
cynefin llenyddol cenedlaethol, yn enw ar fap a allai fod mor
gyfoethog ei gysylltiadau â Rhyd-ddu neu Rydcymerau neu
Rosgadfan. Byddwn yn dadlau bod Carwe a Chwm Gwendraeth
bellach ar ein map llenyddol ni, ac mai Bernard Evans a'u rhoes yno.
Nid fy mod yn honni, cofiwch, fod yma lenor o faintioli'r rhai a
gysylltir â'r pentrefi eraill a nodwyd - tywyllu cyngor fyddai hynny.
Ond prin y byddai'r gyfrol hon yn gyflawn heb gydnabod ei gyfraniad
a'i gamp, a cheisio gwneud hynny yw fy mwriad yn yr ysgrif hon.

Yn 1926 y ganwyd Bernard Evans. Ychydig yn ddiweddarach y
ganwyd Dafydd Rowlands ym Mhontardawe a Bryan Martin Davies
ym Mrynaman. Tua deng mlynedd ar eu hôl hwy y ganwyd Derec
Llwyd Morgan yng Nghefnbrynbrain. Bernard, David, Bryan a Derek.
Bron nad yw'r enwau bedydd Saesneg yn ddigon i'w lleoli o ran
rhanbarth a chenhedlaeth yn y fro ddiwydiannol Gymraeg honno sy'n
cwmpasu cymoedd Gwendraeth, Aman a Thawe. (Yr eithriad sy'n
profi'r rheol, fel petai, yw Meirion Evans o Felindre!) Aeth y rhain i
gyd ati mewn rhyddiaith ac mewn cân i gofnodi neu i ail-fyw rhyw

agweddau ar y pentrefi diwydiannol neu hanner-ddiwydiannol byrlymus hyn. Cenhedlaeth ydyw a gafodd, trwy gyfrwng addysg uwch, gyfle i adael y pentrefi hynny, neu'n gywirach o bosibl, a wthiwyd dros ymyl y nyth gan amgylchiadau economaidd a disgwyliadau cymdeithasol. (Dafydd Rowlands a lynodd yn fwyaf dygn wrth ei filltir sgwâr.)

Yn ôl Alan Llwyd yn 'Troeon Bywyd', y gerdd a enillodd iddo goron Eisteddfod Aberteifi yn 1976, 'ennill gradd a cholli gwreiddiau' oedd ei hanes ef wrth adael cynefin am goleg. Cyflwynir addysg uwch fel ffactor negyddol, difaol sy'n ysgaru rhwng dyn a'i fro, ac yn ei orfodi i fabwysiadu coegsafonau academaidd yn lle'r ddoethineb reddfol, oesol honno a berthyn i unigolion mewn cymdeithas wreiddiedig, syniad a gyflwynir mewn gosodiadau ysgubol fel, er enghraifft, 'ein hethos mewn gwenithen'. Ond colli gwreiddiau neu beidio, fel alltud o'i gynefin y lluniodd Alan Llwyd ei gerddi am Lŷn, ac yn hynny o beth nid yw ddim gwahanol, fel yr awgrymwyd eisoes, i nifer fawr iawn o awduron yng Nghymru a thu hwnt. Ffenomen fyd-eang yw'r symud o wlad neu dreflan ddiarffordd i dref fawr neu ddinas *via*'r gyfundrefn addysg. Yr hyn sy'n fwy amrywiol yw'r agweddau at brofiadau'r cynefin, a'r defnydd a wneir ohonynt. I rai awduron 'y tir glas' yw'r hen gynefin, y baradwys goll ddedwydd y mae'r awdur o oedolyn yn ei hail-greu'n garuaidd, yn aml i wneud iawn am ddiffygion ei bresennol yn 'y tir du' neu i'w hanfarwoli cyn iddi fynd dros gof am byth. O waith D.J. Williams y daw'r termau, wrth gwrs, ond gellir eu cymhwyso i ryw raddau at amryw awduron Cymraeg, Bernard Evans yn eu plith.

Gellid gosod dull arall o fynd ati dan y pennawd 'Bydd dyn wedi troi'r hanner cant', geiriau agoriadol cerdd Gwenallt, 'Y Meirwon'. Mae'r frawddeg yn mynd yn ei blaen i ddweud bod cyrraedd yr oedran hwnnw yn golygu bod dyn yn medru dehongli arwyddocâd y gymdeithas y magwyd ef ynddi. Nid yw'r nodyn o deyrnged yn absennol yng ngweithiau'r garfan hon, ond mae'n cynnwys elfennau mwy beirniadol a cheir cydbwysedd sy'n cydnabod bodolaeth yr egr a'r tywyll. At ei gilydd mae'r awduron Cymraeg eu hiaith yn ffyddlon i'w cynefin. Prin yw'r rhai y medrid eu gosod yn dwt yn nhraddodiad *My People* Caradoc Evans, cynhyrchwyr llenyddiaeth sy'n dial cam, real neu ddychmygol, trwy ddinoethi gwendidau ysgeler yr hen ardal

– culni, rhagrith, Phariseaeth a Philistiaeth yw'r rhai ffasiynol. (Mae agweddau ar waith rhai awduron iau o'r gogledd sy'n byw yng Nghaerdydd yn ddiddorol yn hyn o beth.) Weithiau wedyn bydd perthynas yr alltud â'r hen gynefin yn y presennol yn cael ei diffinio yn nhermau colled. Does dim profiad bywiol o'r presennol ac mae'r cysylltiadau'n prinhau fesul angladd. *Ubi sunt* yw cwestiwn yr awduron hyn; fe'i gofynnir fwy nag unwaith yng ngwaith y beirdd Gwyn Thomas a Gwenallt, ac mae'n nodwedd bwysig yn *Y Meini'n Siarad*.

Mae angen canmol Marian Delyth am ei gwaith yn dylunio cloriau'r ddwy gyfrol. Daeth o hyd i ddelweddau grymus sy'n adlewyrchu cyweiriau'r gweithiau ac yn cyfoethogi ein hymateb iddynt yn ogystal. Bachgen yn edrych trwy ffenest lawog sydd ar glawr *Glaw Tyfiant*, bachgen ar ei dyfiant yn cael ei rwystro hwyrach rhag ymroi i'w briod anian ac afiaith yn yr awyr agored. Ond mae'r llun yn llwytho'r idiom gyfarwydd, 'glaw tyfiant', y glaw y byddai'r garddwr o weithiwr yn ei groesawu, ag ystyr llai dymunol. Oherwydd mae'r diferion glaw ar y ffenest yn awgrymu dagrau hefyd, ac mae i ddagrau siom a gofid eu lle ochr yn ochr ag afiaith mabinogaidd yn y storïau hyn. Storïau ydynt sy'n darlunio cyfres o olygfeydd yn neffroad emosiynol, corfforol a deallusol y bachgen a'r llanc hydeiml, Emyr Owen.

Awgrymu'r tir glas hwnnw a gysylltwn ag asbri plentyndod a wna teitl stori agoriadol hyfryd *Glaw Tyfiant*, 'Arwr'. Ond mae agoriad y stori hon yn cyfleu i'r dim y tywydd cymysg y cawn ein hunain ynddo yng ngwaith Bernard Evans. Llais oedolyn yn ail-greu profiadau plentyn sydd yma, ac yn medru ôl-daflunio rhai o safbwyntiau oedolyn heb golli dilysrwydd y cofnod o'r profiad o safbwynt plentyn. 'Dau grwt yn eistedd ar ben wal yn yr heulwen' yw'r darlun cyntaf, ond taw wal y fynwent ydyw, mynwent lle mae'r cerrig beddi yn gwyro i bob cyfeiriad. Mae'r ail baragraff yn cyfuno'r darlun o hwyl diofal plentyndod a'r argraff a gawn mai rhyw wên fach drist, enigmatig, sydd ar wyneb y traethydd:

> Mae sodlau'r ddau yn taro'n ysgafn ar garreg y wal, a'r tu ôl iddynt mae gorffennol y pentref yn gorwedd boch wrth foch, ystlys wrth ystlys, morddwyd wrth forddwyd, a'r tip glo'n gwgu ar yr heulwen sy'n gwenu'n llawen oddi ar yr '*Ymdrechaist ymdrech deg*'.

Pan ddaw hi'n amser disgrifio'r cae rygbi y mae'r bechgyn yn edrych arno wedyn mae gallu'r awdur i gynysgaeddu gwrthrychau diriaethol â lled-awgrymiadau o gyflyrau teimladol yn amlwg unwaith eto. Neu felly y darllenaf i, o leiaf, y frawddeg ganlynol: 'Deil y cae'n las, glesni dechrau'r tymor cyn i'r llaid dan y glaswellt gael ei bwdlo a'i wasgu gan sgidiau rygbi a'i droi'n llain mor ddu â phele erbyn canol y tymor.'

Wrth i'r stori ymagor fe welwn y gellid defnyddio'r cae rygbi symudliw yn symbol o'r bywyd y mae Bernard Evans yn ei ddehongli yn ei waith. Mae yma leiniau o dir glas; y mae cyfeillgarwch plant a'r modd y mae hwnnw'n cynnwys arwr-addoliaeth yn elfen gynnes drwy'r stori (Emyr yw arwr Myrddin, Handel yw arwr Emyr). Ond nid byd unlliw mohono fel y gwelwyd eisoes; ac y mae'r cyfeiriadau at yr hyn y byddai'r 'bechgyn caled – bois y ffermydd' yn ei wneud i Emyr pe gallent ei ddal, ac onibai am warchodaeth Myrddin, yn atgyfnerthu hynny. Mi garwn ddweud dau beth am iaith y stori, gan gydnabod ei bod hi'n bosibl fy mod i'n codi sgwarnog heb fod arni lawer o gig! (Os oes grym i'r pwyntiau hyn o gwbwl maent yn wir am y gyfrol gyfan.) Enwau'r ddau brif gymeriad yn gyntaf, Myrddin ac Emyr; enwau Cymraeg, gwahanol i eiddo'r awdur a'i frodyr a llawer o'i gyfeillion. Pa mor ymwybodol fwriadus, tybed, oedd y Cymreigio hwn ar y gynhysgaeth atgofiannol? A oes yma geisio gwneud iawn am agweddau cenhedlaeth flaenorol at y Gymraeg? Yn ail, ysgrifennu Cymraeg llenyddol a chywir a wna Bernard Evans. Beth ar y ddaear sy'n werth ei nodi ynghylch hynny, meddech chi? Fawr ddim, hwyrach, ond rwyf am ganlyn y sgwarnog. Mae'r stori 'Cymru Fach', un o'r storïau sy'n seiliedig ar brofiadau'r awdur yn Ysgol y Gwendraeth, yn codi ein trywydd, greda' i. Cipolwg ar orchwyl 'anobeithiol' Miss Parry, yr athrawes Gymraeg, a gawn yn wyneb agweddau difraw ei disgyblion a'u rhieni tuag at yr heniaith, y modd y mae hi'n ceisio eu hargyhoeddi o'i hynafiaeth a'i thrysorau, gan lwyddo o leiaf i ddeffro ymwybyddiaeth lenyddol un o'i phraidd, sef Emyr, prif gymeriad y gyfrol. Ond 'roedd yn ei chael hi'n anodd, os nad yn amhosibl, i gyfleu'r syniad bod etifeddiaeth hanes a llên eu hiaith eu hunain yn bwysig i'r plant hyn.' Cenedlaetholwraig yw Miss Parri, aelod o'r blaid y byddai ei daliadau yn anathema i drigolion y cwm ar y pryd. Yn wir, yn yr hinsawdd oedd ohoni hyd at yn gymharol ddiweddar, mi fyddai dangos gormod o ddiddordeb yn y Gymraeg a'i llenyddiaeth yn arwydd o dueddiadau politicaidd annerbyniol gan y mwyafrif. (Pan benderfynodd cyfaill i mi astudio Cymraeg fel pwnc yn y chweched dosbarth yn Ysgol Ramadeg y Gwendraeth ddiwedd y chwedegau, ymateb rhai o'i gyfoedion oedd 'Beth wyt ti boi, *Welsh Nationalist*?') Seiliwyd cymeriad Miss Parri ar 'Miss Dora', Dora Williams, gogleddwraig a chynfyfyrwraig i John Morris-Jones a fu'n athrawes Gymraeg yn y Gwendraeth am flynyddoedd hir tan ei hymddeoliad ddechrau'r chwedegau. Yn y gyfrol a gyhoeddwyd i ddathlu hanner canmlwyddiant Ysgol y Gwendraeth tystiodd Carwyn James, ymhlith eraill, i'w dylanwad. Ond dylanwad ar leiafrif bach ydoedd, fe ymddengys. Yn ôl un o'i chyn-ddisgyblion, Elsbeth Beynon (Jones), a aeth yn ei blaen i wneud cyfraniad enfawr fel athrawes Gymraeg yn y cwm: 'Miss Dora never tired of reminding her unruly and unappreciative pupils how honoured she was to have listened to the teaching of . . . Sir John Morris-Jones. She claimed that his imposing presence would have banished the traits of hooliganism even from pupils like us.'[3] Roedd ymateb i wahoddiad taer Miss Parri, fel y gwna Emyr yn betrus ar ddiwedd y stori, yn golygu mynd yn erbyn y llif (i fechgyn yn enwedig hwyrach), yn golygu dewis llwybr gwahanol, llwybr a'u harweiniai at Gymreictod mwy ymwybodol a chenedlaethol. Nid peth hollol ddwl fyddai dweud bod y dewis yn golygu teithio i wlad arall,a dysgu iaith arall i raddau helaeth iawn, iaith safonol y bydoedd llenyddol ac academaidd Cymraeg. (Gan gofio mai'r Saesneg, cyn y cyfnod diweddar, oedd cyfrwng dysgu pob pwnc arall.) Roedd Bernard Evans ymhlith y rhai a ddewisodd y llwybr hwn. Pan aeth yn ôl ymhen blynyddoedd lawer i sgrifennu am 'y bobl a'r cynefin a fowldiodd ei fywyd e' dewisodd wneud hynny i raddau helaeth yn ei 'ail iaith', yr iaith safonol. (Yn gwbl wahanol i Caradog Prichard, dyweder). Deuai'r awdur o'r rhan honno o'r byd lle roedd siaradwyr Cymraeg wedi hen arfer ymddiheuro am ansawdd eu hiaith ac yn tueddu i golli hyder yn eu gallu i'w defnyddio'n ysgrifenedig. Roedd perygl, siŵr o fod, i ysbryd Morris-Jones yn yr ysgolion ddyfnhau'r diffygion seicolegol hynny, ac mi fyddai ystyriaethau gwleidyddol, y tyndra digymod (bryd hynny) rhwng cenedlaetholdeb a sosialaeth yn gymhlethdod pellach. Hwyrach fod tuedd hefyd i'r rhai hynny a ysbrydolwyd i ddarganfod trysorau'r etifeddiaeth lenyddol fod yn betrus ynghylch manteisio'n llawn ar adnoddau eu 'hiaith gyntaf' ansafonol. Rwy'n rhyw synhwyro nad oes gan Bernard Evans yr hyder i archwilio posibiliadau'r tafodieithol a'r ansafonol yn llawn yn ei waith. Pan ddefnyddir cyffyrddiadau tafodieithol, mae'n tueddu i ymatal rhag defnyddio'r dafodiaith yn ei llawn flas. Ond nid yw'n anodd ei amddiffyn yn hyn o beth. Hwyrach iddo gredu bod rhoi blas cynnil yn ddigon, a bod hynny'n cyfleu ysbryd lle heb beri trafferth i ddarllenwyr anlleol. Gellid dadlau mai defnyddio'r iaith lenyddol safonol yw'r peth dilys i'w wneud, gan ei fod yn adlewyrchu'r pellter sydd bellach rhwng awdur a'i fagwraeth. Cofier hefyd taw fel cyfrwng ar gyfer ysgrifennu ysmala neu ddychanol y defnyddiwyd iaith ansafonol/dafodieithol yn bennaf yn y Gymraeg, ac er nad yw *Glaw Tyfiant* yn amddifad o ffraethineb a choegni, ysgrifennwr dwys a difrif yw Bernard Evans. Yn y cyweiriau ysgafn y gwnaeth Dafydd Rowland a Meirion Evans ddefnydd hwyliog o dafodiaith Cwm Tawe yn y cyfrolau *Licyris Olsorts* a *Straeon Ffas a Ffridd* i drafod cynhysgaeth gymdeithasol nid annhebyg, ond rwy'n cael fy nhemtio i ddyfalu serch hynny tybed ai dylanwad ysbrydoledig Eic Davies yn athro Cymraeg arnynt (heb sôn am gynsail llenyddol Islwyn Williams) a'u rhyddhaodd maes o law i ddefnyddio'r iaith ansafonol gyda'r fath asbri.

Wrth grybwyll Dafydd Rowlands tecach fyddai awgrymu cyfatebiaeth â'i nofel, *Mae Theomemphus yn Hen*, oherwydd ceir yn storïau *Glaw Tyfiant* yr un parodrwydd i wynebu'r gorffennol a'i gofnodi yn ei egrwch a'i dynerwch, ei haul a'i gysgodion. Ac yn drawiadol iawn, yr adegau hynny pan fydd cysgodion yn duo ffurfafen Emyr Owen yw pan fydd yn trafod perthynas mab a merch. Mae cyfeillgarwch rhwng gwŷr fel y ddau bartner (yn hen ystyr y gair) yn 'Y Pren Mesur' yn rhywbeth cadarnhaol, mwy diogel a dibynadwy na pherthynas â gwragedd. Ac eithrio Miss Parri druan, pethau dansierus yw menywod. Mae Bet, yn y stori a enwir ar ei hôl, yn ymosod yn rhywiol ar Emyr, a chwarae 'doctors a nyrsus' plentyndod yn troi'n hunllef arswydus sy'n awgrymu trawma dwfn ei effaith. Mae rhywioldeb cwrs a chyntefig Amy yn y stori olaf yn cael ei gyfleu fel rhywbeth anifeilaidd hollol trwy awgrymu tebygrwydd rhyngddi a'i hwch, 'Liwsi Bop'. (Ar ben hynny mae ei brawd yn derbyn cylchgronau pornograffig trwy'r post.) A negyddol iawn yw'r darlun o rywioldeb yn 'Y Gwasanaeth' hefyd, ond ei fod yn cael ei gymysgu nawr gyda chrefydd bentecostalaidd. Mae Emyr a'i ffrind yn gweld Dafis eu hathro yn ymhel â Gwen Tycanol ar ôl oedfa gynhyrfus, gan awgrymu perthynas rhwng crefydd danllyd a nwydau rhywiol, ac mae'r paragraff clo yn cyfleu'n gampus eto argraff y digwyddiad ar ymwybyddiaeth bachgen ar ei dyfiant. Fe geir un argoel fod perthynas felys yn mynd i ddatblygu rhwng mab a merch yn y deffroadau cynnar rhwng Emyr a Nansi yn y stori hyfryd 'Je Tima' sy'n llwyddo i gyfleu swyn telynegol serch ifanc. Mae'r darlun cofiadwy cyntaf o'r ffrindiau yn pwyso ar gât y Cware, a'r cyffyrddiadau ysgafn wrth gyfeirio at gysylltiad corfforol rhwng y ddau (' "Dere!" meddai gan gyffwrdd yn ysgafn â'i fysedd a orweddai ar ben y gât . . . Weithiau byddai'u breichiau'n cyffwrdd wrth iddynt gerdded') yn enghreifftio swyn y storïau hyn ar ei gryfaf. Ond ni chaiff y berthynas flodeuo, oherwydd mae salwch blin yn taro Nansi, salwch angheuol yn ôl awgrym braidd yn amlwg brawddeg olaf y stori 'Nansi'. Mae'r hyn a ddywed beirniaid nofel 'Yr Arwr' yn *Cyfansoddiadau a Beirniadaethau* 1990 yn dangos i'r awdur fentro turio ymhellach i gymhlethdodau profiadau rhywiol yn yr adrannau a luniodd am Emyr a Myrddin yn oedolion, gan grybwyll gwrywgydiaeth a bywydau rhywiol afradlon, tueddiadau y byddai rhai yn eu dehongli, debyg, yng ngoleuni'r siomedigaethau a'r dychrynfeydd cynnar a gofnodir yn storïau *Glaw Tyfiant.*

Daeth hi'n amlwg eisoes nad croniclwr hanesyddol yw awdur *Glaw Tyfiant* yn bennaf, gan na chyfyngir arwyddocâd ei ddarluniau o berthynas ac o dyfu i fro neu amser neilltuol, ac eto fel cynifer o lenorion dawnus daeth yn nes na'r hanesydd at ddal naws lle ac amser. Yn union fel y mae *Rhys Lewis* yn rhoi darluniau mwy cofiadwy i ni o addysg gynradd a bywyd coleg diwinyddol yn y bedwaredd ganrif ar bymtheg nag a gafwyd gan yr un hanesydd 'ffeithiol', fe ddaliodd Bernard Evans i'r dim fywyd ysgol uwchradd fach Gymreig ganol yr ugeinfed ganrif ynghyd â diwrnod mabolgampau mewn pentref glofaol tua'r un cyfnod. Cyflwynais waith Bernard Evans i aelodau Cymdeithas Hanes Dyffrynnoedd Gwendraeth rai blynyddoedd yn ôl ac yr oedd yr ymateb i'r stori 'Repishion', er enghraifft, lle gwawdir Emyr am wall Saesneg gan ei athro daearyddiaeth, yn drawiadol, gydag aelodau'n dweud eu bod yn gwybod o frawddegau cyntaf y stori pwy oedd gwreiddiol 'Wili Geog'.

Mae clawr *Y Meini'n Siarad* yn gyfeiliant cyfoethog iawn i'r hyn a geir o fewn i'w gloriau. Cyfosod dwy brif ddelwedd a wneir – y capel, yr adroddir hanes ei 'achos' yn y gyfrol, ac odditano ffotograff o lowyr pengrwm yn gwneud eu ffordd dan-ddaear. Yr eironi chwithig a gyflwynir gan glawr Marian Delyth yw bod yr hyn sydd yn sylfaen hefyd yn tanseilio. Y diwydiant glo a barodd fod yna gynnydd ym mhoblogaeth ardal fel Carwe ac a ddarparodd sylfaen economaidd ar gyfer y diwylliant capelgar a fu, am gyfnod o leiaf, yn llewyrchus. Ond diwydiant bregus ydyw serch hynny, o ran ei effaith ar iechyd ei ddeiliaid ac o ran ei gadernid economaidd yn y tymor hir. A diwydiant ydoedd yr oedd ei dynged yn gaeth wrth ddaeareg fympwyol a gwythiennau anwadal y glo y ceisid ei gyrchu. Ac mae'n drawiadol fod yr holl dyrchu a thyllu dan ddaear yn ansefydlogi adeiladau'r wyneb, gan beri i'r craciau ledu ym muriau'r capel, ac i gerrig y fynwent wyro i bob cyfeiriad, delwedd rymus yn y ddwy gyfrol. Mae lliwiau'r clawr hefyd yn arwyddocaol – awyr lwydlas uwch daear werdd uwch tanddaear ddu fel pe'n cynrychioli dimensiynau a phrofiadau cymysgryw'r gymdeithas.

Carwe.

Cyfrol brudd yw *Y Meini'n Siarad.* Fe'i gorffennwyd gan yr awdur ychydig cyn ei farw, a sôn am farwolaeth araf, am ddirywiad anorfod, am ddiwedd pethau y mae hi. Rhyw fath o lyfr hanes sydd yma, hanes achos Bethel Carwe, y capel y magwyd Bernard Evans o'i fewn. Ond llenor, nid hanesydd lleol, sydd wrthi oherwydd, chwedl yr awdur, 'ni wn ai hanes neu ddychymyg yw'r hyn sy'n dilyn'. Newidir rhai enwau rhag brifo'r byw a chynigir dehongliad creadigol o rai cyfnodau yn hanes y capel a'r pentref. A heb yn wybod hwyrach i'r awdur mae'r cofnodi lleddf a theyrngar-drist ar hanes digon trafferthus ac anarwrol yr achos yn codi amheuon ym meddyliau'r darllenwyr ynghylch diben a gwerth ac arwyddocâd yr ymdrech grefyddol mewn gwirionedd. Gan na lwyddir i roi argraff argyhoeddiadol o unrhyw asbri ysbrydol mi fyddai'n hawdd deall y darllenydd cyfoes a wfftiai at werth y cwbwl, ac na welai yma ddim ond 'ffwdan ffôl.' Mae adran olaf yr ail o'r ddwy gerdd a gyhoeddwyd yn atodiad i'r hanes yn dweud wrthym beth oedd cymhellion llenyddol Bernard Evans a sut yr oedd e'n gweld pethau adeg cofnodi'r hanes.

> Heno,
> Mae arnaf hiraeth amdanynt.
> Tu draw i dreigl y blynyddoedd
> Fe hoffwn osod
> Yn haen ar haen
> Hanes y ddaear hon
> Lle'm magwyd
> Cyn i'r cwbl ddiflannu
> A gadael dim ond tystion mud
> Y cerrig beddau,
> Sy'n pwyso fel hen gymdeithion y gyfeddach fawr
> Un ar y llall,
> Ym mynwent ein diwylliant coll.

Yn yr un modd mae ail baragraff y bennod gyntaf yn enghreifftio naws yr ysgrifennu i'r dim. Sôn y mae am y diwrnod yr aeth e' nôl i'r hen bentref:

> Diwrnod o hydref oedd hi – un o'r dyddiau hynny sy'n nodweddiadol o'r tymor. Roedd yr haul yn dal i dywynnu, ac oni bai am y min ar yr awel, fe fyddai rhywun yn tybio ei bod yn dal yn ganol haf. Ond roedd

y gwynt yn cludo aroglau'r gaeaf dan ei gesail. Roedd y tristwch
hwnnw sy'n crino a melynu ymylon y dail cyll yn y cloddiau hefyd yn
amlwg yn anwes yr awel.

Llenor hydrefol yw Bernard Evans. Mae ffrwythlonder melys
atgofion ac argraffiadau a aeddfedwyd gan amser yma'n sicr, ond mae
tarth chwithig hiraeth a cholled yn aml yn dod rhyngom a'r haul. Yr
hyn sy'n rhoi angerdd ingol i'r gyfrol hon yw ein bod yn ymglywed â
llenor gwael ei iechyd, yn llunio ei waith olaf, yn sylweddoli mor frau
ac anochel ddarfodedig mewn gwirionedd oedd yr 'achos', y byd a'i
lluniodd ac a fu unwaith yn bopeth iddo. Nid yw'r achos yn wir fawr
hŷn na'r awdur ac nid yw'n rhag-weld oes hir iddo; ac mae'r achos yn
annatod glwm wrth bentref Carwe ei hun. Mae'r bychanfyd a garai
Bernard Evans wedi'i ddinistrio i raddau helaeth, ei werthoedd, ei
gymeriadau, ei iaith a'i sefydliadau, ei dirlun hyd yn oed.
Gweledigaeth anffasiynol o dywyll, rwy'n ofni, yn nyddiau cŵl
Cymru pan ddefnyddir yr ansoddair 'positif' yn amlach na'r un yn y
drafodaeth gyhoeddus, ond nid ysgrifennu datganiadau i'r wasg ar ran
Bwrdd yr Iaith yw gwaith llenor. A darlun du a gawn yn *Y Meini'n
Siarad*, a thywyllwch dudew y penodau olaf yn taenu ei gysgod hyd
yn oed ar y penodau agoriadol mwy calonogol eu cynnwys am
ddechrau'r achos a chodi capel.

Un o'r cymeriadau sy'n denu fwyaf o sylw yw Gwyroddyn,
gweinidog ym mhentref cyfagos Pont-iets a 'fu'n gefn i'r capel
bychan newydd'. Ei hanes ef a gawn ym mhenodau 5 i 8. Hanes bach
digon simpil ydyw, yn gorffen gyda'r gweinidog yn gadael yr ardal ar
ôl wynebu achos o dorri amod a ddygwyd gan un o ferched y capel.
Sgandal fach ddigon di-liw a siabi felly, ond rhydd gyfle i ddoniau
llenyddol Bernard Evans ddehongli'r helynt, gan lwyddo i gyfleu'n
gynnil gnawdolrwydd y pregethwr,'yr hanner gwên ar gorneli ei
wefusau, y rhaniad gwyn yn y gwallt du, a'r golau'n pefrio o lygaid
Gwyroddyn' ynghyd â'i effaith meddwol ar Beth, 'y croen a losgai fel
marworyn coch bob tro y deuai'r pregethwr ifanc ar gyfyl y lle'. Ond
eto does dim drwg yn Gwyroddyn, a'i naïfrwydd sy'n ei faglu, ei
arafwch i ddirnad ei apêl i ferched ifainc ei gynulleidfa. O'r herwydd
yr ansoddair nawddoglyd, pathetig hwnnw, 'druan' a gysyllitir â'i
enw, ansoddair, gwaetha'r modd, y gellid ei ddefnyddio drachefn a

thrachefn am y grefydd amddiffynnol, wantan, a bortreadir yn y gyfrol, crefydd na all ddal yng ngwres y dydd, ni waeth o ba gyfeiriad y daw'r bygythiad. Cael ei sigo gan un ergyd ar ôl y llall yw hanes yr achos a'r gymdeithas sydd ynghlwm wrtho: anghydfod rhwng y gweithwyr a'u meistri, streic fawr 1926, newid patrymau hamdden, arlwy ddiwylliannol newydd a olygai fod côr Caersalem lân yn gorfod brwydro yn erbyn Bryn and his Band, y motor beic a'r papur Sul. Gwelwyd ambell lygedyn o oleuni yn y blynyddoedd ar ôl yr Ail Ryfel Byd, ond daeth dau ddatblygiad mawr yn yr union fyd a fuasai'n gynhaliaeth faterol i'r gymuned i sarnu a chwalu popeth. Suddo pwll glo mawr Cynheidre oedd y cyntaf, yn groes i gyngor a gwybodaeth gywrain yr hen goliers am gastiau gwamal y gwythiennau, y 'Fowr' a'r 'Bumcwart' a'r 'Fraslyd', gwythiennau a enwir fwy nag unwaith gan Bernard Evans wrth bwysleisio'r lle canolog oedd i'r haenau tanddaearol hyn ym mywyd y gymdeithas. A'r hen goliers oedd yn iawn, fe gafwyd trafferthion. Ond daeth y gwaith mawr newydd â newidiadau cymdeithasol yn ei sgil hefyd, gyda mewnlifiad o lowyr o swydd Durham i weithio ynddo ac i lenwi'r ysgol leol â'u plant. 'Daeth y Dilyw', 'Tanseilio'r Sylfeini', 'Dinistr?' – mae penawdau'r tair pennod olaf yn ei gwneud hi'n eglur mai tir du yw cynefin Bernard Evans iddo bellach. Ac iddo ef yr hoelen olaf yn yr arch oedd agor gwaith glo brig enfawr – 'Mae'r glo brig wedi dod i orffen y gwaith o ddinistrio'r pentref'. Gormodiaith apocalyptaidd? Gellir maddau hynny i lenor a welai bellach golli nid hen wynebau yn unig ond hen wrthrychau, ffermydd cyfain yn diflannu, yr hen lwybrau i gyd yn cael eu llyncu gan waith Ffos-las ar ddechrau wythdegau'r ugeinfed ganrif. Ys dywedir yn y gerdd 'Heddiw' (*Y Meini'n Siarad*):

> Heddiw,
> Nid af am dro hyd ffordd Maesgwilym
> Gan ddilyn bôn y clawdd
> Heibio i'r pwll hwyaid,
> Lle bu sgidiau'r cryts
> Yn llafarganu
> Hyd wyneb llyfn yr iâ,
> A dringo rhwng y llwyni eithin
> Heibio i lafnau crin y rhedyn

Tuag at y bompren
Fu'n croesi'r afon Ddu
Ac at Drimsaran.
Nid oes yno mwyach, na chlawdd
Nac eithin,
Dim clindarddach sgidiau hoelion cryts
Na drysni'r drain a'r rhedyn
Nac hyd yn oed,
Un ôl o'r cerrig cadarn
Fu'n selio ffarm Maesgwilym
Yn ddwfn ym mhridd y fro.
Does yno ddim.
Dim byd ond chwydfa o domen . . .

Dyma Epynt a Chapel Celyn Bernard Evans, a mynegiant o'i hiraeth tywyll yw *Y Meini'n Siarad*. Wrth gwrs nad yw'r bardd a'r llenor yn dweud y cwbwl; mae yno eto gymdeithas a Chymraeg yn Rhydcymerau, hanner can mlynedd a mwy ar ôl i Gwenallt farwnadu'r ardal yn 'Rhydcymerau' a 'Gwlad Adfeiliedig.' A lluniau Jac y Jwc a Sali Mali sydd ar wal Ysgol Carwe, a phlant yr ysgol honno a gipiodd 14 tystysgrif fuddugol yng nghystadlaethau Celf a Chrefft Eisteddfod Sir yr Urdd yn 2000, fel y tystiodd y llun ar dudalen flaen y papur bro lleol, *Papur y Cwm*. Ond nid yw hynny'n dirymu nac yn annilysu profiadau'r awduron, a chamgymeriad hefyd fyddai tybio mai peth cwbl negyddol yw galarnad. Mae ynddi hefyd gofio a chroniclo sy'n werthfawrogiad ac yn ddathliad.

Yn un o'i gerddi cynnar, 'Digging', mae Seamus Heaney yn ystyried ei berthynas â'i dad a'i dad-cu, trinwyr medrus pâl a rhaw wrth droi gardd neu dorri mawn. Wrth nodi'r bwlch rhyngddo a nhw, 'But I've no spade to follow men like them', sylweddola fod tebygrwydd a dilyniant hefyd oherwydd palu a thyrchu gyda'i ysgrifbin fydd ei hanes ef fel bardd:

Between my finger and my thumb
The squat pen rests.
I'll dig with it.

Gellid cymhwyso'r ddelwedd yn rhwydd iawn at berthynas Bernard Evans fel llenor â'i orffennol ac â gorffennol ei gymdeithas. Fe balodd ac fe dwriodd, cloddiodd wythiennau a wynebodd dalcenni caled ym mhrofiadau plentyndod ac yn nadrith oer diwedd oes, a chael ohonynt lenyddiaeth loyw ddisglair fel cnepyn o lo.

Rwy'n cloi trwy ddyfynnu geiriau'r beirniad Helen Vendler yn ei rhagymadrodd i'w blodeugerdd o farddoniaeth Americanaidd: 'The aim of poetry is to saturate every terrain, every city, every village, so that every American child might find a native landscape invested with language . . . The *genius loci* lives only where poetry creates it.'[4] Er hyned y traddodiad llenyddol Cymraeg mae yma eto diroedd neb sy'n amddifad o gysylltiadau llenyddol. Nid felly mwyach ardal Carwe a Chwm Gwendraeth. Mae tirlun brodorol Bernard Evans wedi'i anharddu a'i newid gan ddatblygiadau. Daeth gwaith Ffos-las i ben, a dechreuwyd tirlunio'r safle yn y dull anniddorol, diorffennol arferol. Ond y mae'r pentref a'r ardal a'r cwm bellach wedi'u harwisgo'n hardd iawn â iaith. Fe droes Bernard Evans 'leisiau a drychiolaethau' ei ddoe a'i heddiw yn llên a roes i'w fro ei *genius loci* ym mhrofiad darllenwyr Cymraeg. Dyna'i gamp fawr. Mae pethau pwysicach nag ennill mewn eisteddfodau.

NOIDIADAU

[1] *Cyfansoddiadau a Beirniadaethau Eisteddfod Genedlaethol Cwm Rhymni 1990* (Llandysul, 1990) tt.103-112.

[2] *ibid.*, tt.92-102.

[3] Elsbeth Beynon, 'The Lull Before the Storm', *Gwendraeth 1925-1975* (Abertawe, 1975), tt.102-3.

[4] Helen Vendler, ed., *The Faber Book of Contemporary American Poetry* (Llundain, 1986), tt.14-5.

Clicky Ba, Coes Bren,
a Cheidwad y Cleddau Mawr

Dafydd Rowlands

Raymond William Robert Gravell – barf goch a gwên lydan, canolwr ffyrnig a thanbaid i Glwb Rygbi Llanelli, Cymru, y Llewod, y Barbariaid, a'r Irish Wolfhounds, sylwebydd (unllygeidiog pan fydd y 'Scarlets' yn chwarae) ar raglenni rygbi S4C, actor ar sgrin fawr a sgrin fach, a Cheidwad y Cledd yn seremonïau Gorsedd Beirdd Ynys Prydain. Pwy yn y Gymru gyfoes nad yw'n ei 'nabod? Ond yn ôl y si ym mrig y morwydd roedd 'no rai yn y Gymru gyfoes honno ryw dair blynedd yn ôl oedd yn amau ai doeth oedd ymddiried rhywbeth mor beryglus â chleddyf anferth i ofal rhywun fel Ray o'r Mynydd!

Mae 'no gyfosodiadau sy'n ffrwydrol eu posibiliadau. Er enghraifft, y tarw diarhebol yn y siop lestri, sumbol o ddinistr mor llwyr â rhaib byddinoedd Senacherib. Roedd un aelod o deulu fy mam – aelod trwy briodas, diolch i'r drefn – a gredai fod ganddo ddawn naturiol i fynd i'r afael ag unrhyw nam ar sustemau trydanol unrhyw un o'i berthnasau neu ei gymdogion. Ef yn unig a gredai hynny; fe wyddai pawb arall taw un llet'with ar y naw oedd e. Ac fel gwetws Islwyn Williams – 'Beth sy'n od am ddynon lletwith yw hyn: os sylwoch chi, ma nhw'n fwy parod i'ch helpu chi fel rheol na dynon cyffretin'. Un felly oedd yr ewyrth 'ma – parod ei gymwynas ond mynych y sbarcio porffor a ddigwyddai ar ôl iddo gysylltu gwifrau na ddylid ar unrhyw gyfrif mo'u cysylltu y tu yma i dragwyddoldeb. Dyw trydan ddim yn beth i chwarae ag ef. Mi wn i am ddau chwaraewr rygbi rhyngwladol a fu ar un adeg yn eu bywyd yn dringo polion ar fin y ffordd yn Shir Gâr ac yn ymdrin â gwifrau pwerus eu trydan a marwol eu hergyd. Petaech chi'n edrych yn ofalus ar raglen y gêm hanesyddol honno ar barc y Strade ar ddiwrnod olaf mis Hydref 1972 pan gurodd tîm y Sosban y Crysau Duon, fe welech nodi galwedigaeth dau o'r chwaraewyr fel 'Electricity Linesman'. Y capten, Delme Thomas, oedd y naill, a chrwt ifanc un ar hugain oed o'r enw Raymond Gravell oedd y llall. Mae'r naill yn ŵr pwyllog,

Ray Gravell – *Ceidwad y Cledd*.

amyneddgar, a'i ddwylo, er eu bod yn fawr a haearnaidd eu gafael, yn ddigon tyner a sensitif i anwesu'r bydji bach mwyaf ofnus heb niweidio'i adenydd bregus. Diau fod gŵr felly yn ŵr cymwys i drafod trydan. Dwy'i ddim yn siŵr am y llall! Mae gennym dystiolaeth fod hwnnw yn un sy'n dioddef o ryw nerfusrwydd cynhenid sydd ar brydiau yn y gorffennol wedi peri iddo fod yn fyrbwyll pan oedd galw amlwg am bwyll. Fel y tro hwnnw ym Mharis yn 1975 ac yntau'n ennill ei gap cynta' dros Gymru. Y ddau dîm yn sefyll yn ddwy res eiddgar ac anniddig yn y twnel yn y Parc des Princes ac yn paratoi at fynd i'r maes gyda'i gilydd. Fel hyn y mae ef ei hun yn cofio'r disgwyl aflonydd hwnnw: 'Roedd y naws yn <u>drydanol</u>. Cymru yn eu coch mewn un rhes, y Ffrancod yn eu gwyn wrth ein hochor ni, a'r naill yn ceisio osgoi edrych ar y llall. Roedd 'y ngheg i'n hollol sych, a 'nghalon yn curo fel gordd. Wn i ddim pwy oedd y Ffrancwr gyferbyn â mi, ond ro'ni wedi cynhyrfu gymaint wrth glywed sŵn y band a'r dorf nes i mi roi ergyd i'r Ffrancwr – un galed, ddifalais – ond peth hollol dwp i'w wneud'. Mi fuaswn i'n meddwl ddwywaith cyn anfon rhywun felly i ddringo polyn a dechrau ffidlan â gwifrau byw y Bwrdd Trydan. Fe all letric yn y dwylo anghywir fod mor ddinistriol â chleddyf miniog.

Dwn i ddim a fu Ray Gravell erioed yn yr India, ond mi wn i lle y bydde rhywun yn debyg o ddod o hyd iddo fe yn y wlad honno. Yn ei lyfr *India Britannica* mae Geoffrey Moorhouse yn cyfeirio at stori gyffrous a ddarllensai pan oedd e'n grwt yn y pedwardegau, stori gyfres yn un o'r papurau a geid yn y cyfnod hwnnw i fechgyn darllengar – papurau megis *The Champion, Adventure, Wizard, Hotspur,* etc. Yr oeddwn innau'n perthyn i'r genhedlaeth ddiwylliedig honno ac yn darllen yr un papurau ag yr oedd Moorhouse yn eu darllen, a chofiaf yn dda y stori y cyfeiria ati. Mae teitl y stori wedi mynd yn angof, ond mae'r ddau brif gymeriad yn dal yn fyw iawn yn fy nghof. Fel y byddai rhywun yn disgwyl Sais oedd yr arwr, un a fyddai'n ei gael ei hun yn wythnosol mewn rhyw drybini neu'i gilydd i fyny ym mryniau llychlyd y 'North West Frontier'. Ond doedd e ddim ar ei ben ei hun yn yr helbulon cynhyrfus a gwaedlyd hynny. Roedd ganddo bartner ffyddlon, sef Indiad bach sgwâr a chydnerth a wisgai bâr o fritshys carpiog a dim byd arall ac a gariai yn ei law wrthrych bygythiol a ymdebygai i bastwn ond a oedd mewn

gwirionedd yn hen fat criced a welsai ddyddiau gwell. Gan fod
brodorion yr Is-Gyfandir, medden nhw, yn siarad Saesneg braidd yn
od ambell waith fe alwai'r Indiad ei fat criced yn 'Clicky Ba'. Ac
meddai Geoffrey Moorhouse: 'He used that beaten-up chunk of
willow as a club . . . at least once a week. His greatest pleasure was to
crack skulls with Clicky Ba, which he did when coming to the rescue
of the hero or when fighting back to back with him against a mob of
hostile tribesmen . . . He was a man you'd be glad to have guarding
your back'. Mae genn'i ryw feddwl y gallai Grav, petai angen, lenwi
sgidie'r Indiad hwnnw heb unrhyw drafferth a thrafod y 'Clicky Ba'
â'r un ffyrnigrwydd angheuol. Ac mewn sefyllfa argyfyngus lle mae
hanner dwsin o hwliganiaid anwar yn bygwth ymosod arnoch chi, oni
fyddai cael Grav i warchod eich gwar yn gysur i chi? Wel, byddai, am
wn i!

Imperialaeth Brydeinig oedd cyd-destun anturiaethau'r Sais, ei
gyfaill brodorol, a'r 'Clicky Ba' dinistriol. A'r un Prydeindod
gormesol yw cefndir nofel ddiweddara' yr awdur Gwyddelig Roddy
Doyle, *A Star Called Henry*. Gwrthryfel y Pasg yn Nulyn sy'n rhoi'r
cyfle cynta' i gymeriad canolog y nofel, Henry Smart, flasu gwefr
ymladd. Yn fachgen pedair ar ddeg oed mae'n ei gael ei hun yn un o'r
gwrthryfelwyr sy'n meddiannu'r Swyddfa Bost yn Sackville Street yr
wythnos anniben honno pan anwyd 'terrible beauty' Yeats. Ac yn
ddiweddarach, fel aelod o sgwad Michael Collins, mae'r Henry ifanc
yn gyfrifol am nifer o farwolaethau yn y wlad drwblus honno. Er ei
fod yn gyfarwydd â dal pistol wrth wegil bradwr, ei hoff arf yw hen
goes bren ei dad ymadawedig. Roedd y tad hwnnw hefyd, pan oedd ar
dir y byw, yn dipyn o ymladdwr, ac wedi pastynnu aml i
wrthwynebydd â'i goes artiffisial. Rhoi un fraich gref am wddf
ysglyfaeth, tynnu'r goes yn rhydd â'r fraich arall, ergydio'r truan yn
ddidrugaredd â'r pren caled, rhoi'r goes 'nôl yn ei lle, gadael y truan i
drengi yn ei waed, a cherdded ymaith ar un goes o gnawd ac asgwrn
naturiol a choes arall o fahogani. Tad Henry Smart oedd yn
gweithredu felly, ond fe etifeddodd y mab anian ysgeler ei dad, a
phan fu farw'r tad fe etifeddodd Henry y goes hefyd a rhoi estyniad
bywyd iddi fel pren yr angau.

Dwy'i ddim yn awgrymu am funud fod y cyfaill hoff, Ray Gravell,
yn meddu ar yr un ysfa ddialgar â honno oedd yn gyrru Henry Smart,

er 'mod i'n weddol siŵr lle bydde Grav petai e'n digwydd bod yn Iwerddon yn 1916 (ac nid prynu stamp i'w osod ar amlen fydde fe chwaith). Na, dweud ydw i bod y ddelwedd sydd gan bobl yn gyffredinol o Ray yn un sy'n peri ei fod yn ffitio'n gymen i siap yr identikit arwrol mytholegol o'r Celt ymladdgar balch, tebyg i Henry Smart yn nychymyg Roddy Doyle. Petai Ray yn gorfod bod yn aelod o genedl arall, mi fyddai'r dewis yn hawdd iawn iddo. Gwyddel fydde fe; does dim dwywaith am hynny. Yn ei frethyn Donegal ni allai fod yn ddim byd arall. Fel chwaraewr, fel sylwebydd, a hefyd fel tywysydd ar rai o'r teithiau tramor a drefnir pan fydd Cymru neu'r Llewod ar daith, neu wrth wneud rhaglenni teledu fel 'Grav ar Grwydr' mae'n deg dweud bod Ray wedi 'gweld y byd'. A diau fod ganddo hoff fannau mewn gwledydd gwahanol. Ond mi fentra'i taw Iwerddon, o holl wledydd y byd ar wahân i Gymru, yw'r wlad sy'n golygu fwyaf iddo. Mae gennyf innau hefyd le bach cynnes yn fy nghalon i'r Gwyddyl gan mai brodor o Cappoquin yn Swydd Waterford oedd tad fy nhad, sy'n golygu fy mod yn chwarter Gwyddel, ac mae ymweld â'r Ynys Werdd bob amser yn bleser. Mi fûm yn Nulyn ychydig fisoedd yn ôl, ac er 'mod i wedi bod yn y ddinas honno droeon o'r blaen, 'fûm i erioed yng Ngharchar Kilmainham. Ond y tro hwn mi fûm i yno. 'Mae lleisiau a drychiolaethau ar hyd y lle' chwedl Parry-Williams, a chysgodion Connolly a Pearse a Plunkett yn ymrithio ar hyd y coridorau oer. 'Wna i ddim anghofio'r profiad. Ac i Ray Gravell y mae'r diolch oblegid Ray ddwedodd wrtho i y dylwn fynd yno. Roedd yntau wedi bod yno rai wythnosau ynghynt ac wedi cael ei ysgwyd gan yr hyn a welodd ac a glywodd yno. Mae dioddefiannau Iwerddon ac aberth arwrol ei phobol wedi bod yn agos iawn at serchiadau Ray, a phetai'r amhosibl yn bosibl mae'n siŵr y byddai'r cawr o Fynydd y Garreg wrth ei fodd mewn tafarn ar lannau Liffey yn clebran dros beint o Guinness gyda Henry Smart ac yn cymharu pwysau'r Cleddau Mawr â choes bren ysgafnach y Gwyddel. Gallech, fe allech roi Ray Gravell i sefyll gyda'r Gwyddyl yn eu safiadau yn erbyn y Sais. Roedd Michael Collins, medden nhw, yn hoffi reslo gyda'i ffrindiau agosaf; mi fyddai Grav wedi bod wrth ei fodd yn ymgodymu ag ef yn un o'r gornestau cyfeillgar hynny, fel y bu fwy nag unwaith yn ymgodymu â'r Gwyddyl gwallgo' ar Barc yr Arfau a Lansdowne Road. Fe gaiff

Ray ei hun adrodd yr hanes amdano yn ei dymor cynta' fel chwaraewr rhyngwladol yn wynebu'r Gwyddyl yng Nghaerdydd:

'I ychwanegu at ramant y digwyddiad, hon oedd gêm olaf Willie John McBride . . . Mae pob gêm rygbi yn erbyn Iwerddon yn tueddu i fod yn gêm ffyrnig, gorfforol; eto i gyd, mae 'na hiwmor rhyfedd yn perthyn i'r Gwyddel, hiwmor sy'n llwyddo i gyrraedd yr wyneb beth bynnag fo'r sefyllfa . . . Bu chwarae Cymru yn eithriadol o gelfydd a gwefreiddiol gydol y gêm . . . ac fe lwyddwyd i rwystro'r Gwyddelod rhag gwneud eu rhuthriadau o gicio'r bêl 'mlân. Roedd pob un ohonon ni'r dibrofiad wedi cael ein rhybuddio cyn y gêm gan y chwaraewyr profiadol, am y waedd Wyddelig, "Kick ahead, Oireland". Fe aeth y bêl yn rhydd ar ganol y cae, a finne'n cwrso nerth 'y nghoese ar ei hôl, pan ddaeth acen Gogledd Iwerddon Willie John McBride yn glir fel cloch drwy'r holl sŵn i gyd, i annog ei dîm oedd wedi colli pob gobaith am fuddugoliaeth – "Kick ahead, Oireland, kick ahead, Oireland – any f......n head!" Y foment honno, yn yr anogaeth honno, fe gawson ni gyfuniad o hiwmor, anobaith, a chyfaddefiad y Gwyddelod eu bod nhw wedi cael eu meistroli'n llwyr y prynhawn hwnnw. Dyma 'nghysylltiad cynta i â'r Gwyddel, cysylltiad a ddaeth yn un agos iawn wrth i'r blynyddoedd fynd heibio. Erbyn hyn, does dim sy'n rhoi mwy o bleser i fi na chael croesi'r môr i'r Ynys Werdd, a phrofi cwmnïaeth a chyfeillgarwch cynnes na lwyddes i'w brofi mewn unrhyw wlad arall yn y byd.'

Gallai, fe allai'n hawdd fod yn Wyddel. Ond Cymro ydyw, Cymro i'r carn. Mae rhywun wedi gwneud Raymond Gravell yn fersiwn cig a gwaed o'r Owain Glyndŵr marmor. Neu o leiaf mae'r llun a dynnwyd o Grav mewn gwisg debyg i eiddo Glyndŵr yn awgrymu y gallai fod yn ymgnawdoliad ohono. Hwn yw 'Braveheart' Cymru, chwifiwr y 'Clicky Ba' cenedlaethol. Onid ef, felly, ddylai fod yn cludo Cleddau Mawr y Beirdd? Ond mae e shwd un gwyllt, meddai'r Cymry bach sidêt yn ein plith. Ydy hi'n saff i rywun felly fod yn Geidwad y Cledd? Beth ddigwyddai tase fe'n cael pwl o golled? 'Dyw hynny, wrth gwrs, ddim yn debyg o ddigwydd; Ray Gravell yw'r mwynaf o blant dynion, ac onid ef ei hun a ddywedodd am y glatshen honno loriodd y Ffrancwr yn nhwnel Parc des Princes taw un 'ddifalais' ydoedd? Rhoi'r argraff o wylltineb y mae Ray; rhan o'r ddelwedd ydyw, nid rhan o'i bersonoliaeth.

Pan oeddwn innau, rai blynyddoedd yn ôl, yn ysgrifennu cyfres gomedi yn dwyn y teitl 'Licyris Olsorts' yr oeddwn am greu cymeriad o'r enw Ned Ford – dyn oedd yn gwneud pob math o 'hobbles' i drigolion Primrose Row. Un o'r 'hobbles' hynny oedd codi tŷ-bach newydd i Deborah Davies, ond cyn gwneud hynny roedd angen cael gwared ar yr hen un. Ac i Ned Ford y ffordd rwydda' i wneud hynny oedd trwy ddefnyddio deinameit. A dyna ddigwyddodd, nes chwythu'r hen dŷ-bach yn yfflon a dwyn i gof pobol Pont Afon grasfa'r 'blitz' ar Abertawe flynyddoedd cyn hynny. Barn Ned oedd iddo roi gormod o 'charge' wrth baratoi'r ffrwydrad. Dim ond un enghraifft ymhlith llawer oedd y digwyddiad hwnnw o wylltineb diarhebol Ned Ford. Pan eir ati i baratoi cynhyrchiad drama un o'r agweddau pwysicaf i'w trafod yw castio. Chwilio am yr actorion fydd yn debygol o wneud cyfiawnder â'r cymeriadau a bortreadir. Yn aml iawn, mi fydd awdur a chynhyrchydd neu gyfarwyddwr yn anghytuno – hyd at ddyrnau bron – ynglŷn â chymwysterau rhyw actor neu'i gilydd. Wrth feddwl am actor i chwarae rhan Ned Ford fuodd 'no ddim anghytuno. Un enw yn unig a drafodwyd ac roedd 'no gytundeb llwyr. Ie, Raymond Gravell. Y dyn gwyllt cwintisenshal!

Ar y maes chwarae, wrth gwrs, y dechreuwyd rhoi siap ar y ddelwedd. Yno y ganwyd y Grav tanbaid digyfaddawd. Un o gysuron henaint y sawl ohonom sy'n troi o gwmpas Oed yr Addewid yw ein bod yn medru cofio rhai o gyfnodau disglair y tîm rygbi cenedlaethol a chofio hefyd y chwaraewyr hynny y mae eu henwau bellach wedi eu cerfio mewn llythrennau aur yn oriel yr anfarwolion. Y cyfnod rhwng 1900 a 1912 oedd Oes Aur gyntaf y gêm yng Nghymru meddai John Billot rywdro, ond dwy'i ddim yn cofio'r blynyddoedd gogoneddus hynny. Saithdegau'r ganrif ddiwethaf oedd yr Oes Aur i'r rhan fwyaf ohonom, ac i'r cyfnod hwnnw, wrth gwrs, y mae Grav yn perthyn. Ond roedd 'no arwyr glew yn gwisgo'r crys coch ymhell cyn hynny, ac yr oedd clywed am eu campau yn rhan bwysig o'n hanes a'n diwylliant. Felly yr oedd hi, beth bynnag, i ninnau a fagwyd mewn cwm diwydiannol lle'r oedd diwylliant maes chwarae – yn rygbi, pêl-droed, a chriced, a bocsio hefyd o ran hynny – gyfwerth os nad yn bwysicach na diwylliant cerdd a chân a chapel. Pan oeddwn innau'n ddeg oed wyddwn i ddim fod Gwenallt wedi ennill Cadair ym Mangor ym mlwyddyn fy ngeni, ond fe wyddwn fod Claude Davey

Ray Gravell – yn chwarae i'r Llewod.

wedi chwarae pum gêm i Gymru y flwyddyn honno. Ac fe wyddwn fod y dyn tal bonheddig yr olwg a welwn yn cerdded yn gefnsyth ar hyd strydoedd Pontardawe wedi chwarae i Gymru yn 1914 a'i fod yn perthyn i'r 'Terrible Eight' a taw ei enw oedd Edgar Morgan. Pethau felly oedd ein diléit ni. Ac yn y pedwardegau fe gawso'ni'r fraint o weld dau ganolwr y mae eu henwau yn dal i fod yn gyffro yng ngwaed y sawl sy'n eu cofio'n gwisgo crys coch eu gwlad. Mae Alan Evans, yn y gyfrol *More Heart and Soul,* yn dweud amdanynt: 'They were regarded as the perfect centre combination by which all others were judged'. Bleddyn Williams a Jack Matthews, yr artist ysgafndroed a'r lloriwr dinistriol. Roedd y greadigaeth gyfan yn cael ei hysgwyd pan fyddai Matthews yn taclo gwrthwynebydd a synnwn i fawr nad yw'r cleisiau yn dal i addurno corff ambell un o'r gwrthwynebwyr hynny hanner canrif yn ddiweddarach. Canolwr tebyg oedd Grav, ond gwahanol hefyd. Mae 'no lun yn *More Heart and Soul* o Bleddyn Williams yn arwain tîm y Llewod allan mewn gêm yn erbyn Seland Newydd. Y tu ôl iddo mae Jack Matthews: y crys yn ffitio'n berffaith, pob blewyn yn ei le, pictiwr o gydbwysedd cymen. Mae'r lluniau sydd gennym o Ray Gravell – ar ddechrau gêm, heb sôn am ei diwedd – yn dangos rhywun y byddai'n ddoeth i chi gadw'n ddigon pell oddi wrtho rhag iddo'ch llarpio chi! Mae golwg arw arno, golwg sy'n rhybudd tebyg i'r rhybudd hwnnw sy'n dangos mellten zigzag ynghyd â'r gair 'Perygl!'. Wrth gwrs, y gwallt afradlon a'r farf sy'n peri ei fod yn ymddangos yn adyn bygythiol. Ond fel y dywedais yn gynharach, camarweiniol yw argraff felly. Y mwynaf o ddynion ydyw – oddi ar gae rygbi. Ond, wrth gwrs, ar y cae corwynt gwyllt ydoedd. Mae'n ffasiwn erbyn hyn ar raglenni teledu sy'n ymwneud â rygbi i gael cyfeiliant cerddorol i ambell eitem. Y cyfeiliant cymwys i unrhyw *montage* o Grav yn cwrso ac yn taclo fyddai rhywbeth gan Wagner; hawdd dychmygu'r Valkyries yn hofran uwchben Parc y Strade i gasglu'r celanedd a'u dwyn ymaith i Valhalla. Yr oeddwn innau'n bresennol pan chwaraewyd y gêm ryfeddol honno a roddodd arwyddocâd mytholegol i'r ffigurau 9-3. Roedd tîm Llanelli, y diwrnod hwnnw, wedi dringo i lefel o ymroddiad na welwyd mo'i debyg erioed ar gae rygbi. Roedd paratoad Carwyn James wedi bod yn drylwyr ac ysbrydoledig, fel y buasai flwyddyn ynghynt yn Seland Newydd, ac fe fu geiriau Delme

Thomas yn yr ystafell newid cyn y gêm yn sbardun emosiynol anhygoel o effeithiol. Meddai Phil Bennett am anogaeth Delme: 'I fought back the tears, gritting my teeth, and clenching my fists. In the end, my resistance broke down, and I couldn't hold back the tears. The speech had got through to all of us'. Tebyg oedd profiad Grav: 'Aeth (Delme) yn ei dro o gwmpas pob chwaraewr, ac erbyn iddo 'nghyrraedd i, roedd y dagre'n llifo i lawr 'y ngruddie'. Does dim rhyfedd i wŷr y crysau sgarlad droi maes y Strade yn faes y gad. Ac roedd Grav yn ei chanol hi – 'Ray Gravell and Roy Bergiers at centre took the tourists before they could think properly'. Os oedd 'no ddagrau yn llygaid Ray cyn y gêm, mae'n siŵr eu bod yn rhaeadru dros ei ruddiau ar ôl y fuddugoliaeth fawr. Un parod ei ddagrau fuodd e erioed.

Mewn llyfr sy'n dwyn y teitl *The Giants of Irish Rugby*, fe geir rhai o chwaraewyr amlycaf Iwerddon yn hel atgofion am eu dyddiau yn y crys emrallt. Mae gan Ollie Campbell hanesyn diddorol wrth sôn am daith y Llewod i Dde Affrica yn 1980: 'We were preparing for what was effectively a fifth Test against one of their top provincial sides, Northern Transvaal. One of our centres that day was Ray Gravell from Wales. He always got very nervous before big matches and tried to cope by singing nationalistic Welsh songs, crying, and getting sick – but not necessarily in that order. Before that particular match his gum-shield went missing. He basically gave an ultimatum to the team that he was not going to play unless it was found. The result was that instead of the normal serious preparation for the match, every member of the touring party was emptying bags and looking under benches for Ray's gum-shield while he cried, sang, and got sick. Fortunately we did eventually find it – in Ray's own gear bag!'

Canu caneuon Dafydd Iwan, wylo'n hidl, a chwydu! A'r cyfan yn deillio o nerfusrwydd parlysol a rhyw ymdeimlad cynhenid ei fod ef ei hun yn annigonol ar gyfer y dasg o'i flaen. Felly yr oedd hi pan oedd Ray yn chwarae rygbi, felly y mae pan fydd yn actio neu'n cyflwyno rhaglen ar y teledu, felly y mae pan fydd e'n cario'r Cleddau Mawr yn seremonïau Gorsedd y Beirdd. Ei ofid mawr yw bod ei berfformiad yn ffaeleddus, a'r cwestiwn cyson yw – 'O'n i'n olreit?'. Sawl gwaith y clywais i fe'n gofyn i gyfarwyddwr neu ddyn camera ar set 'Licyris Olsorts' – 'O'ch chi'n hapus 'da hwnna, ne' chi'n moyn i fi 'neud e 'to?'. Ac mae e'n gofyn yr un cwestiwn ar ddiwedd seremoni Gorsedd y Beirdd – ''Netho'i 'ngwaith yn iawn? O'n i'n olreit?'. Becso am bopeth. Rwy'n hoffi'r stori amdano yn rhannu stafell gyda Jeff Squire ar ryw daith neu'i gilydd, ac wrth ddeffro y bore cynta yn gofyn i Squire – 'Jeff, Jeff, did I sleep all right last night?'

Diau fod yr ansicrwydd yn codi o hen dristwch sy'n gorwedd yn ddwfn yn ei isymwybod. Fe'i ganed ym mis Medi 1951 yng Nghydweli yn fab i löwr. Ymhen tri mis roedd y glöwr hwnnw, Thomas John Gravell, wedi symud gyda'i wraig a'i fab bychan i gartre newydd ym Mwlch y Mynydd, 'bwthyn bach digon di-nod rhyw filltir o bentre Mynydd y Garreg'. Yna, symud i dŷ cyngor newydd yn y pentre cyn ymsefydlu ym mwthyn Bryn Hyfryd. Pan oedd Ray yn bedair ar ddeg oed bu farw ei dad mewn amgylchiadau trist a Ray oedd yr un ddaeth o hyd i'r corff ar y mynydd. 'Cyfnod o fod, nid byw, fu'r wythnose yn dilyn y drychineb. Roedd darganfod 'Nhad yn gorff yn freuddwyd hunllefus a ddeue 'nôl i mi bob tro y byddwn yn cau fy llyged . . .' Mae'n siŵr bod yr hunlle', er iddo bellhau dros y blynyddoedd, wedi para 'yng ngwaelod y cof' ac wedi bod yn rhan o'r hyn a foldiodd fywyd Raymond Gravell. Fe fu Bryn Hyfryd am gyfnod yn lle anhyfryd iawn ei atgofion. Erbyn hyn, ar ei newydd wedd a'r bwthyn yn balas, mae Bryn Hyfryd yn gartre hapus i Ray a Mari a'r ddwy chwaer fach Manon a Gwenan. Ac mae'r palas yn diferu gan Gymreictod. Fe ddywedodd Carwyn amdano rywdro taw ym myddin Llywelyn ap Gruffydd y carai Grav fod tase fe'n byw yn y Canol Oesoedd. Ac yffach o gleddyf mawr yn ei law. Neu'r Clicky Ba! Neu'r Goes Bren! Dyna pam mae Ray o'r Mynydd yn cludo'r Cleddau Mawr yng ngorymdeithiau'r Beirdd. Roedd ei ddewis ar gyfer y gwaith anrhydeddus hwnnw yn ysbrydoledig, ac mae Ray ei hun wedi dweud bod derbyn y swydd wedi bod yn wefr sy'n agos at y gwefrau a brofodd pan gafodd e'i ddewis i chwarae dros Gymru a phan gurodd Llanelli y Crysau Duon yn 1972. Rwy'n cofio'n dda y diwrnod y gwelwyd Grav yn cario'r Cleddyf yng ngorymdaith Cyhoeddi Steddfod Bro Ogwr. Roedd e wedi hedfan 'nôl yn unig swydd o Dde Affrica i gymryd rhan yn y gweithgareddau gorseddol, ac wrth i ni fartsio'n urddasol drwy strydoedd Pen-y-bont ar Ogwr roedd Ray yn cael ei gyfarch gan y cannoedd oedd yn sefyll ar fin y ffordd. Roedden nhw wedi ei weld e fwy nag unwaith yn fflachiadau tân ar Faes y Bragdy ac yn meddwl y byd ohono. Yr oeddwn i, fel Archdderwydd ar y pryd, yn cerdded y tu ôl i Ray ac yn clywed popeth oedd yn cael ei ddweud yn y dorf wrth i ni fynd heibio. Ac yn eglur iawn, mi glywais rhywun yn gweiddi 'Ray! Why aren't you in South Africa with the Lions?' Ac fe ddaeth yr ateb ar unwaith – 'This is more important!'. Mi gefais y fraint o gerdded y tu ôl iddo fwy nag unwaith erbyn hyn, a sylwi ar un peth amlwg – mae Ceidwad y Cledd bellach yn cael mwy o sylw na'r Archdderwydd ei hun! Pan oedden ni'n gorymdeithio drwy dre Llanelli flwyddyn yn ôl roedd yr un peth yn digwydd – pawb yn galw enw Ray. Roedd 'no rai yn y dorf na wydden nhw ddim beth oedd yn digwydd – fel y wraig ifanc honno a ddywedodd wrth ei mab bach pan ofynnodd hwnnw beth oedd ystyr hyn oll: 'I'm not sure bach. I think it's got something to do with proper Welsh'.

Ray Gravell? Ie, 'proper Welsh'! Ray o'r Mynydd. Nid unrhyw fynydd, ond Mynydd y Garreg. Un o blant y Gwendraeth. Fe chwaraeodd bedwar cant wyth deg a phump o weithiau i dîm Llanelli, dau ddeg a thair o weithiau i Gymru, ac mewn pedair gêm brawf i'r Llewod. Ac roedd e ar dân ymhob un o'r gemâu hynny. Mae e ar dân o hyd, ac yn dal i ganu'r anthemau gwladgarol, a thywallt dagrau emosiynol. Fydd e byth yn wahanol, diolch i'r drefn.

Cerdd a Cherddorion Tref Llanelli: Rhai Agweddau

Gan A.J. Heward Rees

I gychwyn, mae'n werth sylwi fod i dref Llanelli o leiaf un agwedd unigryw, sef ei 'hanthem' ei hun – y byd-enwog *Sosban Fach*. Bu cryn dipyn o ddadlau ynghylch tarddiad yr alaw a'r geiriau dros y blynyddoedd, mae'n wir, ond wedi'r cyfan dyna dynged nodweddiadol llawer i gân werin sydd wedi'i chysylltu ag enw person neu le arbennig. Nid yw hyn o bwys, bellach, wrth gwrs. Fe glywir adleisiau o'r alaw (ac o leiaf rai o'r geiriau) yn y mannau mwyaf annisgwyl lle digwydd fod nifer o Gymry – fe'i clywais fy hun yn dod o ryw *far* yn Hong Kong, mwy na chwarter canrif yn ôl – ond yn bennaf tref Llanelli, ac yn enwedig y tîm rygbi, biau'r gân erbyn hyn.

Yn ôl un hanesyn[1] fe'i canwyd am y tro cyntaf yn gyhoeddus mewn gwesty yn Llanwrtyd yn 1895, mewn rhyw fath o noson lawen lle cyfarfu gweithwyr alcan o Lanelli a oedd ar eu gwyliau â nifer o fyfyrwyr o Fangor. At hyn, gellir honni bod rhai o'r geiriau yn beryglus o debyg i gerdd gan y bardd Mynyddog, er i o leiaf un Parchedig eu hawlio nes ymlaen, yn ôl yr arfer. Am yr alaw ei hun, a ystyrir yn aml gan estroniaid yn emyn-dôn nodweddiadol Gymreig, gallwn heddiw werthfawrogi'r elfen o barodi direidus sydd, efallai, yn ymosod yn iachus ar awyrgylch sych-dduwiol diwedd oes Victoria, ac yn adlewyrchu lawn gymaint â'r geiriau ysbryd radicaliaeth y dref ei hun. Yn sicr, fe briodolir *Sosban Fach* bellach yn fwy pendant i dref Llanelli na'r *Marseillaise* i'r porthladd enwog yn neheudir Ffrainc.

Os aeth y gân arbennig hon yn eiddo'r dref drwy fabwysiad, felly y bu hefyd gyda nifer helaeth o'r cerddorion sy'n hanesyddol gysylltiedig â thref y Sosban. O ystyried datblygiad cyflym Llanelli, o le nad oedd fawr mwy na phentref yn ail hanner y ddeunawfed ganrif, i fod yn dref ddiwydiannol sylweddol a byrlymus erbyn dechrau'r ugeinfed ganrif, hawdd yw deall hyn. Fel mewn llawer i dref 'newydd' arall, mewnfudwyr, neu 'ddynion dŵad' o bell ac agos, oedd y rhan fwyaf o'r gweithwyr a'r cyfalafwyr a gyfoethogodd fywyd Llanelli erbyn diwedd y bedwaredd ganrif ar bymtheg, (fel sy'n wir am yr 'anthem' ei hun, os mynnir). Yn eu mysg roedd nifer o gerddorion amatur a oedd yn ceisio gwella'u rhagolygon gyrfaol ac yn awyddus i fanteisio ar ddatblygiadau'r gymuned gymharol newydd a bywiog.

Heblaw am y cyfle beunyddiol i ennill ei fywoliaeth, bywyd a diwylliant y capel Anghydffurfiol oedd y prif atyniad i'r cerddor uchelgeisiol. Yn yr un modd ag yn yr eglwysi (llai niferus), roedd statws yn perthyn i'r organydd ac arweinydd-y-gân. Er gwell neu er gwaeth, awyrgylch a gofynion y festri a'r capel a roddodd stamp a lliw arbennig i gerddoriaeth y dref am tua chanrif a hanner ac, mewn gwirionedd, i gerddoriaeth y genedl yn gyffredinol. Ynghlwm wrth hyn yr oedd cryfder yr enwadaeth a ddatblygodd ysbryd cystadleuol rhwng y capeli – pob un ohonynt yn ymffrostio mewn rhyw ddatganiad nodedig o *Elijah* neu *Messiah* yn ystod y blynyddoedd (heb sôn am ambell ddatganiad mwy mentrus) pan fu'r unawdwyr mwyaf disglair posibl yn canu.[2] Felly y bu tan y cyfnod ar ôl yr Ail Ryfel Byd, a'r newidiadau cymdeithasol a ddaeth yn ei sgil. Patrwm Anghydffurfiaeth, felly, a'r pwyslais ar werth yr unigolyn a'i bersonoliaeth, a roddodd lwyfan, er mor baradocsaidd y mae'n ymddangos, i'r twf corawl. Hynny yw, cryfder a chymeriad arweinydd-y-gân mewn cydweithrediad â'r gweinidog (er eu bod ar brydiau fel petaent yn cystadlu am sylw) oedd y dylanwad mwyaf. Nid oes angen rhestru'r nifer helaeth o'r gweithwyr selog hyn yn y maes; er mor deilwng oeddynt, mae enwau'r mwyafrif yn angof erbyn hyn. Serch hynny, gellir tynnu sylw at nifer dethol o'r rhai a enillodd enw a bri y tu hwnt i'r dref, weithiau ar raddfa genedlaethol.

Un o'r arloeswyr oedd William Thomas Rees (1838-1904) a fabwysiadodd y ffugenw *Alaw Ddu*. Yn enedigol o ardal Pont-rhyd-y-fen, Morgannwg, cafodd yrfa gynnar yn löwr a cherddor mewn gwahanol fannau yn y cymoedd ar ôl dod o dan ddylanwad carismatig y cerddor a'r beirniad *Ieuan Gwyllt* (John Roberts, 1822-77) yn Aberdâr. Tra oedd yn y cymoedd daeth ei emyn-dôn, 'Glan Rhondda', yn adnabyddus iawn. Ymsefydlodd yn Llanelli fel arweinydd-y-gân yng nghapel y Triniti (M.C.), ac yn nes ymlaen bu'n un o sylfaenwyr Siloh (1876), lle'r oedd yn un o bileri'r achos hyd at ei farwolaeth. Bu'n flaenllaw ar bwyllgor Eisteddfod Genedlaethol gyntaf Llanelli

Alaw Ddu.

yn 1895, pan fu wyth côr cymysg yn cystadlu am y brif wobr a rannwyd gan y beirniaid rhwng Rhymni a Merthyr. Cynhaliwyd y brifwyl honno yn y pafiliwn newydd hardd a godwyd yn y dref i'r pwrpas, ac a gofiwn (rai ohonom) fel yr 'Hen Farced'. Yno, hefyd, y cynhaliwyd Prifwyl 1903 pan gystadlodd wyth côr cymysg eto, a chôr Dowlais, o dan faton Harry Evans, yn fuddugol. Cafodd Alaw Ddu waith yn 'Sanitary Inspector' dan yr awdurdodau iechyd lleol, a dyna fu ei waith beunyddiol yn yr ardal weddill ei oes.

Yn dilyn esiampl Ieuan Gwyllt, roedd Alaw Ddu yn un o genhadon cynnar y system Sol-ffa, er iddo gynnal dosbarthiadau gwerthfawr yn yr 'Hen Nodiant', hefyd. Bu'n olygydd effeithiol i nifer o gylchgronau cerdd gweddol lwyddiannus, fel *Y Gerddorfa, Yr Ysgol Gerddorol*, ac yn enwedig *Cerddor y Cymry*. Bu'r olaf yn eithaf dylanwadol nes iddo gael ei ddisodli gan *Y Cerddor* (dan olygyddiaeth D. Emlyn Evans) a ddaeth yn brif gylchgrawn cerdd

Cymru dros gyfnod hir gan brofi aml i weddnewidiad. Fel cyfansoddwr – yn ogystal ag fel arweinydd pwrpasol a beirniad eithaf llym ond chwaethus – cafodd Alaw Ddu lwyddiant mewn sawl eisteddfod. Bu ei ganig, 'Y Gwlithyn', yn dra phoblogaidd am amser hir, er i'r gweddill o'i weithiau mwyaf uchelgeisiol (gan gynnwys mwy nag un oratorio a chantata, a nifer helaeth o anthemau a thonau) golli tir yn fuan iawn. Ef a sefydlodd yr 'Harmonic Society' yn y dref, a diddorol yw gweld ei fod wedi cipio'r wobr yn Eisteddfod Genedlaethol Llundain yn 1887 am draethawd ar y testun, 'Pa fodd i godi safon cerddoriaeth offerynnol yng Nghymru'. Beth bynnag arall a ddengys, fe ddengys hynny ryw fath o gydwybod gan un a wnaeth ei ran i sicrhau y byddai'r llais a'r mudiad corawl yn teyrnasu dros bob agwedd gerddorol arall ar gerddoriaeth yn ei ddydd.

Efallai mai uchafbwynt y mudiad corawl yn y bedwaredd ganrif ar bymtheg oedd ymweliad buddugoliaethus Undeb Corawl De Cymru â'r Palas Grisial yn Llundain yn 1872 ac 1873. Alaw Ddu oedd yn gyfrifol am arwain a pharatoi carfan ddethol Llanelli fel rhan o'r côr enfawr hwn – cynifer â 45 allan o gyfanswm o 446 o gantorion yn 1873. Nid annheg yw gweld prawf o *megalomania* yr oes yn stori'r 'Côr Mawr', ac mae'n amheus a fyddai safon y canu'n dderbyniol heddiw. Ymfyddinodd cantorion o un ar ddeg o ganolfannau, gan gynnwys Aberdâr, lle lansiwyd y fenter, ac ymddiriedwyd y gwaith o arwain y 'Côr Mawr' i Caradog (Griffith Rhys Jones). Yn wir, bu enw Alaw Ddu ei hun i ddechrau ar restr fer yr arweinyddion tebygol. Nid dyma'r lle i ymhelaethu ar hanes yr ornest a oedd ei hun yn adlais o'r traddodiad eisteddfodol, nac ar y siom a brofwyd pan na chafodd y cwpan ysblennydd a enillwyd ddwywaith (y tro cyntaf heb gystadleuaeth) aros yng Nghymru pan ddaeth yr ŵyl i ben.[3] Gallwn sôn am y gronfa a drefnwyd wedyn gan Brinley Richards, a oedd yn nodweddiadol flaenllaw yn yr holl weithgareddau, i gyflwyno cwpan arbennig arall yn rhodd i'r 'Côr Mawr' ac yn iawn am eu siom, fel petai. Byddai'n anodd gorbwysleisio arwyddocâd y fuddugoliaeth fel math o goron ar dwf y mudiad corawl yng Nghymru. Roedd yn hwb i hunanhyder y Cymro (cerddorol neu beidio) mewn cyfnod anodd o ddirwasgiad cyffredinol, ac yn bennaf oll dyma o leiaf un tarddiad tebygol i'r ymffrost yn 'The Land of Song' sy'n dal yn fyw heddiw. Roedd y wasg yn Llundain yn barod i gymeradwyo (yn enwedig ar adeg yr ail ymweliad, ar ôl cael gwell cyfle i baratoi) ac yn amlwg yn rhyfeddu at y nerth a'r ddisgyblaeth gerddorol, heb sôn am y dehongliad dramatig iawn a gafwyd gan liaws o werinwyr o 'Walia Wyllt' dan arweiniad gof o'r cymoedd. Heblaw am yr holl orfoleddu, gwnaeth y 'Côr Mawr' argraff gymdeithasol gref ar Lanelli, yn

R. C. Jenkins.

ogystal ag ar y trefi eraill a gyfrannodd gantorion. Gwelir hyn nid yn unig yn y ffaith fod carfan Llanelli o'r côr yn perfformio'n gyhoeddus ar achlysuron arbennig am beth amser wedyn, ond yn bwysicach yn natblygiad yr egwyddor o greu côr sylweddol, anenwadol yn uned leol er mwyn perfformio'n gyhoeddus, ac wrth gwrs, gystadlu. O hyn ymlaen daeth Undeb Corawl Llanelli yn brif destun balchder cerddoriaeth y dref, ac yn naturiol gwelwyd datblygiadau cyffelyb mewn llawer ardal arall.

Is-arweinydd Alaw Ddu yn y fenter fawr oedd gŵr ifanc, a oedd yn fab i wehydd yn Llanelli, sef Richard Charles Jenkins (1841-1913) a ddaeth yn bur enwog cyn hir fel R.C. Jenkins, neu'n syml, 'R.C'. Yn fachgen, roedd ganddo lais alto nodedig, ac yn nes ymlaen fel bariton ifanc enillodd nifer o wobrwyon mewn eisteddfodau. Cafodd addysg a hyfforddiant da. Cyn treulio peth amser yn yr Academi Gerdd Frenhinol yn cael gwersi canu gan Manuel Garcia, athro llais mwyaf ffasiynol yr oes, bu'n astudio gyda Joseph Parry yn Aberystwyth, lle cymerodd ran ym mherfformiad cyntaf (ar lwyfan cyngerdd) yr opera boblogaidd, *Blodwen*, yn 1878. Roedd eisoes yn datblygu fel arweinydd, ac yn yr un flwyddyn derbyniodd wahoddiad i fod yn arweinydd-y-gân yn Zion, prif gapel y Bedyddwyr yn ei dref enedigol. (Mae'n debyg i D. Pugh Evans, cyfansoddwr 'Yr Hen Gerddor', fod yn aelod ifanc o'r côr yno tra oedd yn gwasanaethu mewn siop ddillad leol.) Cawr o ddyn a chymeriad hoffus a lliwgar oedd 'R.C.', ond roedd hefyd yn ŵr busnes craff a llwyddiannus. Ymysg pethau eraill, bu o bryd i'w gilydd yn berchennog ar dafarn ac ambell 'off-licence'- yn wir yn ôl yr hanes roedd yn bell o fod yn ddirwestwr.

Daeth yn rhan o 'sefydliad' y dref, yn aelod o Fwrdd y Gwarchodwyr, ac yn gadeirydd iddo'n ddiweddarach, ac yn aelod o Ymddiriedolaeth yr Harbwr a sawl pwyllgor arall. Gofynnwyd iddo ffurfio côr anenwadol yn y dref i gystadlu yn Eisteddfod Genedlaethol Caerdydd, 1883, a daeth Undeb Corawl Llanelli yn ail da yn ôl y beirniaid clodforus. A dyna fu'r hanes rhwystredig droeon wedyn. Ennill cymeradwyaeth heb ennill y wobr mewn tair prifwyl – Aberdâr (1885), Llundain (1887) ac Aberhonddu (1889) – nes o'r diwedd sylweddoli'r uchelgais fawr ym Mhrifwyl Abertawe, 1891, pan gipiwyd y wobr gyntaf o £200 ynghyd â batwn aur hanesyddol. Mawr

fu gorfoledd tref Llanelli – gorfoledd mor gyforiog â'r gorfoledd a
feddiannodd y dref pan drechwyd y Crysau Duon ar gae'r Strade yn
1972. Ychwanegodd cipio'r batwn aur at orchest côr 'R.C.', ac aeth
yn rhan o chwedl sy'n dal i adleisio yn y dref, os nad y tu hwnt iddi.
Rhoddwyd y batwn gan W. Pritchard-Morgan, yr aelod seneddol dros
sir Feirionnydd, i'w ennill mewn cystadleuaeth genedlaethol, a'r
bwriad oedd y byddai'r sawl a'i henillai ddwywaith o'r bron yn cael
cadw'r tlws. Dyna'n union a wnaeth Côr Caernarfon yn Aberhonddu
(1889) a Bangor (1890). Aeth yn gweryl rhwng y cantorion a'r
arweinydd ynglŷn â phwy oedd piau'r batwn ac aeth yn achos llys
rhyngddynt. Barnwyd fod yn rhaid ei werthu a rhannu'r arian, ac fe'i
prynwyd yn un swydd gan drefnwyr Prifwyl Abertawe, 1891, i'w
gynnig yn wobr i arweinydd y côr buddugol yn y brif gystadleuaeth
gorawl. Yn naturiol, roedd Côr Caernarfon yn cystadlu'n frwd yn
Abertawe, ac fel y ffefrynnau disgwylient adennill y batwn. Ond côr
'R.C.' aeth â hi, a daeth y batwn i Lanelli i anfarwoli camp fawr
eisteddfodol gyntaf y dref.

Penderfynodd 'R.C.' roi'r gorau i arwain bron ar unwaith ar ôl rhoi
cyngerdd yn Llundain, a chanolbwyntio ar ei gapel, ar feirniadu a
chanu fel unawdydd. Dywedir iddo ganu gerbron y Frenhines Victoria
yn Windsor yn 1898, a chyda Madame Patti yng Nghraig-y-nos yn
1899, ac mae'n hysbys iddo arwain côr mentrus Llandeilo mewn
perfformiad o gantata Elgar, *King Olaf*, a pharatoi Côr yr Eisteddfod
ar gyfer Prifwyl Caerfyrddin yn 1911. Ar gais Syr Arthur Stepney,
cerddor amatur a'r barwnig olaf o'i linach i'w ystyried yn sgweiar y
dref, aeth ati i gasglu nifer o sgorau'r clasuron cerddorol, a'r casgliad
hwnnw fu cnewyllyn adran gerdd llyfrgell tref Llanelli a dyfodd yn
adran hynod gyfoethog, ac yn destun cenfigen llawer llyfrgell tref
arall ymhen amser. Wrth gwrs, fe fu'n aelod grymus o bwyllgorau'r
ddwy Brifwyl a ddaeth i Lanelli yn 1895 ac 1903, a daliodd mor
egnïol ag erioed hyd at ei farwolaeth sydyn wrth organ y Seiri
Rhyddion yn 1913.

Dyn 'temperamental' ac emosiynol oedd 'R.C.' yn y bôn, ond nid
heb hiwmor ychwaith. Mae'n amlwg o'r hanesion a adroddir amdano
yn y wasg gan ei olynydd yn arweinydd côr y dref, sef John Thomas
(1859-1941), fod ei hen gantorion a'i gyfeillion yn hoff iawn ohono,
'warts and all'.[6] Pan oedd yn disgwyl i ddechrau'r rihyrsal terfynol

mewn capel cyfagos ar gyfer eisteddfod ym Mhen-y-bont ar Ogwr, gwylltiodd am fod y côr yn hwyr yn dod ynghyd. Fe gerddodd allan gan ddweud na fyddai'n cystadlu. 'Ble rwyt ti'n mynd, Dic?', gofynnodd un o bileri'r côr. 'I Uffern' oedd yr ateb byrbwyll. 'Aros funed, rwy'n dod 'da ti', medde hwnnw. Erbyn hyn roedd gweddill y côr wedi cyrraedd, a dyma'r cyfeilydd, Luther Owen, un o brif gerddorion y dref, yn taro nodau agoriadol un o'r ffefrynnau, sef motet gan Bach. Dechreuodd y côr hymian y nodau, ac wedyn eu canu'n gryfach. Ni allai'r 'R.C.' twymgalon beidio â throi i arwain ei hoff gerddoriaeth, a dyna ddiwedd ar y pwdu, a mynd ymlaen i ennill y canpunt o wobr yr oedd ei mawr angen ar y côr. Fe symudodd i fyw i Abertawe am ychydig flynyddoedd, a phan ymddangosodd o flaen pwyllgor sirol yn Llanelli i geisio trwydded i werthu diodydd, manteisiodd y bargyfreithiwr, a ddaeth yn enwog nes ymlaen fel Syr Daniel Lleufer Thomas ac a oedd ar y pryd yn byw yn Abertawe ei

Luther Owen.

hun, ar gyfle i dynnu coes 'R.C.': 'Rwy'n deall bod gennyf y fraint bellach o fod yn frodor o'r un dref a chwithau?' 'Dim ond i raddau,' atebodd y cerddor ar unwaith, 'rwy'n cysgu yn Abertawe ond yn byw yn Llanelli!' Bu'r cais yn llwyddiannus.

Gryfed oedd parhad carisma 'R.C.' fel y rhoddwyd tipyn o sylw cyhoeddus i'r cof amdano yn 1945 pan gyflwynwyd ei dlysau, yn cynnwys wrth gwrs y batwn aur, i'r dref gan ei deulu, a sefydlu ar yr un pryd ysgoloriaeth yn ei enw. Yn y cyfarfod yn festri Zion roedd ambell hen aelod o'i gôr, yn eu plith Fred Jones, tad yr Arglwydd Elwyn Jones a fu'n Arglwydd Ganghellor yn ei ddydd, ac ni chafwyd trafferth i ychwanegu at y rhodd ariannol i greu cronfa deilwng i'r pwrpas. Hyd heddiw ceir blas ar ganu 'Ebbw Vale', ei emyn-dôn adnabyddus.

Mae'n anodd deall pam na cheir gair am 'R.C.' yn un o gyfrolau'r *Bywgraffiadur Cymreig*. A dyna hefyd fu ffawd un o'i gyfoeswyr yn y dref, cerddor tra llwyddiannus yn ei ddydd, sef Charles Meudwy Davies (1855-1916). Brodor o Bontardawe, ger Ynysmeudwy, oedd hwn, un a oedd wedi gwneud enw iddo'i hun yn arwain corau ieuenctid pan oedd yn fachgen, ac wedi ennill mewn llawer eisteddfod fel arweinydd ac fel unawdydd tenor. Bu'n astudio yn Aberystwyth o dan Joseph Parry, ac fel R.C. Jenkins yn cymryd rhan mewn perfformiadau cynnar o weithiau'r athro (fe ddewisodd yr enw 'Blodwen' i'w ferch). Derbyniodd wahoddiad i fod yn arweinydd-y-gân ac organydd yng nghapel Tabernacl yn y dref, a bu'n gwasanaethu yno yn ddi-dor am 36 o flynyddoedd, gan gyflwyno yno yr un nifer o weithiau corawl mawreddog. Roedd yn gerddor uchel iawn ei barch ac yn feirniad ac arweinydd adnabyddus ar raddfa genedlaethol. Dyn diymhongar ond difrifol iawn ydoedd; gwrthodai ddefnyddio'r 'glees', y baledi a'r canigau ysgafn a oedd yn boblogaidd yn ei amser ef, ac a oedd yn plesio 'R.C.' ar brydiau. Roedd o hyd yn anelu at safonau uwch o safbwynt artistig a moesol. Daeth yn frawd yng nghyfraith i'r pregethwr a'r llenor tanllyd (ac anesmwyth ei yrfa), J. Ossian Davies (Ossian Dyfed), gan ddefnyddio, fel y gwnaeth Alaw Ddu o'i flaen, ei gerddi yn destunau i'w gyfansoddiadau, yn enwedig nifer o gantatas ac eitemau'r cysegr ar gyfer plant. Yn yr un modd, defnyddiodd eiriau gan y Parchg. Ddr Gwylfa Roberts pan oedd yntau'n weinidog yn y Tabernacl. Roedd

Meudwy'n ddirwestwr pybyr, ac yn ogystal â'r Harmonic Society, a chôr Undeb y Gobeithlu, bu'n arwain Côr Dirwestol Llanelli yn gyson, a'u paratoi yn aml i ganu yng ngwyliau'r gymdeithas yn Llundain, yn enwedig yr un a gynhaliai'r Undeb Cenedlaethol Dirwestol yn y Palas Grisial, gŵyl a oedd bron yn adlais o gyfarfodydd 1872-3. Yno, yn 1903, cafodd y fraint o arwain 5,000 o leisiau mewn rhaglen a oedd yn cynnwys cyfansoddiad o'i waith ei hun ac iddo'r teitl hynod o briodol, 'The Fall of Bacchus'. Honnai mai ef oedd y Cymro cyntaf i arwain yn yr ŵyl fawr, a'r cyntaf i gael beirniadu ynddi, ac at hynny ef oedd y Cymro cyntaf i gael gwahoddiad i feirniadu yn y 'Grand National Eisteddfod of Australia' yn 1909. Roedd yn flaenllaw yn Eisteddfod Genedlaethol gyntaf Llanelli yn 1895 fel is-lywydd y Pwyllgor Cerdd, ac fe'i hurddwyd yno a rhoi iddo'r enw gorseddol, 'Pencerdd Myrddin'. (Fel dyn ifanc y mae'n debyg iddo fabwysiadu'r ffugenw 'Alaw Meudwy'). Er gwaethaf yr holl orchestion hyn, aeth enw Meudwy Davies yn angof beth amser ar ôl ei farwolaeth. Felly, pan ysgrifennodd y diweddar Barchg. D.J. Davies, gweinidog adnabyddus Capel Als a bardd cydnabyddedig, bwt o erthygl i'r wasg yn disgrifio twf cerddoriaeth yn y dref[7], nid oedd gair ynddi am 'Meudwy'. O ganlyniad, bu'n rhaid iddo ymddiheuro'n gyhoeddus i weddw'r cerddor ac i frodorion y dref a oedd yn ei gofio. *Sic transit gloria mundi* . . .

Wrth fynd heibio mae'n werth cofnodi bod un o gyfansoddwyr disgleiriaf Cymru yn hanner cyntaf yr ugeinfed ganrif, sef David de Lloyd (1883-1948), wrth yr organ yng ngwasanaeth angladdol 'R.C.' Yn enedigol o Sgiwen, ymsefydlodd y teulu yn Aberystwyth ar ôl peth amser, ond fe gludwyd y bachgen ieuanc dawnus hwn o gwmpas y Deyrnas Unedig gan J. Spencer Curwen er mwyn profi effeithiolrwydd y system Sol-ffa. Wedi iddo raddio mewn Hanes (B.A.) yn Aberystwyth, ac wedyn fel B.Mus. – y cyntaf ym Mhrifysgol Cymru i ennill y radd newydd sbon – aeth i astudio ymhellach yn Leipzig cyn dechrau gyrfa yn athro ysgol yn Woolwich, a dod i Lanelli i ddysgu o 1911 tan 1919. Fe'i hapwyntiwyd yn organydd yn Zion a bu'n dysgu daearyddiaeth (o bob pwnc), yn Ysgol y Sir (yn ddiweddarach,Ysgol Ramadeg y Bechgyn).[8] Nid oedd yr awdurdodau'n teimlo bryd hynny fod angen cael y fath beth ag athro cerdd swyddogol mewn ysgol uwchradd yng 'Ngwlad y Gân', a dyna sut y bu hi yn Llanelli tan

Syr Walford Davies a David de Lloyd (ar y dde iddo)
gyda'u myfyrwyr yn Aberystwyth.

1940. Tra oedd yn Llanelli enillodd de Lloyd radd Mus.Doc. o
Brifysgol Dulyn. Bu raid iddo fynd i Iwerddon, i Goleg y Drindod,
Dulyn, yn 1915 ar gyfer yr arholiad terfynol, ac yno fe syfrdanwyd yr
arholwr, Syr Percy Buck, o'i weld yn ysgrifennu'r sgor allan yn Sol-
ffa cyn ei drosglwyddo i'r 'hen nodiant'. Pan oedd wrth y llyw yn
Zion, ehangodd 'repertoire' y côr i gynnwys gweithiau fel *Gerontius* a
King Olaf gan Elgar, yn ychwanegol at weithiau eraill cymharol
'fodern' gan Granville Bantock a Coleridge-Taylor. Cafodd swydd yn
ddarlithydd cerdd yn ei hen goleg yn Aberystwyth yn 1919, i
gynorthwyo Dr (wedyn Syr) Walford Davies pan ddaeth hwnnw i
lenwi'r Gadair Gerdd wag – tipyn o naid i athro daearyddiaeth!
Dilynodd Syr Walford yn y Gadair yn 1926, ac yno y bu yn athro
ymroddgar ac amyneddgar (roedd rhaid bod felly i weithio gyda Syr
Walford, a oedd yn absennol yn aml iawn) a chyfansoddwr sensitif a
chwaethus. Gresyn na chlywn ei weithiau yn amlach heddiw.

Roedd John Thomas (olynydd 'R.C.' yn arweinydd côr y dref)
wedi cael ei grefft fel saer maen ac roedd hefyd yn cadw siop bapurau
a cherddoriaeth (braidd yn flêr) yn Heol yr Orsaf – fel, yn wir, yr
oedd 'Meudwy' o'i flaen ym mhen arall yr un stryd. Ond ei brif

ddiddordeb, a'i dalent arbennig, oedd hyfforddi'r llais, ac yn hynny o waith roedd ganddo ffydd arbennig yn nulliau adnabyddus Lamperti. Roedd ei wraig, Madame Sarah Jane Thomas, yn soprano ardderchog a enillodd droeon gyda chlod arbennig mewn sawl eisteddfod, gan gynnwys y Brifwyl yn y dref yn 1895 (46 yn cystadlu a dyfarnodd Syr Joseph Barnby farciau llawn iddi). Bu eu merch, Megan Thomas, yn adnabyddus iawn fel soprano yn Llundain yn yr ugeiniau a'r tridegau, ac fel petai'n dyst i hyfforddiant llwyddiannus ei thad fe wnaeth recordiad LP yn 1967 pan oedd yn 75 mlwydd oed, ychydig dros flwyddyn cyn iddi farw yn 1969. Daeth y bariton enwog, Norman Allin, o Lundain yn un swydd i gael cymorth technegol gan ei thad, ac mae rhestr disgyblion llwyddiannus John Thomas yn un hir, gan gynnwys rhai o'r ardal fel Olive Gilbert (a ddaeth yn boblogaidd iawn fel un o gwmni Ivor Novello) a'r bariton enwog, David Brazell o'r Pwll, a ddaeth yn enw cyfarwydd yn Llundain fel yng Nghymru. Iddo ef y cyflwynodd David Vaughan Thomas ei gân enwog, 'Berwyn'. Roedd yn adnabyddus fel canwr opera, ond, fel Megan Thomas, roedd yn well ganddo'r llwyfan cyngerdd. Aeth yntau i America yn unawdydd gyda chôr dethol John Thomas ar daith saith mis a ddechreuodd ym mis Medi, 1909.

Pan oedd 'R.C.' yn paratoi ei gôr ar gyfer y llwyddiant ysgubol yn Abertawe yn 1891, roedd gan John Thomas gôr meibion eithaf llwyddiannus a oedd yn bwriadu cystadlu yn yr un brifwyl, ond fe aberthwyd hwnnw er mwyn cryfhau'r Côr Mawr. Mae'n werth sôn yma fod mwy nag un côr meibion wedi bod yn y dref ar ôl hynny, rhai yn greadigaethau *ad hoc* ar gyfer cystadlu, ond bu'n rhaid aros tan yr amser presennol i weld sefydlu corff cadarn o gantorion sy'n adnabyddus drwy'r byd fel Côr Meibion Llanelli, dan eu harweinydd presennol, Eifion Thomas, sy'n brifathro ysgol gynradd leol ac yn unawdydd tenor. Ffurfiwyd y côr (dan enw arall i ddechrau) yn 1964, ac enillwyd y brif wobr yn Eisteddfodau Cenedlaethol Llanbedr Pont Steffan (1984), Abergwaun (1986), Bro Dinefwr (1996) a Bro Ogwr (1998).

Ar ymddeoliad 'R.C.' aeth côr y dref yn llai o nifer am beth amser, ond cafwyd llwyddiant yn yr ail gystadleuaeth gorawl yn Eisteddfod Genedlaethol Pontypridd, 1893, ac eto yn Llangollen yn 1908, heblaw am nifer helaeth o wobrwyon eraill yn y cyfamser. Yr uchafbwynt, yn ôl rhai, oedd y gwahoddiad a ddaeth i ganu yng Nghastell Windsor o

Côr meibion Llanelli yn Eisteddfod Llanbedr Pont Steffan, 1984,
lle cawsant y wobr gyntaf dan arweiniad Eifion Thomas.

flaen Edward VII, y Kaiser a'u teuluoedd. (Mae'n debyg i'r Kaiser –
nai'r Brenin Edward – ddweud wrth yr arweinydd ar ôl clywed
'Rhyfelgyrch Gwŷr Harlech' mai honno oedd yr ymdeithgan filwrol
orau yn y byd; roedd hynny, wrth gwrs, saith mlynedd cyn y Rhyfel
Byd Cyntaf.) Ar ôl yr achlysur hwnnw fe aethant yn 'Royal Choir'.
Yn 1937, o ganlyniad i'r fuddugoliaeth yn Eisteddfod Genedlaethol
Machynlleth, ysgrifennodd John Thomas gyfres o erthyglau i'r papur
wythnosol, y *Llanelly and County Guardian*, yn adrodd hanes y côr.
Buasai ef yn arweinydd-y-gân yng nghapel Lloyd Street am hanner
canrif, gan berfformio nifer o weithiau clasurol yno gyda'r côr ac
aelodau'r capel yn unawdwyr. Roedd yn aelod o bwyllgor y Brifwyl
yn 1895 ac 1903, a chafodd feirniadu yn Eisteddfod Genedlaethol
Llanelli yn 1930, yn un o wyth beirniad (gan gynnwys y Cymry, W.S.
Gwynn Williams, David de Lloyd , Caradog Roberts a J. Owen
Jones), pan fu pum côr cymysg yn ymryson yn frwd iawn, a chôr
enwog Ystalyfera, dan arweiniad W.D. Clee, yn curo Côr
Pontarddulais dan arweiniad T. Haydn Thomas, o un marc yn unig.
Ym Mhrifwyl 1895 arweiniodd Gôr yr Eisteddfod mewn datganiadau
o *The Spectre's Bride* (Dvorak) ac *Acis and Galatea* (Handel), ac yn
1903 eto datganodd Côr yr Eisteddfod *Israel in Egyp*t (Handel) a
Dewi Sant (David Jenkins) dan ei arweiniad ef.

Edgar Wynne Thomas (1878-1967) oedd olynydd John Thomas yn arweinydd côr y dref yn 1930. Ef, hefyd, a fu'n arwain Côr yr Eisteddfod y flwyddyn honno, pan ddatganwyd *Solomon* (Handel), *The Pied Piper of Hamelin* (Hubert Parry), *Caractacus* (Elgar) a *The Passions* (Haydn Morris). Yn frodor o Lwynhendy (ac yn fab i'r cerddor 'Alaw Hendy'), bu'n brifathro ysgol gynradd y bechgyn ym Mhorth Tywyn o 1934 ymlaen, ac fe sefydlodd Gwmni Opera Amatur yno yn 1951, cwmni sy'n dal yn llewyrchus dan yr arweinydd presennol, Ryan Lee. Bu Mrs Thomas, hefyd, yn llwyddiannus fel mezzo-soprano yn y Brifwyl yng Nghastell-nedd, 1918, a than arweiniad ei gŵr profodd Côr Llanelli lwyddiant cyson mewn sawl eisteddfod. Daeth yn ail ym Mhrifwyl Wrecsam, 1933, ac Abergwaun, 1936, cyn cyrraedd y brig o'r diwedd ym Machynlleth yn 1937, a chreu gorfoledd mawr yn y dref unwaith eto. (Bu llawenhau arbennig hefyd oherwydd i gôr plant cyfagos o Borth Tywyn ddod yn gyntaf, dan arweiniad Gerwyn Thomas, yn eu cystadleuaeth hwy yn yr un brifwyl.) Roedd Côr Llanelli yn fawr ar ei ennill yn 1937 o gael y bariton disglair, Harding Jenkins (1903-70) o Lwynhendy, yn unawdydd. Yr oedd y cerddor hwn i ddatblygu'n arweinydd ymroddgar a mentrus yn ei ddydd i gôr ei ardal, a chôr capel enwog Soar, Llwynhendy, o 1950 hyd at 1968. Fe'i gwobrwywyd ym Mhrifwyl Llanelli yn 1962.

Côr Edgar Thomas.

Aildaniwyd egni'r côr ar ôl y rhyfel a chafwyd gwasanaeth arweinyddion profedig a disglair. Bu rhai wrth y llyw am beth amser, ac eraill am dymor byr. Felly cawn enwau fel yr adnabyddus Idris Griffiths, Gareth Jones (er mai byr fu ei dymor ef cafodd y côr fuddugoliaeth nodedig unwaith yn rhagor dan ei fatwn, sef y wobr gyntaf yn y brif gystadleuaeth gorawl yn Eisteddfod Genedlaethol Aberdâr, 1956), Rhys Picton Evans (tenor adnabyddus), Philip Edwards (un o bileri'r opera ym Mhorth Tywyn), Wyn Morris (mab y cyfansoddwr Haydn Morris, ac arweinydd disglair ar raddfa ryngwladol; roedd eisoes wedi derbyn un o wobrau Koussevitzky yn Ysgol Haf enwog Tanglewood yn yr Unol Daleithiau yn 1957), John Hywel Williams (arweinydd corau plant a ddaeth yn enwog iawn dros y blynyddoedd), Elwyn Jones (a ddaeth wedyn yn Drefnydd Cerdd y Sir), a Penri Williams (sy'n is-gadeirydd Pwyllgor Cerdd Eisteddfod y Mileniwm). Mae'r olaf ond dau o'r rhain, sef J. Hywel Williams, wedi ailsefydlu Côr y Dref ar ôl rhyw chwarter canrif o saib, ac mae'n amlwg y gallwn ddisgwyl, yn obeithiol bellach, am rywbeth tebyg i 'Haf bach Mihangel' yn nhraddodiad corawl Llanelli.

Wrth ystyried yr enw cyntaf, sef Idris Griffiths (a fu farw yn 1987 yn 81 oed), mae'n briodol i ni dalu peth sylw, er mor annigonol, i'w yrfa. Anodd yw credu bod y gŵr gwaraidd a golygus, y cerddor brwd ond sensitif hwn wedi dechrau ei hanes yn löwr ifanc (fel cynifer o'i gyfoeswyr ac eraill ymysg cerddorion Cymru), ond wedi mynnu gwneud ei hun yn gerddor er gwaetha'i amgylchiadau. Yn enedigol o Resolfen, enillodd ei LRAM a'r ARCO yn ifanc, a chychwynnodd ar yrfa fel cyfeilydd, organydd ac arweinydd. Fe gyfarfu â'r diweddar Syr Geraint Evans, ac fe ddatblygodd partneriaeth gerddorol gynnar rhyngddynt mewn nifer o gyngherddau. Bu Idris wedyn yn cyfeilio ar lwyfan (a gyda'r BBC am ddeng mlynedd) i rai o gantorion mwyaf enwog y dydd. Fel nifer o gerddorion eraill fe'i denwyd gan Lanelli, lle bu'n athro cerdd yn Ysgol Ramadeg y Merched am 23 blynedd, ac yn arweinydd corau (gan gynnwys Côr y Dref), yn hyfforddwr lleisiau, yn athro piano a chyfeilydd cyhoeddus. Bu'n arweinydd-y-gân ac organydd yng nghapel Tabernacl am gyfnod a fu'n eithriadol o lewyrchus yn gerddorol, pan gynhelid cyngherddau mawreddog (yn amlach na blynyddol) cyn i anghydfod rhyngddo a'r gweinidog (y diweddar brifardd Gwyndaf), beri iddo gynnig ei wasanaeth i gapeli

eraill yn y dref (Lloyd Street a Chapel Als), er bod ei iechyd yn fregus
erbyn hynny.

Gyda phenodi Idris Griffiths, roedd cyfnod cydnabod pwysigrwydd
yr athro cerdd llawn-amser yn yr ysgol uwchradd wedi gwawrio. Cyn
hynny, mater o hanner-adloniant oedd hi dan ofal pwy bynnag ar y
staff a oedd yn ystyried ei hun yn 'gerddorol' (cantorion amatur yn
bennaf). Nid oedd i'r pwnc statws academaidd fel y gwelwyd eisoes
yn hanes de Lloyd. Ni châi'r gŵr disglair hwnnw ddysgu ond dwy
wers gerdd yr wythnos, mae'n debyg. (Gallwn ofyn, yn ddi-flewyn-
ar-dafod, a oes berygl i ni lithro'n ôl i'r union sefyllfa honno yn y
dyfodol, sef cerddoriaeth fel 'ffril' yn hytrach na phwnc craidd yn yr
ysgol.) Bu Ysgol Ramadeg y Bechgyn yn Llanelli yn ffodus iawn
hefyd i gael dau athro arbennig yn y pwnc, dau a greodd bartneriaeth
berffaith o safbwynt gosod patrwm campus – onid delfrydol.
Apwyntiwyd Frank Phillips yn athro hanes yn yr ysgol ychydig ar ôl
dyrchafiad de Lloyd. Roedd wedi astudio rhan o'r cwrs B.Mus. yn
Aberystwyth dan Syr Walford Davies yn syth ar ôl bod yn y Rhyfel
Byd Cyntaf, a bwriadai frwydro ar unwaith, yn ysbryd ei athro, dros
statws cerddoriaeth yn yr ysgol, yn ogystal ag yn y dref (lle roedd yn
organydd yn eglwys y plwyf). Wedi paratoi nifer o gyngherddau yn yr
ysgol, a'r rheini yn rhoi llwyfan i gerddorfa ragorol heb esgeuluso'r
côr, llwyddodd i berswadio'r awdurdodau i benodi athro cerdd i redeg
adran bwrpasol.

Dyna a ddigwyddodd pan apwyntiwyd A. Haydn Jones, M.Mus.,
brodor o bentref Pen-y-groes gerllaw, a oedd yn gyfoed iddo yn
'Aber' o dan Syr Walford Davies (ac ar delerau cyfeillgar â'r Athro T.
Gwynn Jones). Ond cawsai hefyd astudio'n breifat gyda Dr Vaughan
Thomas (gŵr yr oedd Haydn yn ei ystyried yn well cerddor na Syr
Walford, heb ildio dim o'i edmygedd ohono yntau fel arwr tra bywiog
a mwy cyhoeddus ei arddull). Dywedir, hefyd, iddo gael gwersi gan y
cyfansoddwr Ffrengig modern, Darius Milhaud (un o 'Les Six'
enwog), ac os yw'n wir i hynny ddigwydd ym Mharis, yn ystod y
Rhyfel Byd Cyntaf, pan oedd y milwr ifanc o Gymro yno am ysbaid,
draw ymhell oddi wrth y ffosydd erchyll yng Ngwlad Belg, dyna
enghraifft o 'R & R' anghyffredin iawn yn Ninas y Goleuni! Dyn swil
iawn a diymhongar oedd Haydn (er yn athro da, uchel ei safonau, a
chyfansoddwr chwaethus hefyd), tra oedd 'Frankie' fel cymeriad

bywiog a lliwgar yn effeithiol dros ben gerbron y cyhoedd ac yn medru sbarduno perfformwyr ifanc a hen i roi o'u gorau. Mae nifer fawr o'u cyn-ddisgyblion, rhai a ddaeth bellach yn llwyddiannus ac yn enwog, yn ddyledus iawn i'r ddau. Bu Frank Phillips farw yn 1962, yn 67 oed, dwy flynedd ar ôl ymddeol fel is-brifathro yn ei hen ysgol; bu farw Haydn yn 83 oed yn 1974 wedi ymddeol i'w gynefin yn 1957. Sicrhaodd Leonard Pugh a Mrs Nans Protheroe barhad traddodiad a dylanwad y tri athro hyn o leiaf tan i'r newid yn nhrefniant cwricwlwm yr ysgolion uwchradd newid y blaenoriaethau o safbwynt dysgu cerddoriaeth.

Fel yr awgrymwyd eisoes, mater o ddylanwad un bersonoliaeth brofiadol ar un arall (neu ar eraill) sydd wrth wraidd pob traddodiad a diwylliant cerddorol, boed hynny'n digwydd yn uniongyrchol drwy athrawon swyddogol neu ynteu drwy ryw system drosglwyddol neu gyfathrach arall. Felly, er i ffasiynau ac, wrth reswm, chwaeth, newid yn aml ac yn ddidrugaredd, gall y cerddor olrhain ei linach, fel petai, yn ôl drwy'r cenedlaethau, os nad drwy'r canrifoedd. Mae'r ymwybyddiaeth hon yn cyfoethogi dychymyg a hyd yn oed hunanhyder yr artist, ac yn ei alluogi i drosglwyddo'r elfennau pwysicaf i'r to sy'n codi.

Heb unrhyw amheuaeth, roedd y cerddor amryddawn a'r cyfansoddwr toreithiog, Dr Haydn Morris (1891-1965). yn un o brif gymeriadau artistig a chreadigol tref Llanelli yn ei ddydd. Fe'i ganwyd ym mhlwyf Llanarthne, ac fe'i magwyd yn aelod o deulu tlawd a niferus yn Cross Hands, lle yn naturiol y bu'n löwr yn ei ieuenctid fel ei dad o'i flaen, er ei fod yn gynnar wedi arddangos talent gerddorol arbennig. Drwy ymdrech a chymorth lleol (a gwersi gan Vaughan Thomas ac eraill) ac ar ôl cael ei ARCM, llwyddodd i fynd i'r Academi Gerdd Frenhinol yn Llundain i astudio rhwng 1918 ac 1922 o dan Frederick Corder, Ernest Read, Henry Wood a hefyd Syr Stanley Marchant, organydd eglwys gadeiriol St. Paul. Tra oedd yno, fel myfyriwr aeddfed, enillodd glod a gwobr Oliveria Prescott am gyfansoddi, a hefyd, mae'n debyg, cafodd gymeradwyaeth gan neb llai na Syr Edward Elgar ei hun. Wedi gadael y RAM, llwyddodd i gael gradd Mus.Bac. yn allanol o Brifysgol Toronto yn 1923, ac yn ddiweddarach, yn 1943, y D.Mus. yn yr un modd o'r 'National College of Music' yn Efrog Newydd.[9] Ar ôl cyfnodau yn organydd a chôr-feistr mewn capeli yng Nghaerfyrddin (Heol yr Undeb) a Merthyr Tydfil (Soar), ymgartrefodd yn Llanelli am weddill ei oes, a bu'n gyfrifol am gerddoriaeth yng Nghapel Als lle yr oedd eisoes draddodiad cerddorol rhagorol wedi'i ddatblygu dan Seth Jones a William Richards, hyfforddwr y gerddorfa. Bu'n gwasanaethu yno o 1928 hyd at ei ymddeoliad yn 1960, ac fe gafodd radd ARAM er anrhydedd gan ei hen goleg. Roedd Haydn Morris ('Haydn Bencerdd') yn aelod o'r Orsedd er 1923 (gyda'r ieuengaf i'w dderbyn), ac fe ymdaflodd i weithgareddau'r Eisteddfodau Cenedlaethol (ac eraill) drwy gydol ei oes, nid yn unig fel beirniad, arweinydd, trefnydd cerdd y Brifwyl ac arholwr ar gyfer yr Orsedd, ond yn arbennig fel cystadleuydd yn yr adran gyfansoddi, lle enillodd fwy na thrigain o wobrwyon yn y 'Genedlaethol' dros gyfnod hir. Dathlodd ei ddegfed wobr ar hugain ym Machynlleth yn 1937 – yn y Brifwyl a welodd Gôr Llanelli yn cipio'r wobr gyntaf.

Yn y fan hon mae'n werth sylwi mai cyfrol o'i waith ar Gerdd Dant a wobrwywyd ym Machynlleth; bu hyn yn sioc, yn enwedig i'r gogleddwyr profiadol yn y maes a oedd braidd yn hawlio'r hen grefft. Yn wir, roedd yn sioc ddwbwl gan mai cerddor proffesiynol hollol glasurol ei hyfforddiant oedd Haydn. Mae Eleanor Dwyryd yn sôn am yr achlysur yn ei theyrnged iddo yn *Allwedd y Tannau*[10]: 'Ni dderbyniwyd y dyfarniad yma yn rhy esmwyth gan yr "hen ddwylo" oedd wedi cystadlu yn ei erbyn . . . Edrychid ar Haydn Morris y pryd hynny fel rhyw "gyw gôg" wedi dod i'r nyth! . . . Aeth rhai blynyddoedd heibio cyn [iddo] gael ei dderbyn yn "un ohonnom" fel petai . . . bron na ellir dweud fod Haydn Morris yn siarad mewn iaith hollol annealladwy [i'r "hen ddwylo"], sef iaith y cerddor graddedig'. Mewn gwirionedd, roedd yn dilyn trywydd dau gerddor 'graddedig' arall o fri, sef David de Lloyd, un o'r beiniaid yn y gystadleuaeth, a'i hen athro, David Vaughan Thomas – dau a ymddiddorai mewn cerddoriaeth draddodiadol o wahanol foddau fel y dangosai eu cyfansoddiadau yn glir. Mae'n wir, wrth gwrs, mai ychydig iawn o gyfansoddwyr o safon a ddilynodd Haydn Morris yn hyn o beth, fel petai i wrteithio'r maes peryglus a phigog hwn! Beth bynnag, dyma ddechrau cyhoeddi (ymhlith eraill) nifer o gyfrolau, dan y teitlau *Hen Ganu'r Cymru (I a II)*, *Alawon Telyn*, *Telyn Cymru (I a II)*, yn ychwanegol at werslyfr arbennig – pob un yn glasuron erbyn hyn.[11]

Difyr yw meddwl bod merch i gyfaill iddo – hithau hefyd o'r de – sef Amy Thomas o Bontyberem gerllaw (y Fonesig Parry-Williams yn ddiweddarach) wedi datblygu'n un o hoelion wyth Cerdd Dant yn ei thro.

Roedd Haydn Morris yn ymroddgar ac uchelgeisiol fel cyfansoddwr 'clasurol', ac roedd ganddo'r sgiliau hefyd i gyfansoddi'n effeithiol i'r gerddorfa, gallu a oedd yn gymharol brin yng Nghymru y tu allan i'r colegau yn ei ddydd. (Bu'n athro answyddogol i sawl myfyriwr gradd yr oedd angen help arnynt yn y pethau hyn mae'n debyg, heb sôn am ambell gyfansoddwr aeddfed yn ogystal.) Dyna ran o'i waith beunyddiol a'i fywoliaeth, wrth gwrs, fel cerddor heb swydd gyhoeddus heblaw am ei waith yn y capel. Bu'n dysgu cantorion, paratoi disgyblion ar gyfer arholiadau piano, organ, a theori, trefnu alawon a gosodiadau cerdd dant, beirniadu, arwain cymanfaoedd canu, ac ati. Ar ben hyn oll, roedd yn gyfansoddwr toreithiog (rhy doreithiog, mae'n siŵr) a fyddai wrthi hyd at oriau

Haydn Morris.

bach y bore. I ddyfynnu 'Trefwr' a roes deyrnged iddo mewn papur lleol yn syth ar ôl ei farwolaeth, 'Nid oedd dim gwaith a safai o'i flaen'.[12] Roedd yn onest iawn ei ffordd o siarad, hefyd, os nad tanllyd, fel oedd yn briodol efallai i gyn-löwr. I ddyfynnu 'Trefwr' eto: 'Ni chredai ddim mewn "pilo wye"... ond gallech fod yn siŵr y dilynai'r enfys y fellten.'.[13]

Mae rhestr cyfansoddiadau Haydn Morris yn un faith: cafwyd ganddo operâu (perfformiwyd *Y Ferch o Gefn-Ydfa* droeon yn y 30au), cantatas, 'operettas' i blant, gweithiau corawl mawr a bach, darnau i gerddorfa, i fandiau pres, eitemau offerynnol, caneuon ac yn y blaen. Cyrhaeddodd uchafbwyntiau nodedig, megis pan gafodd arwain Cerddorfa Symffoni Llundain yn Eisteddfod Genedlaethol Abertawe, 1926, mewn perfformiad o'i waith comisiwn i gerddorfa lawn – *Brythonic Rhapsody*. Ar ben hyn, yn Eisteddfod Genedlaethol Llanelli yn 1962, clywsom ei gantata fawreddog, *Iesu o Nasareth* (y geiriau gan Elfed), dan arweiniad ei fab, Wyn.[14] Er i nifer helaeth o'i weithiau gael eu cyhoeddi gan Snell, Hughes a'i Fab, Banks ac eraill (ac y mae llawer i eitem yn aros mewn llawysgrif o hyd), ychydig ohonynt a glywn heddiw, yn anffodus, heblaw am ei gân, 'Hei ho' *(Y Sipsi)*, a'r garol dlos, 'Hwiangerdd Mair'. Sonnir weithiau am ei waith diflino ac arloesol yng Nghapel Als gyda'r plant, ac yn enwedig gyda'r côr a'r gerddorfa ardderchog. Peth hollol eironig yn ein dyddiau ni yw darllen beirniaid Llundeinig wrthi'n disgrifio perfformiad 'costume' ar lwyfan o'r *Dioddefaint yn ôl Sant Ioan* gan Bach fel rhywbeth dramatig ac arloesol. Roedd Haydn Morris, gyda'i gyfaill, yr athro ysgol Emlyn Davies, yn gyfarwyddwr aelodau'r capel, wedi cyflwyno sawl oratorio, megis *Messiah, Samson, Elijah*, ac ati, mewn modd dramatig ar lwyfan Neuadd y Farchnad yn Llanelli yn y pumdegau. Yn wir, gadawyd tipyn o fwlch ym mywyd cerddorol y dref ar ôl marw'r dyn tra dawnus a mentrus hwn. Mewn gwirionedd, cyd-ddigwyddodd ei farwolaeth â'r dirywiad cyflym yng ngweithgarwch cerddorol y capeli a welwyd bron ymhob man am amrywiol resymau cymdeithasol. Tua'r un pryd, roedd traddodiad atyniadol y 'côr mawr' yn prysur ddirwyn i ben yn gyffredinol drwy'r wlad, er na phrofwyd hynny ar unwaith yn Llanelli.[15]

Y mae'n rhyfedd meddwl fod hen gerddorfa lewyrchus Capel Als wedi'i sefydlu mor bell yn ôl ag 1895, ac nid hi oedd y gyntaf yn y dref ychwaith, na'r unig un a ffurfiwyd gan gapel. Er enghraifft, bu cerddorfa gref yng Nghapel y Doc ar adegau arbennig o dan reolaeth cigydd lleol. Yr oedd cerddorfa Capel Als i ennill yn Eisteddfod Genedlaethol 1903 dan arweiniad T. Daniel Jones ac eto yn 1930 dan William Richards. Sefydlwyd Cymdeithas Gerddorfaol yn y dref tua 1890, mae'n debyg, o dan Sarsiant James Samuel, arweinydd bandiau pres llewyrchus, a buont yn fuddugol yn eu dosbarth hwy ym Mhrifwyl 1895 a Phrifwyl 1903 o dan fatwn David Thomas. Frank Phillips (a enwyd eisoes) oedd yn gyfrifol am y gymdeithas hon ar ei newydd wedd yn yr ugeiniau a'r tridegau, ac felly cafwyd buddugoliaeth arall ym Mhrifwyl 1930. Yn raddol, felly, ac yn enwedig yng nghyfnod arweinwyr fel Frank Phillips (ac yn achlysurol Wyn Morris), daeth pobl gyffredin y dref i sylweddoli fod yna rinwedd arbennig i gerddoriaeth gerddorfaol ac offerynnol o bob math, nid yn unig fel llawforwyn i'r traddodiad corawl a lleisiol. Gyda thwf addysg gerddorol, ac ymwybyddiaeth ehangach o'r gelfyddyd glasurol, gwelwyd fod yna swyddogaeth bwysig ac annibynnol i'r cerddor offerynnol; nid cyfeilio oedd ei unig swyddogaeth er mor bwysig roedd hynny'n dal i fod.[16] Mewn gwirionedd, yng nghysgod, fel petai, y datblygiad amlwg iawn i'r mudiad corawl yn y dref, fe gafwyd un llai amlwg (*en sourdine*, efallai, y dywedai'r cerddor) ym myd offerynwyr o bob math.[17] Bu'r bandiau pres, er enghraifft, yn llwyddiannus iawn o bryd i'w gilydd, roedd galw am glywed y 'Silver Prize Band' yn gyhoeddus, a bu'r chwaraewr cornet, Tom Morgan, nes ymlaen yn arweinydd adnabyddus y Coldstream Guards Band ac wedyn y Callendar Band. Honnir gan rai mai'r cyfnod cyn dechrau'r ugeinfed ganrif oedd oes aur y bandiau yn Llanelli,[18] ac yn sicr mae yna le i ysgrif ar wahân ar y pwnc.

Yn ddios, o safbwynt cerddoriaeth linynnol rhaid talu teyrnged i ymdrechion cyson a diflino William Richards (bu farw yn 1936) a hyfforddodd, yn ogystal â cherddorfa Capel Als, nifer o gerddorion ifanc a ddaeth yn eu tro yn gynheiliaid i gerddorfeydd y dre. Yn eu plith gallwn enwi'r fiolinydd Elvet Marks (1906-80) a weithiai i'r llywodraeth leol tra'n cynnal cerddorfa Capel Als a cherddorfeydd amatur eraill yn y dref a'r ardal amgylchynol. Ac ni ddylid anghofio'i wraig, Nancy (1912-85), a fu'n flaenwr yn ei gerddorfeydd ac yn athrawes fiolin i genedlaethau o blant. Dilynwyd eu hesiampl hwy gan Don Preece ac yn ein dyddiau ni y mae'r cynghorwr sir, Edward Skinner, yn ffurfio ac arwain cerddorfa yn achlysurol. Yn eu plentyndod fe ddysgodd William Richards ddau gerddor arbennig a aeth, bron fel cenhadon, i ogledd Cymru i 'ledaenu'r efengyl' gerddorol. Bu Eric Morris (1921-1980) a John Newman (1922-1985) am flynyddoedd yn flaenllaw fel cerddorion yng Ngwynedd; y cyntaf fel athro a phrif fiolinydd yn 'ensemble' y Brifysgol ym Mangor, a'r ail fel fiolydd (neu chwaraewr fiola) yn yr un grŵp. Bu John Newman, hefyd, yn ei dro yn Gyfarwyddwr Cerdd Sir Gaernarfon ac wedyn yn aelod o Adran Gerdd y Coleg Normal. Gadawodd y ddau eu hôl yn drwm ar gerddoriaeth yng Ngwynedd. Gellid dal fod gyrfaoedd Morris a Newman yn tanlinellu'r math o ddatblygiad a rwystrodd dwf traddodiad cerddorol Llanelli yn ail hanner yr ugeinfed ganrif, ac mewn gwirionedd ymhell cyn hynny i raddau. Fel y daeth manteision hyfforddiant proffesiynol (heb sôn am grantiau) yn haws eu cael, roedd y bobl ifanc mwyaf dawnus (fel mewn llawer tref arall) yn symud i ffwrdd ac yn mentro ar yrfaoedd mewn canolfannau lle y caent well cyfleusterau a chyfleoedd. Mae'n siŵr fod sefydlu Cerddorfa Genedlaethol Ieuenctid Cymru a'i datblygiad cyflym yn y pedwar – a'r pumdegau (a'r Band Pres yr un fel yn ddiweddarach), er mor ardderchog, wedi hwyluso'r duedd i ymbellhau drwy agor drysau i offerynwyr talentog i fyd ehangach. Yr oedd, wrth gwrs, hefyd yn codi safonau a chyfoethogi chwaeth gerddorol perfformwyr ifanc o gwmpas Cymru, drwy gynnal cyngherddau cyhoeddus gwirioneddol safonol.

O safbwynt offerynnol, gellir honni mai oes y piano oedd yr ugeinfed ganrif yn nhrefi Cymru, o leiaf hyd at y chwedegau pan wthiwyd yr offeryn allan o'r parlwr er mwyn gwneud lle addas i'r teledu. Wrth gwrs, roedd y piano yn offeryn at bob pwrpas ac felly yn dra phoblogaidd gyda'r teulu cyfan ar un adeg. Roedd siop fawr (enwog yn ei dydd) Thomson & Shackell Ltd., yn y Central Music Warehouse yn Stryd Stepney, prif stryd y dref, i'w gweld yn hysbysebu: 'Piano for 10/6 deposit (tua 52c mewn arian cyfoes) carriage paid' yn y *Llanelly Mercury* yn 1913.[19] Gyda hyn, yn naturiol, daeth galwad am athrawon piano profiadol, y rhan fwyaf ohonynt â diploma wrth eu henwau, a byddai'r wasg leol yn llawn o hysbysebion yn brolio llwyddiant eu disgyblion mewn amryw o arholiadau a gynhelid yn yr ardal gan golegau yr oedd eu canolfannau yn Llundain bell.[20] Am gyfnod hir bu Llanelli yn gyfoethog o ran nifer yr athrawon piano safonol a drigai ynddi, athrawon a greodd 'linach' o gerddorion sy'n dal i fod. Un o'r goreuon, ac yn sicr un o'r mwyaf adnabyddus – roedd disgyblion yn teithio ato o bell – oedd y diweddar D. James Bevan (1895-1981). Brodor o Flaina, Sir Fynwy, oedd hwn ac unwaith eto bu'n löwr ifanc a thlawd cyn penderfynu bod yn gerddor llawn-amser. Fe ddaeth i'r dref i fod yn athro piano a hefyd i ymuno fel pianydd yn yr ugeiniau cynnar a grŵp o gerddorion a oedd yn darparu cyfeiliant priodol yn y sinemâu lleol i'r ffilmiau di-sain. Fel pianydd roedd wedi etifeddu egwyddorion y cyfnod Rhamantaidd; roedd yn athro uchelgeisiol iawn i'w ddisgyblion, yn ddidrugaredd bron ei feirniadaeth, ac eto'n trosglwyddo iddynt

Kenneth Bowen.

chwaeth ac agweddau cerddorol cyffredinol a oedd yn ehangach na gofal am dechneg piano, er mor bwysig oedd hynny iddo. Y mae mwy nag un genhedlaeth o gerddorion Llanelli, yn ogystal â phianyddion, yn ddyledus iddo, gan gynnwys y tenor, Kenneth Bowen, Dafydd Gruffudd Evans, yr arweinydd a chwaraewr bas dwbwl, brawd Michael Evans y chwaraewr soddgrwth[21] – dau a enwyd eisoes – Ronnie Cass (cyfarwyddwr cerdd sioeau poblogaidd yn Llundain), Roland Morris (a fu'n Drefnydd Cerdd Clwyd), D. Hugh Jones (athro a chyfeilydd), y diweddar Maureen Thomas (a fu'n athro piano yn y RAM) ac Allan Fewster (Cadeirydd Pwyllgor Cerdd Eisteddfod y Mileniwm) i enwi ond ychydig.

Mae hanes cerddoriaeth yn y dref yn frith o enwau cyfeilyddion a oedd nid yn unig yn gerddorion o bwys eu hunain, ond hefyd yn hanfodol bwysig i eraill. Un sy'n uchel ar y rhestr, ac yn adnabyddus ymhell y tu hwnt i'r dref , oedd y diweddar Florence (Flo) Holloway, a adweinid gan bawb fel 'Madam Holloway'. Prin y cynhelid eisteddfod fawr na bach na chyngerdd yn yr ardal hebddi, a hi oedd cyfeilyddes Côr y Dref pan fu'n fuddugol yn Eisteddfod Genedlaethol Machynlleth yn 1937. Bu farw yn 87 oed yn 1987. Ymhlith eraill y gellir bod yn siŵr y bydd eu henwau yn dwyn atgofion i lawer ymhell y tu hwnt i Lanelli, gallwn nodi Awen Marsh-Jenkins, Mattie Bateman-Morris, Cissie Killick Hughes, Edith Hunt, Haydn Henshaw a Sidney Lewis – rhai ohonynt yn organyddion selog mewn addoldai yn y dref yn ogystal â chyfeilyddion ac athrawon cydwybodol a dawnus. Bu Mrs Mary Etta Jones, er enghraifft, yn organyddes am 71 o flynyddoedd yng Nghapel y Triniti – record a ddylai haeddu lle yn Llyfr Guinness! Rhaid pwysleisio yma nad dim ond yr Anghydffurfwyr oedd yn flaenllaw yn y maes hwn. Cyfeilydd cyntaf côr R.C. Jenkins oedd A.W. Swindall o Eglwys yr Holl Saint ac yn yr eglwys honno, nes ymlaen, fe fu rhai o bileri cerddoriaeth y dref yn gwasanaethu, rhai fel D.J. Evans, organydd ac athro preifat adnabyddus, ac am gyfnod Anthony Leighton Thomas (bu farw yn 1998), gŵr busnes a fu'n enwog yn ei ddydd fel beirniad cerdd i lawer o bapurau a chylchgronau, megis y *Times*, y *Musical Times*, a'r *Western Mail*, i enwi dim ond tri; bu hefyd yn olygydd y cylchgrawn *Welsh Music*, ac wedyn, am flynyddoedd, y *Music Review*. Roedd Anthony yn flaenllaw hefyd yng Ngŵyl Llanelli, gŵyl a wnaeth gyfraniad pwysig i fywyd cerddorol y dref yn yr wythdegau a hanner cyntaf y nawdegau, cyn i'r problemau ariannol, sy'n gyfarwydd i bob mudiad o'r fath, roi terfyn arni. Un a oedd yn flaenllaw yn yr ŵyl hon hefyd oedd Arglwydd Raglaw y sir, sef Syr David Mansel Lewis, sy'n gerddor amatur da, a chanddo radd yn y pwnc. Fel organyddion, yn dilyn ôl traed rhai fel Seth Jones (Capel Als) a D. Cecil Williams (un arall o wŷr busnes y dref) cawn rai enwog fel Arlandwr John a Huw Tregelles Williams, cyn-Bennaeth Cerdd BBC Cymru, a rhai cymharol ifanc hefyd fel David Geoffrey Thomas sydd bellach yn Llandâf a Neil Cox sy'n gyfrifol am gerddoriaeth mewn ysgol fonedd yn Lloegr. Wrth edrych ar enwau fel y rhain, yn ogystal ag ar ambell gôr merched dethol, fel Côr Curiad o dan reolaeth Andrew Tamplin, gŵr ifanc o Gapel Als, a Lleisiau'r Llan dan arweiniad Jill Evans, heb anghofio gwaith yr organydd Gethin Hughes a'i grŵp cyngerdd sydd i gyd yn ychwanegiad cymdeithasol at ymgyrch Prifwyl 2000, gallwn fod yn ffyddiog y bydd dyfodol eithaf bywiog i gerddoriaeth yn nhref Llanelli, ac yn wir yn yr ardal o gwmpas,[22] pa mor wahanol bynnag y bo'r dyfodol i'r oes a fu. Mae ymwybyddiaeth o'r gorffennol yn beth iach a phositif, ond gall gormod o hiraeth am 'oes aur', boed ffaith neu ffansi, fod yn ddinistriol ar y cyfan ac yn rhwystr i'r newydd a'r creadigol. Waeth beth am y problemau ariannol, mae ysbryd mentrus ein tref mor gryf ag erioed. Gobeithiwn y gall y Cynulliad, drwy roi ysgytwad i sefydliadau biwrocratig y celfyddydau, roi arweiniad i ni ar raddfa leol yn ogystal â chenedlaethol.

NODIADAU

[1]Huw Williams, *'Sosban Fach*: Anthem Llanelli ynteu Emyn-Dôn?' *Welsh Music/Cerddoriaeth Cymru*, Cyf. IV Rhif 5, Gaeaf 1973/4. Cyhoeddwyd llythyr hefyd yn y *Llanelly and County Guardian* (8 Medi 1937) yn honni bod yr actor Johnny Noakes (a adeiladodd y Theatr Royal yn y dref, a elwid wedyn yr 'Hippodrome' – ar lafar, 'Haggar's') wedi comisiynu'r darn gan fardd lleol ar gyfer pantomeim yno. Un o blith llawer o ymhonwyr a luniodd y llythyr hwnnw.

[2]Mor ddiweddar â Medi 1926 yn y *South Wales Press* mae 'Winton' yn sôn am ddau berfformiad o *Elijah* gan gapel Lloyd Street a Chapel Als o fewn pythefnos i'w gilydd. Yn yr un ysgrif (yn y gyfres 'Musical Echoes'), dywed: 'It is the easiest matter in the world to raise a choir of a hundred or so voices in any fair-sized chapel. In fact it is sometimes difficult to keep the number down.' A hyn mewn cyfnod o ddirwasgiad!

[3]T. Alun Davies, 'The Crystal Palace Trophy', *Amgueddfa*, Rhif 9, Gaeaf 1971.

[4]Mae'r batwn aur ac eraill o wobrau 'R.C.' i'w gweld mewn cas gwydr yn Amgueddfa'r Dref ym Mharc Howard.

[5]Darlledwyd ffilm (ar ffurf drama) ar yr achos gan S4C ychydig amser yn ôl .

[6]Rhoddwyd yr hanes gan John Thomas mewn ysgrif yn y *Llanelly and County Guardian*, 26 Awst 1937. Am rai manylion pellach ynglŷn â rhai o'r arloeswyr cynnar a'r cefndir diwydiannol, gweler Howard Jones, *Llanelli Lives* (Gwasg y Draenog, 2000).

[7]Cultural Records of the Great Tinplate Metropolis'. Roedd y darn wedi ymddangos eisoes y Sadwrn o'r blaen yn y *Western Mail*. Difyr yw darllen y rhan a ganlyn o'i ysgrif: 'The first great name in the musical history of the town is that of J.D. Bowen, a splendid all-round musician. In the days when pianos were unheard-of things in Llanelly he undertook to teach Capel Newydd Choir the "Hallelujah Chorus", and, as a result, was excommunicated by the puritanical deacons who considered him guilty of sacrilege. When an organ was presented to Park Church he became the first organist . . .' [h.y. rhywbryd ar ôl 1865]. Yn y flwyddyn 1877 gwelir y cerddor hwn yn cefnogi'r ymdrech i gael addysg deilwng i'r pianydd a'r organydd ifanc, Walter Hughes. Roedd hwnnw wedi creu argraff dda ar Brinley Richards mewn cyngherdd yn neuadd ffasiynol yr Athenaeum (Llyfrgell y Dref erbyn hyn), pan ymwelodd â Llanelli ym mis Awst 1877.

[8]Am fanylion pellach ar de Lloyd yn y dref gweler yr erthgygl gan Glynne Evans (brodor o Lanelli a oedd ei hun yn ddarlithydd yn Adran Gerdd Coleg Prifysgol Cymru, Aberystwyth, cyn i'r adran gau), 'David de Lloyd: Scholar-Musician', *Welsh Music/Cerddoriaeth Cymru*, Cyf. III Rhif 10, a hefyd yn ohebiaeth yn Cyf. IV, Rhif 9, 108-9.

[9]Cafwyd ambell gerddor (cenfigenus, efallai) o bryd i'w gilydd yn ceisio dilorni gwerth neu awdurdod ei radd o Ddoethor. Beth bynnag, wrth ystyried y rhestr o bump o gyfansoddiadau sylweddol ganddo a anfonwyd i'w cloriannu gan arholwyr swyddogol y coleg yn UDA, gallwn o leiaf edmygu'i lafur, a chredu ei fod yn haeddu rhyw 'deitl' o'r fath. Dyma ddisgrifiad ohonynt a ymddangosodd yn y *Llanelly and County Guardian* (30 Medi 1943):

> *Jesus Our Saviour* for soprano, chorus and full orchestra
> *Spirit of Carnival*: Concert overture for full orchestra
> *The Seasons*: Suite for full orchestra
> *Gwalia Rhapsody* for full orchestra
> *Variations on 'Y Delyn Aur'* for full orchestra

[10]*Allwedd y Tannau*, 1966, Rhif 25, 8-11. Dywed hefyd: 'Dyn gwyllt ei dymer ydoedd ar adegau, a dyn penderfynol mewn pwyllgor. Ond yr oedd yn ddyn teimladwy yn y gwraidd, a chefais glywed ganddo am "droeon yr yrfa" . . .

Nid oedd na dial na chenfigen yn perthyn iddo; yr oedd yn un o'r ychydig y teimlwn mor ddiogel yn ei wyneb ag yn ei gefn.' Ceir teyrnged hefyd gan yr Archdderwydd (Gwyndaf) yn yr un rhifyn, 11-12.

[11]Am fanylion pellach, gw. Aled Lloyd Davies, 'Y Doctor Haydn Morris (1891-1965) a'i Gyfraniad i Fyd Cerdd Dant', *Welsh Music/Cerddoriaeth Cymru*, Cyf.IX Rhif 4, Gaeaf 1991-2.

[12]*Llanelly Star*, y golofn 'Rhwng Sosban a Seren', 8 Ionawr 1966.

[13]*Ibid.*

[14]Gwnaed rhai dewisiadau a oedd yn rhagorol o fentrus yn Eisteddfod Genedlaethol 1962, yn enwedig yn y cyngherddau. Yn ogystal â chantata ei dad, paratowyd *Te Deum* Berlioz gan Wyn Morris fel arweinydd y côr (gyda'r tenor o'r dref, Kenneth Bowen, yn unawdydd) yn ogystal a *Requiem* Verdi. Gwahoddwyd y diweddar David Gruffydd Evans yn arweinydd hefyd – i arwain ymhlith gweithiau eraill waith comisiwn ar ffurf agorawd i'r gerddorfa gan William Mathias – gŵr lleol a fu am flynyddoedd ar ôl hyn yn gweithio yn nhŷ opera Oldenburg yn yr Almaen. Mae ei frawd, Michael Evans, yn adnabyddus fel unawdydd ar y soddgrwth ac yn gyn-aelod o bedwarawd llinynnol Dartington. Er mawr siom, ni ddaeth y cyfansoddwr Mansel Thomas i ben â'i waith comisiwn, sef yr oratorio *Awstin a Monica*. Felly yn ei le datganwyd *Emyn o Fawl* Mendelssohn.

[15]Eisoes, yn ei ddisgrifiad o gyngerdd y Sadwrn yn Eisteddfod Genedlaethol 1962, wrth ganmol yn gyffredinol ymdrechion Côr yr Eisteddfod drwy'r wythnos, ac wrth drafod y perfformiad o *Requiem* Verdi, dywedodd 'G.D.L.' yn y *Llanelly Star* (16 Awst): 'Surely it is time we rid ourselves of the superstition that if a choir is big, it must be as good as the number it can boast.' O safbwynt chwaeth feirniadol roedd y llanw wedi hen droi yn erbyn yr hen arddull gorawl boblogaidd.

[16]Yn y 20au a'r 30au cynhaliwyd nifer o gyngherddau uchel-ael o dan reolaeth Frank Phillips. Daeth y fiolinydd byd-enwog, Jelly d'Aranyi yn unawdydd i berfformio 'concerti' gan Bach gyda'r gerddorfa, a hefyd y gontralto, Kathleen Ferrier, a greodd argraff syfrdanol wrth ganu unawdau yn y 40au cynnar, ymhell cyn iddi gyrraedd ei henwogrwydd anfarwol. Perswadiodd 'Frankie' hefyd ei hen athro, Syr Walford, i ddod i'r dref i wrando a chefnogi, ac yn ogystal â ddarlithio yn gyhoeddus yn ei ddull carismatig arferol.

[17]Mewn disgrifiad o baratoadau Côr Dirwestol Meudwy Davies ar gyfer y Palas Grisial yn Llundain yn 1910, pan gynhaliwyd rihyrsal cyhoeddus yn Neuadd y Farchnad yn y dref, mae beirniad *The South Wales Press* , 29 Mehefin, yn sôn yn arbennig am y gerddorfa a gymerodd ran: 'In regard to the orchestra, they excelled themselves. Indeed, if the phrase is permissible, they were the "surprise packet" of the evening. The instrumentalists played the overture "Bohemian Girl" with such excellent effect that the audience clamoured for an encore – quite an unusual procedure for a Llanelly audience so far as orchestral music is concerned, by the way.' Hefyd, mewn dau lythyr a gyhoeddwyd yn *y South Wales Press* gan 'Choralist' o dan y teitl 'Is Llanelly Musical' (11 a 25 Mehefin 1924) mae'r awdur yn pwysleisio'r cynnydd mewn cerddoriaeth offerynnol yn y dref ac yn apelio am gael neuadd deilwng ar gyfer cyngherddau. Ar y pryd, heblaw'r capeli, dim ond Neuadd y Farchnad, ar gyfer cynulleidfaoedd niferus, a'r neuadd a oedd yn yr Athenaeum, ar gyfer nifer dethol a mwy 'ffasiynol', oedd ar gael yn bennaf i'r pwrpas. (Mae'n amheus a fu llawer o welliant hyd yn oed ers hynny.) Mae 'Choralist' yn cyfeirio hefyd at rai o dalentau arbennig y dref, e.e., y fiolinydd disglair Elsie Owen (merch Luther Owen y pianydd a'r organydd), ac yn rhestru rhai o'r offerynwyr adnabyddus o'r tu allan a gafodd dderbyniad deallus a gwresog gan bobl y dref – ambell un yn perfformio yn 'Haggar's Theatre' a enwyd eisoes. Mae'n clodfori hefyd gymdeithas operatig amatur y dref a ddaethai'n boblogaidd wrth gyflwyno Gilbert and Sullivan. Meddai: 'Llanelly has an exceptionally large number of good instrumental players, both wind and string, and some of them have a wide

reputation . . . Today we have three or four brass bands, a town orchestra of good promise which deserves support from the public as well as from its own players . . .'

[18]Am fanylion pellach ar y cyfnod cynnar, gw, David R.A. Evans, 'Llanelli Town Band: The Golden Years, 1884-1898', *Welsh Music/Cerddoriaeth Cymru*, Cyf.VIII, Rhif 1, Gaeaf 1986.

[19]Ar un adeg gelwid teras 'Y Fron' ym mhentre cyfagos Felin-foel yn 'Piano Terrace', am resymau digon amlwg. Yno, gyda llaw, yr oedd cartref 'Vi' Edwards, a ddaeth yn gyfeilyddes enwog; hi oedd priod y bariton adnabyddus, Tom Williams o Ddafen, a gafodd yrfa ddisglair yn Covent Garden yn ei ddydd

[20]Y cerddor Brinley Richards o Gaerfyrddin (1817-1885), athro piano yn yr Academi Frenhinol a chyfansoddwr enwog yn ei ddydd. Lansiodd arholiadau allanol y sefydliad hwnnw yn 1881. Dyma genesis yr 'Associated Board' a wnaeth i lawer ohonom yn blant grynu mewn rhyw festri capel wrth ddisgwyl y dyn pwysig 'o bant', sef yr arholwr allanol swyddogol.

[21]Mae'n debyg fod rhywbeth tebyg i 'linach' bylchog o berfformwyr o fri ar y soddgrwth wedi datblygu yn y dref dros gyfnod hir iawn. Sonnir yn aml yn y wasg leol am Tom Wise fel unawdydd disglair ac adnabyddus (fe enillodd gyda chlod mawr ym Mhrifwyl 1903), a bu Geraint Williams yn aelod o Gerddorfa Simffoni Llundain rhwng y ddau Ryfel Byd a'i frawd, y fiolinydd Evan Williams, yn Athro Cerdd ym Mhrifysgol Montreal yn yr un cyfnod. Y mae enwau fel Tom Hughes, ac yn ddiweddarach Quentin Williams, hefyd, yn gyfarwydd iawn i rai o gerddorion y dref.

[22]Prin fod angen pwysleisio cyfraniad y pentrefi a'r cefn gwlad heddiw, fel ddoe, i draddodiad cerddorol egnïol Llanelli. Mewn ambell fan fe gawn ficrocosm o'r hyn a ddigwyddai yn Llanelli ei hun. O wybodaeth bersonol gallaf gynnig fel esiampl bentref Felin-foel, lle y bu cymaint o weithgarwch bywiog a mentrus o bryd i'w gilydd. Cofiaf, e.e., am David Rees (bu farw yn 90 oed yn 1966) a fu'n arweinydd-y-gân yng Nghapel Adulam, mam eglwys y Bedyddwyr yn yr ardal, am dros 60 o flynyddoedd ar ôl ei benodi yn 1895 yn ugain oed. Yn un o aelodau gwreiddiol côr R.C. Jenkins, bu hefyd yn arwain côr meibion am gyfnod yn ei weithle, y 'Morfa Foundry' yn y dref. Bu ei olynydd annwyl yn y capel, Arwyn Edwards (1906-1982), hefyd yn arwain partïon 'glee'yn y pentref ac yn cyngherdda o gwmpas y dref. Mae patrwm tebyg i'w weld mewn llawer pentref arall.

Y Gymraeg
yn Eisteddfodau Cenedlaethol Llanelli

Rhian Angharad Williams

'If Welsh is the language of the Angels, then the people of Llanelly can at least claim to be on a very high plane.'[1]

Am hanner awr wedi wyth y bore, ar ddiwrnod cyntaf Eisteddfod Genedlaethol gyntaf Llanelli yn 1895, roedd sŵn y Saesneg i'w glywed. Ar ddiwrnod crasboeth o haf, ym Mharc y Bobl, Llanelli, adroddwyd pennill bychan gan y bardd, Gwyddon Tir Iarll, ynghanol meini'r Orsedd – pennill bychan Saesneg gan Syr Walter Scott. Cythruddwyd Hwfa Môn, yr Archdderwydd newydd: siglodd ei feitr yn fygythiol wrth iddo weiddi'n groch, 'Dim Saesoneg yn yr Orsedd!' Ymddiheurodd y Gwyddon ac esbonio ei fod, yn syml, yn defnyddio geiriau a gysylltid â 'ladies'. Cyhuddwyd ef o gamddyfynnu ('*miss-quote*') gan aelod o'r dorf ond fe'i hamddiffynnwyd gan un arall a ddywedodd 'a *miss* generally was a *lady*'. Ymdawelodd y Gwyddon a dychwelyd yn lliprynnaidd i'r dorf. Ar ddiwrnod cyntaf Eisteddfod

Pafiliwn Eisteddfod Genedlaethol 1895 ac 1903.

Genedlaethol 1895, felly, bu stŵr ynghylch yr iaith Saesneg a Chymreigrwydd y brifwyl. Faint o Gymraeg a oedd yn ofynnol i gynnal ei Chymreigrwydd a pha mor berthnasol oedd y Cymreigrwydd hwnnw i'r sefydliad erbyn hynny, beth bynnag? Dywedodd Morien yn y *Western Mail*: '. . .if it is intended thereby to check the advance of English into Wales, it is an action like that of an old woman who tried to keep back the rolling Atlantic with a woollen mop.'[2]

Agorwyd Eisteddfod Genedlaethol gyntaf Llanelli yn sŵn tresbas yr iaith fain yn yr Orsedd a thraddodwyd araith lywyddol gyntaf y brifwyl yn Saesneg. Ymddiheurodd Syr Arthur Stepney am hynny: 'He felt that the Welsh eisteddfod ought to be opened in a Welsh and not an English speech. His deficiency in Welsh, however, made it, not only desirable, but absolutely necessary, that he should address them in what he must call his halting English. . .' Areithiodd Syr John Llewelyn, llywydd bore dydd Iau y brifwyl, yn Saesneg am ei fod yn gwybod, meddai ef, na fyddai hanner cynulleidfa'r Neuadd yn ei ddeall er ei fod yn medru'r Gymraeg. Yn yr 'hen ddyddiau', tra'n hela neu'n ymwneud â 'phleserau'r maes', arferai siarad Cymraeg, ond ni feddai ar yr hyder i gyfarch cynulleidfa mor feirniadol â'r gynulleidfa a welai o'i flaen yn yr iaith honno.

Areithiodd Syr John Jones-Jenkins, yntau, yn Saesneg. Ymffrostiodd yng nghyneddfau artistig, llenyddol a cherddorol y Cymry ac ymhyfrydu yng nghampau enwogion fel John Thomas (Pencerdd Gwalia), Telynor y Frenhines; yr Athro John Rhŷs, Coleg Iesu; Mabon; Watcyn Wyn a'r cyfansoddwr cenedlaethol, Brinley Richards. Cyfarchodd gynulleidfa fawr y Neuadd fel 'boneddigion a boneddigesau', ond dyna derfyn eithaf ei Gymraeg. Prydeiniwr oedd pob Cymro a Chymraes a siarad Saesneg oedd amod pob llwyddiant.

Gŵyl Seisnigedig hollol oedd Prifwyl 1895, ac yn hynny o beth nid oedd ronyn gwaeth na mwyafrif y prifwyliau a gynhaliwyd rhwng 1881 a'r 1930au. Gwelir hynny'n eglur o edrych ar y rhaglen swyddogol. Yn Saesneg y capsiynwyd lluniau o brif aelodau'r Pwyllgor Gwaith. Roedd hysbysebion siopau'r cylch yn Saesneg, hysbysebwyd Arddangosfa'r Celfau Cain yn Saesneg a rhestrwyd enwau offerynnau'r gerddorfa yn Saesneg. Argraffwyd tocynnau'r brifwyl a'r *Transactions* yn Saesneg, bu ysgrifenyddion y gwahanol bwyllgorau yn gohebu yn Saesneg a huriwyd cantorion Saesneg.

Mewn ysgrif ddi-enw ddifyr yn *Y Geninen*, o dan y teitl 'Yr Eisteddfod Genedlaethol', holwyd ai *'Theatre of Varieties'* oedd yr Eisteddfod Genedlaethol i fod? Barnwyd ei bod yn prysur ddirywio'n 'Arddangosfa Bronnau-noethion' er difyrrwch i 'Saeson crwydraidd': 'Oni buasai fod gwlad yn gryfach na phwyllgor, fe fuasai yr Eisteddfod erbyn hyn wedi myned yn sefydliad hollol Seisnig.' Roedd yr Eisteddfod, fel y'i gwelwyd yn Llanelli yn 1895, yn profi ei bod 'eisoes wedi peidio â bod yn Eisteddfod Genedlaethol': 'CYMRU GYMREIG, ac nid Cymru Seisnig; CYMRU I'R CYMRY, ac nid Cymru i'r Saeson a ddylai fod ein harwyddeiriau ni.'[3]

Yn 1895, ac Oes Victoria yn ei hanterth, nid oedd y Gymraeg, ym marn y garfan 'progressive', yn gaffaeliad. Cadwyn am wddf y Cymry oedd y Gymraeg. Mae hon yn thema gyson yn hanes Eisteddfodau Cenedlaethol Llanelli ac yn groes i'r disgwyl, efallai, fe'i gwelwyd ar ei hamlycaf adeg rhagbaratoadau Prifwyl 1962, fel y dangosir nes mlaen. Sut y gellid cymodi Cymreigrwydd y sefydliad â'r Prydeingarwch yr oedd yn rhaid ei borthi er cael cefnogaeth parchusion pendefigaidd? Neu pa les oedd cynnal prifwyl a oedd yn annog y Cymry i fawrhau eu harwahanrwydd?

Yr iaith Saesneg oedd piau dyfodol y Cymry. Er mwyn cael eu derbyn yn aelodau cymwys o'r Ymerodraeth Brydeinig, roedd yn rhaid iddynt brofi eu taerineb dros gyfranogi o'r diwylliant Saesneg. Yn Eisteddfod Genedlaethol Llanelli, 1903, er enghraifft, Saeson, o'r un tras â Syr Joseph Barnby yn 1895, oedd y prif feirniaid cerdd, sef Dr W.G. McNaught a William Shakespeare. Traddodwyd y beirniadaethau ar y prif gystadlaethau cerdd, felly – sef cystadlaethau'r corau cymysg, y corau meibion a'r corau merched – i gyd yn Saesneg. Ni fynegwyd unrhyw wrthwynebiad i hynny yn y wasg ac eithrio un erthygl fechan yn *Y Cerddor*, Hydref 1903. Pam fod rhaid i'r beirniaid fod yn Saeson, gofynnodd Dr Morus, gan resynu fod cymaint o 'Ddic-Shôn-Dafyddiaeth' bellach yn rhan o weithgareddau'r brifwyl.[4]

Efallai mai'r Saesneg oedd piau dyfodol y Cymry, ond i'r Gymraeg yr oedd diolch eu bod yn haeddu eu lle fel deiliaid gwâr yn yr Ymerodraeth Brydeinig. Ar y naill law, condemnid y Gymraeg fel gwrthglawdd yn erbyn cynnydd: onid oedd rhwystro lledaeniad y Saesneg yn drosedd yn erbyn ysbryd yr oes? Ar y llaw arall, fe'i hamddiffynnid i'r carn hefyd. Y diwylliant Cymraeg, a phopeth a oedd yn ymwneud â'r iaith Gymraeg, a barai fod y Cymry yn foesol uwchraddol. Yn seremoni agoriadol Gorsedd 1895, er enghraifft, adroddwyd cyfres o benillion dychanol ar ymagweddu'r papurau Saesneg, yn enwedig y *Times*, at y Gymraeg. Safodd Ceulanydd ynghanol meini'r Orsedd ac amddiffyn gwerth a phwysigrwydd y Gymraeg a'i pherthnasedd i'r Eisteddfod Genedlaethol. Yr 'Italiaid' a 'sychion Focsachus Hengistiaid' oedd chwiw ffasiynol yr oes. Sethrid a lluchid llaid at 'iaith anwyl Frythoniaid', ond ni ellid llychwino ei 'glendid' na phardduo 'tegwch' ei hawdlau cain.

Cytunai golygydd *Y Faner* â Cheulanydd yn Awst 1895. Oni ddangosai cenedl deithi ei meddwl yn 'y pethau yr ymrydd corph ei haelodau ynddynt'? Ymladd teirw oedd prif ddifyrrwch Sbaen a rasio ceffylau oedd hoffter y Sais. Roedd difyrrwch y Cymro yn fwy gwâr na'r rheini: 'Ymlawenychwn yn ddirfawr yn y ffaith – nas gall ei gelynion pennaf ei gwadu – mai cyfeiriad pennaf mwynhâd cenedl y Cymry ydyw y gymanfa efengylaidd a'r eisteddfod lengarol.' Wrth annerch y Cymmrodorion ar 'The Welsh Genius in English Literature', dywedodd William Edwards Tirebuck fod 'y Celt ar y blaen'. Disgrifiwyd Prifwyl 1903 gan David Lloyd George, AS., fel 'gwledd uchaf y Cymry' a hwythau'n ymgynnull 'megis Iddewon yn Jerusalem adeg y Pasg'. Gwelid pob Cymro ar ei orau '(and) that was one way of capturing the Englishman's heart'. Yn 1903, eto, canwyd clodydd difyrrwch cenedlaethol y Cymry gan y Cynghorwr Alfred Davies, llywydd cyngerdd nos Iau. Cymharodd yntau ganu a llenydda eisteddfodol y Cymry ag ymladd teirw yn Sbaen, gan ofyn: 'Tell me which has the higher ideals?' Difyrrwch y Cymry, heb os, oedd y difyrrwch dyrchafol.[5]

Yn sicr, pwysleisiwyd cyfoeth Cymreictod Llanelli wrth geisio denu'r brifwyl i'r dref. Llanelli oedd tref 'Gymreiciaf' Cymru, y dref ddelfrydol a lwyddodd i gadw'r Gymraeg er gwaethaf pob newid. Wrth gyflwyno'r cais am Eisteddfod Genedlaethol 1895 ym Mhontypridd yn 1893, dywedodd Major Bythway fod nifer capeli Cymraeg y cylch yn profi fod Llanelli'n ymdrechu i ddiogelu'r famiaith yn fwy na'r un dref arall yng Nghymru. Ar drothwy Eisteddfod Genedlaethol 1903, roedd cyfanswm poblogaeth Llanelli yn 25,617. Medrai 20,494 o'r rheini y Gymraeg – bron i 80 y cant o'r boblogaeth gyffredinol. Erbyn 1928, Llanelli oedd yr unig 'ganolfan ddilys Gymraeg' ar ôl yng Nghymru, chwedl y Parchg. Ddr Gwylfa Roberts, gweinidog y Tabernacl (A), â 'thân Cenedlaethol Cymreig' yn dal i 'losgi'n ffyrnig' yno. Codasai poblogaeth y dref, yn 1931, i 38,416 a medrai 25,766 o'r rheini y Gymraeg. Roedd yn wir fod lle i amau fod y Gymraeg yn dechrau cilio; serch hynny, roedd Cymreictod anwadadwy'r dref yn gyfiawnhad digonol o hyd dros geisio'r brifwyl.[6]

Wrth gyflwyno cais y dref yn 1928 dywedodd Gwylfa mai dim ond yn Llanelli y ceid:

> . . . scores of strong *Welsh* churches, thousands of warm *Welsh* homes, works full of *Welsh*-speaking craftsmen and schools and playgrounds where the sweet sound of our *own language* may be heard daily.

Llanelli oedd y dref fwyaf selog dros y Gymraeg a chynrychiolai ddelfrydau'r genedl yn eu crynswth. Llanelli oedd gwrthglawdd Cymry'r gorllewin rhag pwerau Seisnigaidd y dwyrain, ac roedd ei chyfraniad at barhad y Gymraeg, felly, o bwys cendlaethol. Onid un o gyfrifoldebau'r Eisteddfod Genedlaethol oedd cefnogi ardaloedd megis Llanelli? Nid oedd diben danfon sefydliad Cymraeg i dref gwbl Seisnig gan na lwyddwyd, hyd hynny, i Gymreigio yr un ardal Seisnigedig. Cam â'r genedl, felly, fyddai danfon Eisteddfod Genedlaethol 1930 i dref megis Llandrindod – a oedd hefyd yn ceisio amdani yn 1928:

> Surely it is amusing, if not amazing, that any town which is forced to admit publicly that "no Welsh is spoken even in the county" . . . should venture to apply for such an institution as the National Eisteddfod.

Gallai Gwylfa ddyfynnu ystadegau braf o'i blaid. Dylai'r Eisteddfod Genedlaethol barchu ei 'dyletswyddau gwladgarol'. Llanelli oedd cadarnle'r Gymraeg a phrif gynheiliad Cymreictod y Cymry. Haeddai gydnabyddiaeth am hynny. Petai Cymdeithas yr Eisteddfod Genedlaethol yn derbyn gwahoddiad y dref byddai'r Eisteddfod, hithau, ar ei hennill: 'Nid ydym yn ceisio'r Eisteddfod i Lanelli er mwyn Cymreigio'r dref', dywedodd Gwylfa yn 1928, 'ond er mwyn i Lanelli Gymreigio'r Eisteddfod.'[7]

Yn wyneb yr holl frolio, y mae'n eironig, a dweud y lleiaf, fod cwyno cyson wedi bod yn y wasg am Seisnigrwydd Eisteddfodau Cenedlaethol Llanelli yn 1895, 1903 ac 1930. Yn 1902, cyhoeddwyd

Y Parchg. R. Gwylfa Roberts.

erthygl gan olygydd y *Llanelly County Guardian* ar 'Welsh at the Eisteddfod', erthygl a oedd yn amddiffyn Cymreigrwydd y brifwyl a chefnogaeth Pwyllgor Cyffredinol Eisteddfod Genedlaethol Llanelli i'r iaith. Addawyd y byddai Prifwyl 1903 yn 'uniaith Gymraeg'. Addawyd y byddai pob araith, pob beirniadaeth, pob unawd a phob datganiad corawl yn Gymraeg – 'all will be Welsh as Welsh can be.' Meithrin yr iaith ac annog pobl i'w defnyddio oedd prif nod y Brifwyl. Serch hynny, ym mis Awst 1903, cwynodd yr un papur am ragrith eisteddfodol. Pan oedd Cadfan yn 'fflam dân' yn annog ei gydgenedl i barchu'r Gymraeg, clywsai 'Crwydryn', colofnydd y 'Gongl Gymreig', bedwar o swyddogion yr Orsedd yn 'brygawthan' Saesneg. 'Ffei ohonoch, y bradwyr!', oedd ei sylw ef: 'Pe gwybuasai Cadfan yr hanner am Lanelli ef a osodai fwy fyth o dân ar ei dafod . . .'[8]

Cyhoeddwyd dwy erthygl yn sgil Eisteddfod Genedlaethol 1903 yn condemnio Seisnigrwydd cynyddol y brifwyl. Ym marn y Parchg. J.T. Job, enillydd y Gadair am awdl ar 'Y Celt', prif angen y brifwyl oedd ei Chymreigio drachefn. Barnai ef mai: 'Ein hyspryd gwasaidd ac anghymreigaidd ni ein hunain sydd yn cyfrif am y danteithion Seisnig sydd gennym ar ein bwrdd mor aml.' Yn gyffredinol, roedd y pwyllgorau lleol yn rhy barod i 'werthu' Cymreigrwydd y brifwyl er mwyn 'nawdd' a 'chefnogaeth' uchelwyr a chyfoethogion. Diystyrid y Gymraeg er lles y Saesneg, ond faint o Saesneg a oedd yn ofynnol i ennill parch a theyrngarwch Prydeinig? 'Siarader Cymraeg, a dim ond Cymraeg hyd y mae yn bosibl ar ddyddiau yr ŵyl. Peidied dau Gymro â siarad Saesneg â'u gilydd ar y dyddiau hynny, rhag cywilydd! Gwisger parwydydd y Babell ag arwydd-eiriau Cymreig hollol' a 'rhodder mwy o le i'r hen delyn Gymreig, ac i ganu gyda'r tannau.' Ni ddylid ildio i'r 'gwirionedd' fod y Gymraeg wedi ei thynghedu i farw a'r Saesneg i ffynnu: 'Nid ydym am awgrymu am foment y dylid cadw uchelwyr a chyfoethogion allan o'i gwersyll (hynny yw, y brifwyl); yn hytrach y dywedwn, "Pob croesaw iddynt"'. Dylid datblygu'r brifwyl ar bob cyfrif ond nid ar draul ei Chymreictod.[9]

Amddiffynnwyd y Gymraeg yn y *Llanelly Mercury*, hefyd, ar 30 Gorffennaf 1903. Cynhaliwyd prifwyl Seisnigaidd iawn ei naws ym Mangor y flwyddyn gynt ac roedd eisiau i Lanelli ochel rhag hynny. Oni wnaent, byddai'r brifwyl yn prysur ddirywio'n brifwyl Seisnig. Onid prif rinwedd y 'Genedlaethol' oedd ei bod yn 'dyrchafu y Cymry yn gymdeithasol, yn ddeallol a moesol'? 'Y mae ganddi hawl i fyw a byw heb ymostwng i wneud ymddiheuriadau i'r newyddiaduron Seisnig, nac unrhyw Sais-addolwr.' Nid oedd yn rhaid i'r 'Genedlaethol', fel un o brif sefydliadau'r Cymry, gyfiawnhau ei safiad dros y Gymraeg. Roedd y 'Genedlaethol', yn draddodiadol, yn 'Hen Gymraes'. Ffasiwn fodern oedd anghofio hynny. Yn Eisteddfod Genedlaethol Bangor y flwyddyn gynt, canwyd y darnau corawl yn Saesneg a chlywyd bloeddio 'Hear, hear' gan y dorf: 'Y mae perygl mwyaf yr Eisteddfod yn hyn.' Dyrchafu'r Cymry oedd prif nod y brifwyl a dylid felly ei hamddiffyn ar bob cyfrif rhag y Saesneg a'r Sais: 'Y mae iddi ei lle a'i gwaith ac y mae fod ganddi waith i'w wneud, ac yn ei wneud, yn rheswm digonol dros barhad ei bodolaeth.'[10]

Nid Saeson, o reidrwydd, oedd gelynion pennaf y brifwyl Gymraeg. Yn Llanelli, hyd yn oed, ni chefnogid yr iaith Gymraeg yn gyson. Yn 1929, ynghanol bwrlwm y paratoadau ar gyfer Eisteddfod Genedlaethol 1930, mynegwyd gwrthwynebiad pendant i'r Gymraeg fel pwnc gorfodol yn yr arholiadau mynediad i ysgolion sir y cylch.

Cyhoeddwyd cyfres o lythyrau gelyniaethus yn y *Llanelly County Guardian*. Yn ôl 'Native': 'One has to face facts, and there is no gainsaying, that as a Commercial Language generally, and even in Wales to-day, it is of little, if any value.' Nid oedd perygl uniongyrchol ynghlwm wrth y Gymraeg ond roedd hi'n porthi arwahanrwydd traddodiadol rhan fechan o'r Deyrnas Unedig ac felly'n rhwystro twf unffurfiaeth Brydeinig. Dywedodd 'Cymro' yntau:

> Welsh has been no earthly good to me outside Llanelly. Even a Welsh accent is, unfortunately, a handicap. Llanelli Welsh (I think Dr Gwylfa Roberts will agree) is not good Welsh . . . a knowledge of Welsh may be an asset, but a complete knowledge of good English is a most desirable acquisition. . .

Fel ym mhob rhan o Gymru, y mae rhai ar ôl yn Llanelli heddiw sy'n dal i erlid y Gymraeg am yr un 'rheswm'.[11]

Os oedd y Gymraeg yn porthi arwahanrwydd y genedl, yna roedd angen mwy o gystadlaethau Saesneg eu hiaith, ac fe'u cafwyd ym Mhrifwyl 1930. Gellid cyflwyno traethawd ar 'Hanes y Cant o Garnwyllon' yn Saesneg neu Gymraeg, a dyfarnwyd hanner y wobr, sef £50, am draethawd Saesneg gan Morgan Hopkin o Lanelli. Cynhaliwyd cystadlaethau llunio traethodau ar destunau megis 'A Historical Survey of the West Wales Steel Industry, with Special reference to the Tinplate and Sheet Industries'; 'Wales and Monmouthshire: Their Future, embodying therein a Prospective Plan for Self-Autonomy within the Empire'; 'The Organisation and Constitution of an International Police Force'; 'Llanelly Worthies' a 'Flowers and Plants of Gower'. Cynigiwyd gwobr, hefyd, am gyfrol Saesneg fechan i blant ar 'The benefit of belonging to the children's department of a Public Library'. Yn yr Adran Ddrama, cynigiwyd gwobr o ddeg gini am ddrama radio Saesneg, a gwobr o ddeg gini am ddrama Gymraeg neu Saesneg yn ymwneud â Chynghrair y Cenhedloedd. Ar lwyfan y brifwyl cynhaliwyd cystadleuaeth adrodd 'Rienzi to the Romans' yn Saesneg, agored i bawb, ac ymgeisiodd 97. Tair gini oedd y wobr yn y gystadleuaeth honno o'i chymharu â dwy gini a Chawg Rosynnau Arian yn y gystadleuaeth gyfatebol yn Gymraeg. Ymaddasodd y brifwyl, felly, yn unol â diffygion ieithyddol ei noddwyr, er sicrhau lle teilwng i'r Saesneg, ac yn 1930 wele hybu llên yr Eingl-Gymry trwy gynnig gwobr o ddeg gini am 'The best Individual Volume of Original Poetry, written in English by a writer of Welsh birth or by anyone who has definitely Welsh associations'. Huw Menai ac A.G. Prys-Jones oedd y beirniaid ac ymgeisiodd 40 o'u cymharu ag 16 yng nghystadleuaeth y Gadair, a 12 yng nghystadleuaeth y Goron. Ysywaeth, barnwyd nad oedd un o'r cystadleuwyr yn deilwng ond nid oedd amau apêl y gystadleuaeth.[12]

Roedd y 1930au yn gychwyn cyfnod newydd a chyffrous yn hanes y brifwyl. Yn 1935, etholwyd D.R. Hughes yn ysgrifennydd Cymdeithas yr Eisteddfod i ddilyn Syr Vincent Evans, a Chynan i olynu Gwylfa yn Gofiadur yr Orsedd. Yng ngeiriau Ernest Roberts, dechreuwyd 'crwsâd i ddiwygio'r Eisteddfod'. Ym Machynlleth, yn 1937, lluniwyd Cyfansoddiad newydd i'r brifwyl yn deddfu mai'r Gymraeg, bellach, fyddai 'iaith swyddogol y Cyngor a'r Eisteddfod'. Ond, ni weithredwyd y Rheol Gymraeg yn Eisteddfod Genedlaethol Caerdydd, 1938, nac Eisteddfod Genedlaethol Dinbych, 1939, gan nad oedd y drefn newydd eto wedi ei chorffori'n llawn yn eu cytundebau hwy, ac oherwydd yr Ail Ryfel Byd bu'n rhaid oedi ei gweithredu tan 1950. Serch hynny, gellir gweld wrth edrych yn ôl ar Eisteddfod Genedlaethol 1930 ei bod yn crisialu nifer o wahanol agweddau'r cyfnod hwnnw at y 'Genedlaethol' a'r Gymraeg ac y byddai'r agweddau hynny yn arwain yn anorfod at ddiwygiad.[13]

Ni allai Caradoc Evans, awdur y gyfrol o straeon byrion ffrwydrol, *My People* (1915), ddirnad apêl y brifwyl i'r di-Gymraeg. Ni allai hyd yn oed ddirnad apêl y brifwyl i'r Cymry Cymraeg. Eisteddfod Genedlaethol Treorci, 1928, oedd y gyntaf iddo'i mynychu a'r iaith Saesneg oedd uchaf ei chloch yn yr eisteddfod honno. Llawenhâi W.J.Gruffydd am na fuasai Caradoc Evans ar gyfyl y Brifwyl cyn 1928, oherwydd 'cawsai yno ddigon o ddefnydd i beri iddo adael Rhydlewis a Chymry Llundain yn llonydd am byth.' Roedd y brifwyl, ym marn Caradoc Evans, yn enghraifft berffaith o'r rhagrith a'r pydredd diwylliannol yr oedd eisiau ei garthu allan o Gymru. Dyfynnwyd ei eiriau gan 'Demos' yn y *South Wales Press*, yn dilyn Eisteddfod Genedlaethol 1930:

> The National Eisteddfod is a horrid advertisement to the Welshman's famine-stricken mind. He can, for five days, pretend to be this, that and

the other; and further, that the Eisteddfod Welshman is the clown of civilisation.

Gwatwarodd y 'Genedlaethol' fel caricatur o'r Cymry. Yn ôl 'Demos', cynhaliwyd Eisteddfod Genedlaethol ymffrostgar ac arwynebol yn 1930. Gwthiwyd popeth cyfoes o'r naill du ac anwesu'r hen-ffasiwn, ond i ba ddiben? Nid oedd yr hen draddodiadau hynny'n berthnasol i'r oes oedd ohoni: gwrthodwyd defnyddio golau trydan er mwyn defnyddio golau cannwyll, a gwrthodwyd y cerbyd er mwyn gyrru'r cart. Ym Mhrifwyl 1930, ni welodd awdur *My People* ond 'a meaningless and purposeless show. A spectacular pageant that may gratify the desires of the curious, whose minds are unable to read into it any meaning above the plane of a carnival parade.'[14]

Cafodd Caradoc Evans gryn hwyl ar watwar rhagrith y Cymry capelgar, cnawdol, gwyllt, a difrïodd 'ffwlbri''r Orsedd. Nid oedd dim yn annisgwyl yn hynny. Eithr ym marn Saunders Lewis, roedd yn bryd i'r Orsedd ymaddasu i ofynion cyfnod o drawsnewid ac ysgwyddo baich gwleidyddiaeth Gymreig. Cyhoeddwyd dwy erthygl ganddo yn y *Western Mail* yn Awst, 1930, erthyglau a oedd yn ymdrin yn uniongyrchol â'r 'Genedlaethol' o safbwynt gwleidyddol. Mynnai chwyldroi'r Eisteddfod Genedlaethol yn sefydliad a fyddai'n arddel cyfrifoldeb gwleidyddol am ddiwylliant Cymru. Roedd angen i'r Cymry finiogi eu cyneddfau gwleidyddol a defnyddio'r 'Genedlaethol' er mwyn hybu Cenedlaetholdeb Cymreig. Dyna'r unig dro y dadleuwyd mewn termau mor ddigymrodedd dros swyddogaeth wleidyddol i'r 'Genedlaethol'. Roedd Plaid Cymru, erbyn hyn, yn bum mlwydd oed.[15]

Teitl yr erthygl gyntaf oedd 'Eisteddfod as a State Function – Its Position in the New Dominion of Wales and its Relation to Welsh Government'. 'I am asked', dywedodd Saunders Lewis ar ddechrau'r erthygl honno, 'to state what would happen to the National Eisteddfod if the Welsh National Party were in control of the government of Wales.' Pa mor berthnasol a phwysig fyddai'r brifwyl mewn Cymru Rydd? Rhaid oedd ei hystyried yn sefydliad amgen na sefydliad diwylliannol. Yr Eisteddfod Genedlaethol oedd yr unig sefydliad Cymreig – seciwlar a lleyg – a oedd yn ymgorffori teimlad, meddwl ac ymwybod y Cymry. Er canrif a mwy, y 'Genedlaethol' fuasai prif

Saunders Lewis.

symbol y ffaith fod y Cymry yn genedl ac iddi hanes a sefydliadau unigryw. Rhaid, felly, oedd gochel rhag ei dirywiad hi: 'To us, it is quite clear, any sign of decay in the National Eisteddfod, any decline in its prestige and importance, any financial embarrassment that hinders its growth, all these must be matters of poignant concern.' Haeddai'r 'Genedlaethol' gydnabyddiaeth gwladwriaeth Brydeinig. Gan fod y sefydliad yn cynrychioli ymwybod cenedlaethol y Cymry, roedd ganddo hawl i gymorthdaliadau: 'The people of Wales, who pay direct taxes, have a right to demand that their present Government should not allow a chief institution in Welsh life to be in any insecurity.' Ond beth petai Plaid Cymru yn rheoli Cymru? Beth wedyn fyddai swyddogaeth yr Orsedd a'r Eisteddfod Genedlaethol?:

> . . . before we could be within measurable distance of realising our ambition of forming a Government there must have swept over Wales a wave of enthusiastic nationalism that would have made the annual

Eisteddfod not merely safe for another century, but would have turned it also into an occasion for tremendous demonstrations. Our Government would not have to save a tottering institution. It would have to help direct into healthy development a very lusty and youthful organism.

Cwestiwn mwy dyrys a sensitif oedd union swyddogaeth boliticaidd y 'Genedlaethol':

Here we have an institution that has grown up in an unofficial and a politically non-existent Wales . . . Should it continue as it began and grow, unindebted to any political power, free of any control?

Ym marn Saunders Lewis, roedd yr ateb yn un syml: byddai'n ofynnol i'r Blaid reoli'r brifwyl a'i thrawsnewid yn sefydliad swyddogol oddi mewn i'r Wladwriaeth Gymreig.[16]

Cyhoeddodd Saunders Lewis erthygl arall, wythnos yn ddiweddarach, ar 'The Duty of the Gorsedd: Officials of National Institution'. Gan nad oedd gan Gymru ei llywodraeth ei hun, roedd yn bwysig bod Cymdeithas yr Eisteddfod a'r Orsedd yn cydnabod eu cyfrifoldeb, yn cydnabod bod awenau sefydliad cenedlaethol yn eu dwylo hwy a bod rhaid cyplysu gwleidyddiaeth Gymreig â'r Brifwyl Gymraeg. Roedd angen dileu amaturiaeth y brifwyl a chychwyn gweithredu mor fanwl a threfnus ag y gwnâi'r gweision sifil gorau: 'The trouble is that they have a national institution in charge, and yet they are incorrigibly non-politically minded.' Roedd yn bryd i aelodau'r Orsedd ysgwyddo eu cyfrifoldebau cenedlaethol, cydnabod bod y brifwyl yn ŵyl Genedlaethol ac ymddwyn fel swyddogion cyfrifol:

That is what, in Welsh life, moves me to despair. Welshmen seem fundamentally incapable of thinking politically about Wales and its concerns. The Welsh "politics" does not exist for them. They cannot use civic institutions. They are still in all that concerns Wales children . . . It is a game, a recreation for them.[17]

Yn draddodiadol, roedd cefnogwyr y brifwyl wedi ymgadw rhag 'ymhél â gwleidyddiaeth'. 'Heddwch' y brifwyl a bwysleisiwyd gan yr Athro Viriamu Jones yn 1895 yn ei araith ar 'The Functions of the

Welsh University' yn un o gyfarfodydd y Cymmrodorion. Cyfeiriodd at swyn yr Eisteddfod fel dihangfa rhag gwrthdaro gwleidyddol yr oes. Ni fynnai ddifrïo pwysigrwydd materion gwleidyddol ond materion addysgiadol a oedd mwyaf addas i'w trafod mewn gŵyl ddiwylliannol. Pleser oedd dianc 'from the heated air of political conflict into an atmosphere of peaceful endeavour to achieve matters that commended themselves to men and women of all ways of political thinking and all shades and varieties of opinion.' Trafodid materion teilwng gan ddynion a menywod o bob cefndir gwleidyddol. Gŵyl ddemocrataidd oedd y 'Genedlaethol': 'Their ideal was a community of cultivated men and women. That was the only thing that would make their democratic ideal worthy of a moment's thought.' Yng nghyd-destun addysg, yn hytrach na gwleidyddiaeth, felly, roedd gan ddysgedigion yr Eisteddfod hawl i leisio barn. Mynegwyd yr un safbwynt gan y Cynghorwr Alfred Davies yn 1903. Wrth lywyddu yng nghyngerdd nos Iau, dywedodd:

> Politics and religious dogma have been banished from its midst. It has been the only institution in Wales in which ability has been recognised irrespective of sect or party. It has, in fact, drawn Welshmen together in a common feeling, in a strong desire to encourage talent, and promote the formation of character among the people.[18]

Mae Eisteddfodau Cenedlaethol Llanelli yn sicr yn enghraifft o'r modd yr oedd y brifwyl yn cwmpasu gwahanol gonsyrns – yn enwedig yng nghyd-destun y Gymraeg. Ym marn Viriamu Jones ac Alfred Davies, sefydliad heddychlon oedd y brifwyl. Ymffrostient fod Cymru'n rhan heddychlon o'r Deyrnas Unedig a'i phobl yn gwbl ddibynadwy: 'Pa wlad, wedi'r siarad sydd/ Mor lân â Chymru lonydd?', chwedl Caledfryn. Nid oedd hynny'n wir. Yn 1895, er enghraifft, roedd iwfforia mudiad Cymry Fydd yn dal yn gryf a mesur dadleuol datgysylltu'r Eglwys gerbron y Senedd am yr eildro. Defnyddiodd Caradoc Evans yr Eisteddfod Genedlaethol yn 1930 fel labordy er dangos creadur mor hyll oedd y Cymro Cymraeg ond, yn yr un flwyddyn, siaradodd Saunders Lewis dros botensial cenedlaethol newydd a chyffrous y brifwyl. Gwrthodwyd ei ddadleuon ef. Gellid trafod diwylliant y Cymry, eu hanes a'u haddysg yn gyffredinol, ond ni ellid trafod yr iaith. Roedd yn bwnc rhy losg.

Ni ddaeth yr Eisteddfod yn fforwm i drafod consyrns y Gymraeg mewn difrif hyd at 60au'r ganrif hon.[19]

Heb sicrhau iddi ddifrifwch pwrpas, daroganwyd tranc yr Eisteddfod Genedlaethol gan Saunders Lewis yn 1930. Roedd dyfodol y brifwyl yn ansicr, meddai, a'r bywyd cenedlaethol Cymreig yn gwanychu. Yn Llanelli, roedd y Gymraeg yn sicr ar ddechrau'r 1930au yn prysur encilio. Yn 1931, 67 y cant o'r trigolion a fedrai'r Gymraeg. Roedd nifer y trigolion uniaith Saesneg yn dal i gynyddu. Rhwng 1901 ac 1921 dyblodd eu nifer o bum mil i ddeng mil. Yn 1901, prin 20 y cant oedd yn uniaith Saesneg, erbyn 1951 roedd y canran hwnnw'n nes at 40 y cant. Cyfeiriodd Gwylfa yn Rhaglen Swyddogol Prifwyl 1930 at 'Gymreigiwch' yr ardal, ond cyfaddefai fod yr iaith yn colli tir: 'Dichon y clyw'r bobl a ddaw i'r Eisteddfod fwy nag a ddisgwyliant o Saesneg yn Llanelli hefyd, – dieithriaid fydd yng ngafaelion y dirywiad hwnnw gan mwyaf, cofier.' Eithr wedi ymesgusodi ar ran y dref yr oedd yn aros gaswir nad oedd modd ei gelu: 'Ond yn anffodus, un o wythnosau mwyaf Seisnigaidd ein cenedl yw pan fo'n cynnal ei Heisteddfod.' Am ba hyd y parhâi'r fath waradwydd? Yr Eisteddfod Genedlaethol oedd yr unig sefydliad Cenedlaethol a feddai'r Cymry. Ni ddylid aberthu ei Chymreictod hi.[20]

Yn 1931, yn *Y Llenor*, aeth W.J. Gruffydd i'r afael â'r mater: 'Y mae rhan helaeth o'r genedl Gymreig wedi colli ei Chymraeg, a chyn belled ag y gellir barnu yn annhebyg o'i hadennill.' Nid oedd gan y di-Gymraeg 'hawl' i'r Eisteddfod ac os oeddent o'r farn honno, yna 'ni bu haeriad erioed mwy haerllug': 'Ni bu pobl erioed yn benfeddalach ac yn fwy di-farn na'r Cymry Cymreig sy'n fodlon credu y gall yr Eisteddfod fyw a blodeuo ar yr un telerau, dyweder, â Chymdeithas y Cymmrodorion . . .' Roedd y gymdeithas honno yn euog o ystyried materion Cymreig fel 'gwrthrychau mewn amgueddfa i'w hesbonio a'u gwneuthur yn ddiddorol i Saeson.' Medrai cantorion y brifwyl ganu yn Saesneg – os Saesneg oedd iaith wreiddiol y darn prawf – ond dyna ddylai fod terfyn eithaf yr iaith fain. Tybiwyd unwaith fod enwadau crefyddol Cymru yn sefydliadau cenedlaethol, ond addoli Duw, yn hytrach na'r iaith, oedd pwrpas eu bodolaeth hwy. 'A chan ein bod yn fodlon i'r enwadau crefyddol ac i sefydliadau eraill cyffelyb aberthu'r iaith pan fo gofyn diamwys am hynny', dywedodd Gruffydd, 'yr ydym yn maentumio'r hawl i gadw yr Eisteddfod

W.J. Gruffydd.

Genedlaethol yn ddiamod ac yn bendant i'r Cymry sy'n gallu siarad Cymraeg.'[21]

Diwygiwyd y drefn eisteddfodol, felly, a phrif elfen y diwygio hwnnw oedd sicrhau bod y brifwyl yn uniaith Gymraeg. Bu farw W.J. Gruffydd yn 1952 a'r flwyddyn honno pwysleisiodd Cyfansoddiad newydd yr Eisteddfod Genedlaethol mai'r 'Gymraeg fydd iaith yr Eisteddfod a'r ŵyl', ac ni ellid newid y rheol honno 'dan unrhyw amgylchiadau'. Serch hynny, yn Llanelli, yn 1961, ceisiwyd dileu'r gwaharddiad ar y Saesneg yng nghyfarfodydd cynghorau'r Fwrdeistref. Gwrthododd Cyngor Bwrdeistref Treffynnon a Chynghorau Bwrdeistrefi Penfro a Dinbych gyfrannu at gostau'r brifwyl oherwydd y Rheol Gymraeg. Roedd y Cynghorydd E. James o blaid meithrin dwyieithrwydd yn y 'Genedlaethol': 'He thought the success of the Eisteddfod was declining because there was no English. The spirit of the Eisteddfod would not be affected in any way if English was introduced.' Roedd y Cynghorydd J.B. Peters yn byw mewn ardal 'gosmopolitanaidd' a phrin deg y cant yn medru'r Gymraeg. Onid oedd gan y boblogaeth honno, hefyd, hawl i leisio barn? Cytunai llefarydd ar ran Cyngor Bwrdeistref Treffynnon: 'The National Eisteddfod would be a great financial success if 10 per cent of it was in English.' Cynigiodd yr Henadur J.R. Williams fod yr awdurdodau lleol i gyd yn peidio â chyfrannu i'r brifwyl a chariwyd ei gynnig i gyfeiliant corws o 'Hear, hear!':

> The principal thing about anything cultural is that the people understand it. The whole of the Eisteddfod proceedings are in Welsh and although personally I can express myself quite fluently in the language, the majority of people in Wales do not understand their own language. I suggest that until they amend the rules and allow English to be spoken so that all can enjoy it, we cannot support it.[22]

Ymhen mis, penderfynodd Cyngor Bwrdeistref Dinbych gyfrannu i'r achos. Angharedigrwydd ar ei ran, yn ôl y *Llanelly Star,* fuasai peidio â chyfrannu. Serch hynny, parhaodd y cecru. Cynigiwyd mil o bunnoedd i Bwyllgor yr Eisteddfod gan Syr David James, Pantyfedwen, er mwyn hyrwyddo 'diwrnod Saesneg', ond gwrthodwyd y cynnig. 'I would have thought that if they were not afraid of competition, they would put aside one day, as at Llangollen', dywedodd y Cynghorydd Arthur D. Riley. 'I think it is taking the position of the ostrich, head in sand', dywedodd C.F. Fothergill, Dirprwy Faer Dinbych. Cyfrannodd Cyngor Sir Fynwy £2,000 i'r achos a Chyngor Sir Forgannwg £2,500, ond gwrthododd Cyngor tref Cydweli gyfrannu dim. 'We must look after our financial position. That is more important to us than the Eisteddfod in Llanelly', dywedodd y Cynghorydd Charlotte Squier. Nid oedd hi am weld pensiynwyr y cylch yn dioddef oherwydd ymgyrchoedd i godi arian i'r brifwyl. Roedd yn rhaid gosod y pensiynwyr yn gyntaf.[23]

Roedd y Gymraeg, erbyn 1962, yn sicr yn bwnc trafod yn Llanelli – fel yng ngweddill Cymru – ar ôl cyfnod o 'ddifaterwch cyffredinol', yn ôl Keri Rosser. Yn un o gyfarfodydd y

Cymmrodorion ym Mhrifwyl 1962, traddodwyd darlith gan Alun Talfan Davies ar 'Yr Iaith Gymraeg yn ein Bywyd Cyhoeddus' – darlith a ysgogwyd gan ddarlith radio hanesyddol Saunders Lewis, 'Tynged yr Iaith', a ddarlledwyd yn Chwefror, 1962. Gofynnodd onid ydoedd yn bryd sefydlu Cyngor er cadwraeth yr iaith. Roedd y Gymraeg mewn argyfwng ac roedd dirfawr angen sefydlu clymblaid o aelodau seneddol, cynghorwyr ac undebwyr llafur er mwyn diogelu ei dyfodol. Oni lwyddid i argyhoeddi'r Cymry Cymraeg a'r di-Gymraeg o'r rheidrwydd i gadw'r iaith yn fyw, yna roedd ei dyfodol yn ddu. Roedd y Cymry, meddai, yn euog o osod 'yr hyn sy'n creu hunaniaeth ac unigrywiaeth ein cenedl yn ail.' Sut y gellid cynnal hunan-barch cenedl tra y dirmygid ei hiaith? Ychydig a wneid i hysbysu'r Cymry di-Gymraeg o fanteision y Gymraeg. Dylid gwneud hynny ar frys ac mewn modd deniadol a fyddai wedi ei ysgaru oddi wrth wleidyddiaeth y pleidiau. Serch hynny, roedd angen i'r Blaid Lafur, plaid gryfaf Cymru, gydnabod ei chyfrifoldeb: 'Os fydd yr iaith Gymraeg fyth marw, bydd yn marw oherwydd methiant y Blaid Lafur i chwarae ei rhan.' Canlyniad araith Alun Talfan Davies oedd i'r Cymmrodorion gytuno i ymgymryd â'r gwaith, a chanmolwyd hynny gan y *Western Mail*. Y Cymmrodorion oedd y corff amlycaf i noddi cyngor o'r fath a'i brif swyddogaeth fyddai canfod ffyrdd i fywiocáu'r Gymraeg a pherswadio'r Cymry di-Gymraeg i'w harddel: 'Welsh is a language that deserves to live.'[24]

Wrth i'r dref, yn 1959, gyflwyno ei chais am Eisteddfod 1962, ymffrostiwyd, eto fyth, yn ei 'thanbeidrwydd dros y Gymraeg'. Serch hynny, roedd dirfawr angen ailfywiocáu'r Gymraeg ac ymdrechu o'r newydd i gadw'r 'ffordd Gymreig o fyw'. Rhwng 1950 ac 1960, disgynnodd nifer plant ysgol ddwyieithog y cylch o 21 y cant i 17.6 y cant. Erbyn hynny, roedd llai na 60 y cant yn medru'r Gymraeg o'i gymharu ag 80 y cant ddeugain mlynedd ynghynt. Gobaith y Maer oedd y byddai'r brifwyl yn 'donig gwerthfawr i'n hiaith hynafol, frodorol' ac yn hwb i'r di-Gymraeg. Gobaith Tregelles Williams oedd y byddai'r ymweliad yn fodd i atal seisnigiad y dref.[25]

Ond cyhoeddwyd llythyrau gwrth-Gymraeg yn y *Llanelly Star* yn ystod union wythnos yr Eisteddfod honno. Mynegodd un ohonynt gryn elyniaeth at y Gymraeg yn iaith collfarn enwog y *Times* yn 1866:

> The sooner the Welsh language disappears from the practical, political, social life of Wales, the better; the better for England, the better for Wales . . . The language of a Welshman is and must be English.

Y Saesneg oedd biau'r dyfodol a'r Gymraeg oedd melltith y Cymry. Roedd geiriau'r llythyrwr hwn yn adleisio ymateb y *Times* a'r *Daily Telegraph* i'r darlithiau enwog a draddododd Matthew Arnold yn Rhydychen yn 1865-6 ac a gyhoeddwyd dan y teitl *Lectures on Celtic Literature* yn 1867. Y mae'n hysbys mai imperialydd rhonc oedd Arnold yn ei agwedd tuag at y Gymraeg. Yn ei farn ef, os oedd gan Gymro unrhyw beth o bwys i'w ddweud, roedd yn rhaid iddo'i ddweud yn Saesneg. Bron i ganrif yn ddiweddarach, felly, ailfynegwyd y farn honno bron air am air gan Gymro o Lanelli. Roedd yr Eisteddfod Genedlaethol, wrth lynu mor dynn at y famiaith, yn arafu cynnydd y genedl. Roedd y Gymraeg yn marw. Gadawed iddi, felly, farw.[26]

Parhaodd y mân gecru ynglŷn â pherthnasedd y Gymraeg ar ôl Prifwyl 1962. Mewn cyfarfod o Gyngor yr Eisteddfod Genedlaethol a gynhaliwyd ar 25 Awst, anogodd y Cynghorwr Brinley Thomas bob awdurdod lleol i ysgwyddo baich ariannol y brifwyl. Unwaith eto, danfonwyd llythyrau yn cwyno i'r *Llanelli Star* – yn ddi-enw y tro hwn. 'When it was decided to make it all Welsh it should have been recognised that there were not enough Welsh enthusiasts to make it a success', oedd barn un llythyrwr. 'The English- speaking Welshmen – (the only people who can solve the "crisis" in the fight to retain the language) – are not only antagonised but doubtful of the sincerity of their compatriots', oedd barn un arall.[27]

Wrth gloi, felly, mae'n werth craffu ar dystiolaeth y pedair Eisteddfod Genedlaethol a gynhaliwyd yn Llanelli. Faint o gefnogaeth a fu i'r Gymraeg yn nhestunau'r brifwyl, yn areithiau llywyddion y dydd a chyfarfodydd y Cymmrodorion? A oedd y Gymraeg, yn ôl y dystiolaeth honno, yn destun trafod neu'n bwnc llosg?

Yn yr Adran Lên, nid oedd hynt a helynt y Gymraeg yn destun yr un gystadleuaeth ryddiaith yn 1895 ac 1903. Ffafriwyd testunau megis 'Hanes Bywgraffiadol o Genhadon Cymreig' neu 'Casgliad o Lên-Werin Sir Gaerfyrddin'. Erbyn 1930, fodd bynnag, roedd pump o'r 28 testun traethawd yn ymwneud yn benodol â'r Gymraeg, ffaith sy'n adlewyrchu'r gofid ynglŷn â'i rhagolygon mae'n siŵr. Cynigiwyd £25 am ddraethawd ar 'Hanes Ymgais Mân-Genhedloedd Ewrop i gadw eu Hieithoedd' (un cystadleuydd) ac Ambrose Bebb oedd y beirniad. Cynigiwyd deg gini am ddraethawd ar 'Lle a gwerth yr Iaith Gymraeg mewn Masnach yn awr ac yn y dyfodol' (dau gystadleuydd ac ataliwyd y wobr gan Robert Richards a R. Hopkin Morris), a £10 am ddraethawd ar 'Dylanwad y Brifysgol ar Lenyddiaeth Cymru ac ar yr Iaith Gymraeg yn ystod y deng mlynedd ar hugain diweddaf', – gwobr a enillwyd gan Miss Lottie Rees, Llanelli, a fyddai am flynyddoedd wedyn yn fawr ei gofal am fuddiannau'r Gymraeg. Gwaetha'r modd, ni chyhoeddwyd y traethodau hynny, na'r beirniadaethau arnynt chwaith, ac o ganlyniad ni chafodd y cyhoedd gyfle i ymateb iddynt. Nid oedd un o'r cystadlaethau rhyddiaith yn ymwneud â phwnc yr iaith yn 1962. Cynigiwyd gwobrau o £10 am Lyfrau Dysgu Cymraeg fel Iaith Gyntaf ac fel Ail Iaith, ond dim ond un a fentrodd i'r gystadleuaeth gyntaf (dyfarnwyd hanner y wobr i Glenys Vaughan Thomas o Dreorci) a phedwar i'r ail.[28]

Ni fu tynged yr iaith yn thema amlwg yn areithiau llywyddion y dydd chwaith. Osgowyd pwnc y Gymraeg, a hyd yn oed pan grybwyllwyd hi, osgowyd ei hargyfwng. Canu clodydd ysgolheigion Cymru a wnaeth Syr John Jones-Jenkins yn 1895 a llawenhau am fod y Cymry i gyd 'yn sefyll ysgwydd wrth ysgwydd yn yr hyn oedd oreu i'r dywysogaeth', sef 'heddwch a chynnydd a chân.' 'Adfywiocâd Cenedlaetholdeb Cymreig' oedd y peth a darodd D. Randell, A.S., wrth sefyll o flaen cynulleidfa'r neuadd ond ni roddodd esboniad pellach ar hynny ac ni chyfeiriodd at y Gymraeg. Yn 1903, broliodd David Lloyd George, AS., ei fod ym 'Mhabell Heddwch . . . lle ceir y Cymro gwladgarol' a dywedodd Brynmor Jones, AS., yn ei araith lywyddol ef: 'Yr oedd y sefydliad ynddi hi ei hun yn brawf nad oedd cenedl y Cymry ar drengi; eithr yn hytrach, yn genedl oedd yn cynyddu . . . ochr yn ochr â'r Sais.' Trafodid diwylliant dyrchafol y Cymry ond ni thrafodid cyflwr eu hiaith. Yn 1930, er enghraifft, ac Ifan ab Owen Edwards yn un o lywyddion y brifwyl, trafodwyd Seisnigiad addysg yng Nghymru: 'The Welsh people', meddai, yn ôl y *Western Mail*, 'know more about the disaster that befell the Spanish

Armada in 1588 than they know of the man who translated the Bible
into the Welsh language in the same year'. Olrhain hanes y brifwyl ac
ymlyniad y Cymry wrth 'awen a chelf a chân' a wnaeth Morgan
Morgan, Maer y dref, a chanmol dylanwad dyrchafol y
'Genedlaethol' a wnaeth y Bon. Howard Stepney. Ni chlywyd sôn
penodol am y Gymraeg tan 1962 ac un yn unig o'r chwe llywydd a
gyfeiriodd yn uniongyrchol at ddyfodol y Gymraeg. Clodforodd Syr
Grismond Phillips ragbaratoadau'r brifwyl a chanmolodd Dr A.D.
Llewelyn   drefniadau'r   pwyllgor   lleol   ar   ddiwedd   wythnos
lwyddiannus. Areithiodd James Griffiths, A.S., yn huawdl dros
'gadw'r iaith a'r safonau moesol a phopeth sydd o werth yn
nhraddodiad gorau bywyd y Cymro'. Ond roedd popeth yn 'saff 'i
wala yn Llanelli', meddai. R.E. Griffith, Cyfarwyddwr yr Urdd, oedd
yr unig un i grybwyll difaterwch y Cymry at 'faterion yr iaith', yn
enwedig yr 'hen bobl'. Roedd ganddo, serch hynny, ffydd yng ngallu
yr ifainc i ddiogelu'r Gymraeg: 'Y mae'r bobl ifanc wedi deall fod yn
rhaid i'r Gymraeg ddilyn pob gofyn.'[29]

Ni fu'r Gymraeg yn destun trafod yn y brifwyl ei hun. Yng
nghyfarfodydd y Cymmrodorion, trafodid y 'pethe Cymreig'.
Gorganmolwyd cyraeddiadau diwylliannol y Cymry yn hytrach na
thrafod cyflwr y Gymraeg. Dywedodd *Y Faner* am araith William
Edwards Tirebuck ar 'The Welsh Genius in Literature and Art of the
Day' yn 1895: 'Os gwir yr oll o ddyfaliadau Mr Tirebuck, y mae
gwaed Cymru wedi cynhesu llawer ymdrech llenyddol mewn lleoedd
na feddyliasom erioed.' 'The Functions of the Welsh University' a
'Musical Progress in Wales' oedd pynciau llosg 1895. Yn 1903,
trafodwyd sefydlu 'A National Museum' a phwysigrwydd grantiau
i'w chynnal. 'Industrialism and Higher Education' oedd prif bwnc
1930. Ni bu'r Gymraeg yn destun trafod gan y Cymmrodorion tan i
Alun Talfan Davies draddodi ei ddarlith ef ar 'Yr Iaith Gymraeg yn
ein Bywyd Cyhoeddus' yn 1962.[30]

Serch hynny, diogelu a hyrwyddo'r Gymraeg yw un o brif
amcanion y brifwyl. Yn ôl Y Parchg. D.J. Davies yn 1962: 'Amcan
pennaf yr Eisteddfod fel sefydliad yw bod yn noddfa ac amddiffynfa
i'r iaith Gymraeg yn ei llafar a'i llên.' Yn unol â'r delfryd hwn, mae
Menter Iaith ynghlwm wrth Brifwyl 2000. Dau brif amcan fydd i'r
Fenter honno, sef cynorthwyo'r Eisteddfod Genedlaethol yn ei gwaith

a hyrwyddo'r Gymraeg a'i diwylliant yn yr ardal. Yng Nghwm Gwendraeth a chylch Taf-Elai, sefydlwyd Mentrau Iaith yn sgil ymweliad Eisteddfod Genedlaethol yr Urdd. Yn Llanelli, sefydlwyd Menter cyn pumed ymweliad y brifwyl. Ym Mhrifwyl y Mileniwm, bydd anghenion yr iaith yn flaenoriaeth ddiymwad. Yn y flwyddyn 2000, bydd geiriau D.J. Davies yn 1962 yr un mor berthnasol:

> Y mae hoedl yr Eisteddfod ynghlwm wrth ffyniant yr iaith. Os collir hon fe'i collir hithau yn yr un alanas. Pe gwybuasai'r rhai sydd yn erbyn Rheol yr Iaith am y perygl hwn a deall ystyr y pryder, o'r braidd y byddent mor barod i'w gwrthwynebu[31]

I grynhoi felly, beth mae'r dystiolaeth eisteddfodol rhwng 1895 ac 1962 yn dweud am awydd Llanelli i hyrwyddo buddiannau'r iaith? Yn syml, o ran enillion ymarferol i'r Gymraeg yn y fro, siomedig fu adladd y pedair prifwyl a fu; ni ellir dweud iddynt gynhyrchu fawr ddim mwy na heip a brwdfrydedd dros dro. Rhaid cydnabod nad oes unrhyw ffrwyth penodol y gellir pwyntio ato fel prawf digamsyniol o ddylanwad arhosol Prifwyliau 1895, 1903, 1930 ac 1962 ar Gymreictod Llanelli. Prin y gellir dweud fod ysgolion Cymraeg Dewi Sant a Brynsierfel ac Ysgol Gymraeg y Strade wedi tarddu o'r brwdfrydedd eisteddfodol yn Llanelli. Y mae felly o'r pwys mwyaf fod Prifwyl 2000 yn dwyn ffrwyth go iawn er lles y Gymraeg – megis canolfan ar gyfer ieuenctid y dref a'r cylch. Bu digon o fynegi gobeithion yn Llanelli ond stori arall bob amser yw sylweddoli'r gobeithion hynny.

NODIADAU

[1]*Llanelly Mercury*, 31 July 1930, 5.

[2]*The Western Mail*, 31 July 1895, 5; Hywel Teifi Edwards, *Gŵyl Gwalia: Yr Eisteddfod Genedlaethol yn Oes Aur Victoria 1858-1868* (Llandysul, 1980),300

[3]'Yr Eisteddfod Genedlaethol', *Y Geninen*, I (Ionawr, 1895), 18-21.

[4]*Y Cerddor Newydd*, 15 (Hydref, 1903), 114.

[5]*Baner ac Amserau Cymru*, 7 Awst 1895, 6, 9; *Llanelly Mercury*, 13 August 1903, 7.

[6]*Llanelly Mercury*, 10 August 1893, 6; D.K.Rosser, *The Mechanisms of Cultural Change in Llanelli: A Case Study of the Dispersal of a Traditional Working-class Population*. MSc (Econ.) thesis (U W Swansea, 1984), 18.

[7]*Llanelly County Guardian*, 15/22 August 1928, 4, 7.

[8]Ibid., 3 April 1902, 2; 13 August 1903, 4.

[9]*Y Geninen*, 20 (Hydref, 1902), 254-6.

[10]*Llanelly Mercury*, 30 July 1903, 8; 13 August 1903, 8.

[11]Hywel Teifi Edwards, op.cit., 321; *Llanelly County Guardian*, 7 March 1929, 1.

[12]*Transactions of the Cymmrodorion Section of the National Eisteddfod (Llanelly)*, 1930, 54-9; *Cofnodion a Chyfansoddiadau Eisteddfod Genedlaethol 1930* (Llanelli), '*Barddoniaeth a Beirniadaethau*' 1, 55, 153; Hywel Teifi Edwards, op.cit., 301, 322.

[13]Ernest Roberts, *Briwsion y Brifwyl* (Caernarfon, 1978), 24-8.

[14]*South Wales Press*, 27 August 1930, 7; Meic Stephens, gol., *Cydymaith i Lenyddiaeth Cymru* (Llandysul, 1986), 196, 421; *Y Llenor*, 11 (Haf, 1932), 65.

[15]*he Western Mail*, 4 August 1930 (Supplement), 9; 11 August 1930, 11.

[16]Ibid., 4 August 1930 (Supplement) 9.

[17]Ibid., 11 August 1930, 11.

[18]*Llanelly Mercury*, 13 August 1903, 7; *The Western Mail*, 30 July 1895, 5.

[19]Hywel Teifi Edwares, *Codi'r Hen Wlad yn ei Hôl 1850-1914* (Llandysul, 1989), 3.

[20]*The Western Mail*, 4 August 1930, 9; D.K.Rosser, op.cit., 20; *Rhaglen Swyddogol Eisteddfod Genedlaethol Frenhinol Cymru 1930*, 7.

[21]*Y Llenor*, 10 (Hydref, 1931), 129-30.

[22]*Llanelli Star*, 25 November 1961, 10; Hywel Teifi Edwards, *Yr Eisteddfod: Cyfrol Ddathlu Wythganmlwyddiant yr Eisteddfod 1176-1976* (Llandysul, 1976), 82.

[23]*Llanelli Star*, 23 December 1961, 5; ibid., 6/13 January 1962, 7, 1; 5 June 1962, 8.

[24]D.K.Rosser, op.cit., 165; *The Western Mail*, 10 August 1962, 1-4.

[25]D.K.Rosser, op.cit., 20; *Llanelli Star*, 15 August 1959, 1; 13 January 1962, 1; 4 August 1962, 8.

[26]*Cydymaith i Lenyddiaeth Cymru*, 22, 376; *Llanelli Star*, 11 August 1962, 9.

[27]Ibid., 25 August 1962.

[28]Gweler cyfrolau'r *Cyfansoddiadau a Beirniadaethau* perthnasol a'r *Transactions* hefyd.

[29]*Baner ac Amserau Cymru*, 12 Awst 1903, 7, 11; 23 Awst 1962, 3; 3 Awst 1965, 5; *South Wales Press*, 6 August 1930; *The Western Mail*, 7 August 1930 (golygyddol).

[30]*Baner ac Amserau Cymru*, 7 Awst 1895, 4; *The Western Mail*, 2 August 1895, 6; 30 July, 1895; 1 August 1895; *Llanelly Mercury*, 6/13 August 1903, 5,5; *The Western Mail*, 18 August 1962, 1. Gw. hefyd *Trafodion Anrhydeddus Gymdeithas y Cymmrodorion*, 1930.

[31]*Llanelli Star* (Supplement), 4 August 1962, 11.